민중과 대동

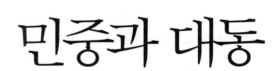

민중과 대동

민중사상의 연원과
조선시대 민중사상의 전개

이창일 지음

한국학총서

민중과 대동

등록 1994.7.1 제1-1071
1쇄 발행 2018년 5월 10일

지은이 이창일
펴낸이 박길수
편집인 소경희
편 집 조영준
관 리 위현정
디자인 이주향
펴낸곳 도서출판 모시는사람들
　　　　03147 서울시 종로구 삼일대로 457(경운동 수운회관) 1207호
전 화 02-735-7173, 02-737-7173 / 팩스 02-730-7173
홈페이지 http://www.mosinsaram.com/

인 쇄 천일문화사(031-955-8100)
배 본 문화유통북스(031-937-6100)

값은 뒤표지에 있습니다.
ISBN 979-11-88765-12-6   93910

* 이 도서의 국립중앙도서관 출판예정도서목록(CIP)은 서지정보유통지원시스템
홈페이지(http://seoji.nl.go.kr)와 국가자료공동목록시스템(http://www.nl.go.kr/
kolisnet)에서 이용하실 수 있습니다.(CIP제어번호: CIP2018012610)

* 이 저서는 2013년 대한민국 교육부와 한국학중앙연구원(한국학진흥사업단)을
통해 한국학총서사업의 지원을 받아 수행된 연구임(AKS-2013-KSS-1230002)

보통사람의 노래

우리의 전통을 이루는 유교문명의 대표적 고전(古典) 『시경(詩經)』에는 당시 보통사람들이 부른 노래가 채록되어 전해진다. 「박달나무를 베며」(伐檀)라는 노래도 그중 하나이다.

> 쾅쾅 박달나무 베어서
> 강변에 쌓아 두니
> 푸른 강물 바람에 일렁이네.
> 씨를 뿌리지도 곡식을 거두지도 않았는데
> 어떻게 저 많은 양식을 얻었을까?
> 사냥도 하지 않는데
> 어떻게 당신의 뜰 안에는 들짐승들이 그득 매달려 있는가?
> 저 군자(君子)여,
> 일하지 않고는 먹지 말아야 하느니!
>
> 쾅쾅 나무 베어 수레바퀴살을 만들어
> 강가에 쌓아 두니
> 푸른 강물 물결이 퍼지네.
> 씨를 뿌리지도 곡식을 거두지도 않았는데

어떻게 저 많은 양식을 얻었을까?

사냥도 하지 않는데

어떻게 당신의 뜰 안에는 큰 짐승들이 그득 매달려 있는가?

저 군자여,

일하지 않고는 먹지 말아야 하느니!

쾅쾅 나무 베어 수레바퀴를 만들어

강 옆에 쌓아 두니

푸른 강물 잔물결 도네.

씨를 뿌리지도 곡식을 거두지도 않았는데

어떻게 저 많은 양식을 얻었을까?

사냥도 하지 않는데

어떻게 당신의 뜰 안에는 메추라기들이 그득 매달려 있는가?

저 군자여,

일하지 않고는 먹지 말아야 하느니![1]

　　이 시는 지금으로부터 3천 년 전, 그러니까 기원전 1천 년 즈음에 실제로 불렸던, 세계에서 가장 오래된 노래의 가사들 중 하나이다. 노래를 부르는 사람은 일을 하며 살아가는 보통사람이다. 그런데 그는 일을 하지 않고도 일하는 자신보다 더 풍요로운 군자(君子)를 크게 원망한다. 당시 '군자'는 세습적 신분질서가 유지되는 사회에서 귀족에 속하는, 통치 집단의 일원들을 가리키는 말이었다.

　　'왜 일하지 않고 먹는가?' 이 질문에는 남이 한 일의 결실을 가로채는 자들에 대한 분노가 들어 있다. 이러한 분노는 사회적 신분질서의 모순을 배경으로 한 것이지만, 심층적으로 분석하면 더 근원적인 사실을 지적할 수 있다. 군자와 일하는 보통 사람들은 본래 동류(同類)라는 인식이 그것이다. 군자나 나(보통사람)나 '다 같은 사람'이라는 인식은 사회적 구조에 대한 인식보다 더 깊은 층에 놓여 있던 자각이다. 이 자각은 사람을 신분이나 계급으로 구분하기 이전에 사람 그 자체의 정체성의 자각에서 연유한 것이다. 후일 인간의 역사에서 의식적으로 등장하는 '평등'이라는 이념보다 더 직접적이고 심층적인 인식이라고 할 수 있다. 그런데 보통사람과 군자가 '다 같은 사람'이라는 자각은 사실 매우 고상한 인식이 아닐 수 없다. 그 안에는 인간 존재의 평등이라는 이념이 담겨 있다. 그러나 이러한 이념은 아직 성숙되지 못한 싹과 같았고, 실현은 당시로서는 꿈도 꾸지 못할 일에 불과했다.

그러나 이러한 자각에서 보자면, 남의 것을 빼앗는 것은 인간이라면 차마 해서는 안 되는 행위이며, 금수의 세계에서나 볼 수 있는 일이다. 그러나 보통사람들은 현실적으로 맹수와 같은 힘을 가진 군자에게 부당한 일의 시정을 요구하거나 저항할 수 없었다. 대신, 이러한 노래로써, 인간의 정체성에 대한 자각이 없는 군자는 오히려 천한 금수와 다름없는 존재이며, 자신들이야말로 이러한 금수 같은 미물에게 욕을 당하는 처지에 놓여 있다는, 귀천(貴賤)이 전도된 역설적 상황을 말하고 있다.

이런 맥락에서 일하지 않고 먹는 자들은 남의 것을 뺏는 자들이며, 이들은 곳간을 드나드는 쥐새끼와 같은 보잘 것 없는 삶을 사는 존재라며 풍자하는 노래도 있다. 『시경』에 실린 「큰 쥐」[碩鼠]라는 노래이다.

큰 쥐야, 요놈의 큰 쥐야
내 곡식 훔쳐 먹지 마라.
3년 동안 너랑 잘 알고 지냈거늘

나를 돌아보지 않는구나.

너를 버리고 떠나

저 낙토(樂土)로 가련다.

낙토여, 낙토여!

그곳이 내 살 곳이리라! [2]

　맹수의 폭력과 달리 쥐떼가 곡식을 훔쳐 먹는 것은 자잘하면서도 근절하기 어려운 질기고 귀찮은 삶의 현실이다. 쥐떼가 나의 일용(日用)할 양식을 빼앗는 상황은 나로서는 어쩔 수 없는 속수무책인 삶의 현장이다. 내가 힘들여 만든 먹을 것도 내 것으로 온전히 가져오지 못하는 이러한 현실은 부당하지만 그것을 바로 잡을 방법이 없다는 것은 더욱 괴로운 일이다. 일하는 보통사람은 다만 꿈에서나 이러한 상황을 벗어날 밖에 다른 수가 없다. '낙토'는 쥐 같은 존재가 없는 대동(大同)세상이나 종교에서 약속하는 극락(極樂)의 소박한 표현일 것이다. 간혹 현실에 대한 분노가 큰 사람들은 무리를 지어서 쥐를 잡으러 나서기도 했다. 또한 남이 일해서 얻은 것을 훔쳐 먹는 쥐떼는 없어져야 한다는 보통사람들의 바람은 지식인의 손을 빌려서 인간세상에 언젠가는 실현해야 하는 지상과제로 역사에 각인되어 전해졌다. 이들의 자각과 꿈은 인간존재의 근저에서 비롯된 것이기 때문에 쉽게 사라질 수 없는 것이지만, 그것이 실현되고 더욱이 사회제도로 수립되기까지는 긴긴 시간을 인내하고 기다려야 했다.

　보통사람들의 이 노래가 불려지고 700여 년이 지난 시기에 『시경』을 배우는 한 학생이 그의 스승에게, 저 노래 가사의 마지막 구절 '일하지 않고는 먹지 말아야 하느니'의 의미를 물었다.

"군자는 왜 일하지 않고서도 먹습니까?"

여기서도 인간은 평등한 존재라는 자각은 여전히 살아 있다. 게다가 「벌단」과 「석서」의 시대를 거쳐, 세월이 흘렀어도 군자는 여전히 일하지 않고 먹으며, 보통사람들은 일해 얻은 자기의 몫을 뺏기고, 큰 쥐들은 이를 훔쳐 먹고 번성하였다. 스승은 대답한다.

"군자란 나라에 등용되어서 일을 하는 대가로 먹을 것을 구한다."

스승은 군자의 성격이 변했다는 것을 알려준다. 같은 군자라도 『시경』 시대의 군자는 통치 집단의 일원을 가리켰지만, 이 시대의 군자란 통치의 기술을 습득한 전문가로서 통치의 실무를 담당하는 존재였다. 그래서 통치자의 일을 대신해 주는 대가로 식록(食祿)을 구할 때는 통치 집단(왕과 귀족)에 속하고, 그렇지 못할 때는 통치 집단에 끼지 못한다. 그렇다고 보통사람에 속하기에도 애매했다. 통치의 기술은 매우 다양했기 때문에 군자들도 성격이 서로 달랐다. 위의 스승은 군주를 존귀하게 만들어주고, 보통사람들에게는 효도와 공경, 충성과 신의 같은 가치를 가르쳐 주는 사람이 군자라고 생각했다. 그러므로 스승은 말한다.

"그러니 무슨 공밥이겠느냐?"

『맹자(孟子)』에 전하는 대화이다.

이러한 대화가 군자의 무위도식에 대한 미화이든 사회적 분업과 역할에 대한 정당한 논리이든, 보통사람과 귀족 및 군자로 분화된 사회에서는 각자의 신분 또는 계급에 따른 역할과 직능이 구별되어 있다는 것을 보여준다. 이 시대의 사회 시스템은 농업사회를 기반으로 한 주(周)나라 봉건제이고, 단음절어의 한자(漢子)를 사용하며 예(禮)의 관습을 주로 하여 성립된 문화가 통용되고 있었다. 개인이라는 개념이 뚜렷하게 형성되지는 않았으나, 『시경』이나 그 밖의 문헌에 생래적으로 가지고 태어난 인간의 권리라는 개념은 미약하게나마 표현되고 있다. 다만 그때까지만 해도 개인은 제도의 객관적 시스템 속에서 활동하는 단위가 되지 못하고, 상호주관적인 문화 속에서 승인을 아직 받지 못하고 있었을 뿐이었다.

위에서 본 『시경』의 노래 속에는 우리가 사는 현대까지도 그대로 이어지는 원망과 분노가 확인된다. 왜 누구는 일하지 않고 먹으며, 그러한 불의(不義)가 통용되는 세상은 왜 존재하는가?

보통사람을 한자어로 옮기면 가장 대표적으로 민(民)을 들 수 있다. 민(民)은 개인이 아니라 들판의 풀처럼 다수의, 흔하게 존재하는 특성으로부터 정체성을 얻었기 때문에 민초(民草)로 불리며, 무리지어 일하고 개성보다는 집단의 특성으로 파악되었기 때문에 민중(民衆)이다. 그러므로 민은 단수로서의 개인이 아니라 복수로서의 개인들이다.

민중은 보통사람들을 가리키는 말이지만, '군자'에 대해서 정치적으로나 경제적으로 압박당하고 착취당하는 피동적인 집단이라는 선입관이 있다. 여기에 더해 주류 담론에서 소외되어 비천하고 열등한 존재로 전락하기 쉬운 존재로 간주되기도 한다. 반면에 근세에 들어서는 기존의 질서를 전복하려는 프롤레타리아 혁명을 꾀하는 계급의 주력이기도 하다. 이 때문에 지배계급의 입장에서 민중은 불온한 집단으로 간주되며, 독재시대와 반공의 이념을 건너온 우리나라의 환경에서 민중은 '빨갱이'라는 모멸적인 언사와 동의어로 취급받기도 했다.

그러나 3천 년 전 보통사람들의 정서에 공감할 수는 있지만, 그때와 달리 지금은 적어도 원론적으로 보통사람들이 주권을 가진 나라에서 살고 있다. 이 보통사람들을 민중이라고 부를 수 있지만, 이들은 단순한 '민의 무리'가 아니라, 이미 정치적 지위가 고양되어 국민(nation)이 된 존재이다.

오늘날 모든 권력은 국민으로부터 나오기 때문에, 국민의 정당한 노력을 착취하고 억압하는 특권적인 개인이나 집단은 존재할 수 없다. 이러한 주권 재민(主權在民)의 원칙은 현실적인 한계에도 불구하고 불가침의 대원칙으로 인정되고 있다. 그런데 이러한 원칙이 수립되기까지 민중은 피와 살을 장구한 역사의 대지에 바쳐 왔다. 그 대가로, 앞선 노래에서 등장한 큰 쥐들은 여전히 존재하지만, 이들을 제압할 수 있는 합법적인 힘을 가지게 되었다.

이러한 '군자'와 보통사람 사이의 힘의 대결 구조와 그 변천은 중국만의 이야기가 아니라 인류 보편의 역사적 과정이며, 이는 우리 역사에서도 마찬가지이다. 이 글에서는 우리 역사에서 민중이 주권재민이라는 대원칙을 쟁취하기까지 품었던 생각 즉 사상, 특히 조선시대의 민중사상이 어떻게 전개되었는지를 살펴보려고 한다.

우리는 보통사람을 나타내는 한자로 민(民)을 생각하고, 민의 무리를 민중으로 부른다. 민중은 큰 쥐에 대항해서, 타고난 인간됨의 조건에서 자연스럽게 인지된 천부(天賦)의 인간 권리(인간존엄성, 자유, 평등, 자기실현 등)를 추구하려는 욕망을 가지고 있는 무리뿐 아니라, 이런 생각을 정리하여 체계적인 이론을 만들고 실천하는 무리들까지 포함한다. 이는 민중의 범주에 사회적 분업을 통해서 정당하게 일하는 군자들도 포함되는 것을 의미한다. 이런 의미에서 민중은 대다수의 보통사람과 더불어, 인간됨의 조건에서 자연스럽게 생겨난 천부의 인권을 실현하고 이를 방해하는 세력에 저항하는 자각적인 사람들을 아울러 지칭하는 개념이다. 그래서 반드시 신분이나 계급과 일치하는 것은 아니다. 따라서 '민중사상'은 민중 자신에 의해 정립된 것만이 아니라 민중의 입장을 반영한 '군자들의 사상'까지를 포함한다.

민중의 반대편에는 '큰 쥐'들이라고 할 수 있는 세력이 있다. 이를 일반적으로 '지배계급'이라고 통칭할 수 있다. 이들 역시 '인간'이라는 점에서 민중과 다르지 않지만, 민중에 대한 억압과 착취에 기반 한 사적 소유, 즉 사유화(私有化)의 극대화를 추구하며 집요하게 고수하는 세력이다. 그러나 민중과 그 반대의 진영에 속한 지배계급은 한편으로는 공(公)을 추구하고 다른 한편으로는 사(私)를 추구하는 인간의 생래적 경향에서 생겨난 집단이기 때문에, 어느 한쪽이 완전히 소멸될 수 없다. 이는 모두 인간의 천부적인 욕구이기 때문이다. 공의 추구는 천부의 인권을 자각하고 이를 구현하는 사회적인 제도를 수립하여 이상적인 사회를 건설하는 데로 나가지만, 사의 추구는 사회를 차별적 위계구조로 만들어 특권적 집단의 지배적 위계구조를 공고화하는 데로 나간다.

'왜 일하지 않고 먹는가?'라는 보통사람의 의문은 평등을 머금고 있는 고상한 인식에 기반한 것이다. 이 고상한 인식이 피어난 것은 인간의 정체성이 자연과 동일시되었던 선사시대의 장구한 시간을 거쳐, 인간이 자연에서 독립적인 지위를 가진 것이라 파악했던 역사시대에 들어서면서 구체화된 것이라 생각할 수 있다. 인간의 의식은 이미 생래적인 천부인권의 개념에 도달했지만, 그러한 인권의 개념에 저항하는 부당하고 오만한 권위구조도 집요하게 존속하고 있다. 민중은 이러한 권위구조, 병리적인 위계구조 속에서 쥐들로부터 살과 피를 요구받고 굴종을 강요당하여 왔으나, 그 구조를 부수기 위해 생각을 모아 사상을 만들어, 무자비한 탄압과 처벌을 감내하고 결국은 주권재민의 단계에 도달하게 되었다.

민중이 요구하는 것은 지배계급의 부당한 착취와 억압, 굴종이 없는 세상이었다. 우리는 앞으로 주권재민의 이상이 명분으로나마 실현된 오늘의 시대에 이르기 전인 조선시대에 전개된 민중사상을 탐구하려고 한다.

민중은 누구이며, 그들이 속한 사회는 어떤 사회였는지, 그들은 무엇을 원하였고. 그것을 얻기 위해 어떻게 행동하였는지, 얼마만큼 성취하고 좌절하였는가를 살피는 것이다. 더 나은 삶을 위한 민중의 역사적 노력과 이에 대한 생각, 기록과 흔적, 평가를 살펴본다.

이 글은 모두 5개의 장으로 이루어졌는데, 1장은 민(民) 개념의 역사와 유교문명에서 민의 위상을 살핀다. 그리고 민이 궁극적으로 원하는 이념을 이른바 근대성과 비교 고찰한다.

2장에서는 민중사상의 근원을 살핀다. 먼저 대동(大同)사상과 공맹(孔孟)의 근본유학을 비교한다. 고대 유학의 이상사회론은 시대가 변천하는 가운데도 사라지지 않고 민중사상의 큰 맥으로 전해졌다. 아울러 근본유학의 보수성과, 역사적으로 은폐되어 온 혁명성에 대해서도 조명해 본다. 또한 샤머니즘과 자연숭배사상, 그리고 이를 통일적으로 설명하기 위해 도입된 기(氣)의 사상도 살펴본다. 민중사상의 주요 구성요소인 각종 참위(讖緯)와 예언의 사상, 이를 종합한 『정감록(鄭鑑錄)』과 같은 비기(祕記)의 근원을 이루는 사상을 아울러 살핀다. 그리고 대표적인 민중사상인 불교의 미륵사상과 서구에서 도래한 천주교의 민중사상적 요소를 살펴본다.

3장은 구체적인 역사 현장에서 전개된 민중사상을 탐색하기 위해 조선의 국체(國體)와 성리학의 이념을 살펴본다. 조선을 민중 친화적 사회로 개혁하기 위한 여러 혁신적 사상, 주로 율곡 이이의 개혁사상과, 불온하게 취급된 정여립의 변혁적 대동사상, 허균과 같은 비판적 지식인들의 민중론을 살피고, 실학의 민중론을 조명해 본다.

4장은 민중의 내면에 타오르는 참다운 삶에 대한 열망이 부조리한 제도적 압제와 이를 조장하는 불순한 사적 세력들의 폭력에 저항하는 생생하고 처절한 민란의 모습을 살핀다. 민란의 유형을 통해서 민중사상의 여러 조류들을 살핀다. 그리고 민중사상의 가장 원숙한 형태로 평가되는 개벽사상과 한국 최초의 근대국가였던 대한제국이 연결되는 지점에서 '신(新)존왕주의'와 같은 4대 근대화의 원리 가운데 하나를 탐색한다.

　마지막으로 5장은 민중사상이 전개에 대한 지금까지의 논의를 정리하고 민중사상의 철학적 의미를 짚어보면서 결론을 내린다.

차례 민중과 대동

1장

———————

민중의 개념

민중사상의 전개과정을 살피기 위해서 먼저 민중의 고전적 개념을 살펴본다. 민중(民衆)이라는 단어는 기원전부터 있었던 민(民)과 중(衆)의 합성어지만 실제로는 현대어이며, 사회주의 진영에서 즐겨 사용하는 '인민(人民)'에 담긴 이념적 함의와 유사한 뜻을 가지고 있기 때문에, 자유주의 진영에서 편견 없이 수용할 수 있는 말이 아니다. 그래서 보통사람을 가리키는 말로 쓰자는 데에 완전한 합의에 이르기 어렵다고 생각한다. 오히려 우리 사회는 국민(國民)이라는 말을 선호하는 편이다. 본래 인민이라는 말이 국민보다 포괄적이고 역사성을 가진 말이지만, 우리나라는 국민의 개념이 인민을 포괄하는 역사적 특수성이 있다.[3] 그러나 민중, 인민, 국민 모두는 민(民)의 개념에 기초하고 있다. 그래서 먼저 민의 고전적 개념 지형을 살펴보고, 민에 대해서 특별한 관심을 쏟아왔던 유가(儒家)의 민 이해를 알아보기로 한다.

　구체적으로는 민의 개념적 토대 위에서 형성된 서인(庶人), 서민(庶民), 여민(黎民), 백성(百姓), 국인(國人), 민중 등의 단어의 의미를 살피면서, 역사적으로 민이 어떤 실체적 신분이었는지, 신분 변동을 거친 후에는 어떠했는지, 그리고 우리 문화에 지속적으로 영향을 미친 유가에서는 어떻게 민을 이해하고 있었는지를 살펴본다. 또한 이러한 민의 개념을 유가는 정치사상적으로 어떻게 파악했는지를 검토해 본다.

1. 고전의 민(民) 개념

갑골문(甲骨文)	금문(金文)	소전(小篆)	해서(楷書)

민은 동북아시아의 가장 오래된 문자인 은(殷)나라의 갑골문(甲骨文)과 주(周)나라의 청동기 명문(銘文)에 나타난다.[4] 그러나 민의 문자적 기원에 대해서 명확한 합의에 이르지는 못하고 있다. 주요한 학설은 다음과 같다. 첫 번째 해석은 민 자를 두 부분으로 나누어서, 윗부분은 눈(目)이고 아래 부분은 십자 막대기 같은 모양을 손으로 쥔 것으로 본다. 그리고 그것은 막대기로 눈을 찌른 모습이라고 해석한다. 적국의 보통 사람을 포로로 잡아 그 눈을 찔러서 도망칠 수 없게 장님으로 만들어 노예로 삼은 것을 형상했다는 것이다. 민 자에 대한 이러한 설명은 민의 기원에 전쟁에서 패배한 사람들의 굴종과 더불어 지배-피지배의 투쟁과 갈등의 사회구조라는 맥락이 전제되고 있음을 보여준다.

또 다른 해석은, 민 자의 윗부분은 얼굴이고, 아랫부분은 눈을 찌르는 도구가 아니라 얼굴에 문신을 하는 도구라는 설명이다. 여기서 민 자는 얼굴에 문신을 한 사람이라는 유래를 갖는다. 여기에 문신은 일종의 호신부라는 해석을 덧붙인다.

위 두 설은 민을 노예로 보고 있다는 점은 같다. 민이 얼굴에 문신을 한 사람을 형상화한 글자(형상이)라고 했을 때, 무축(巫祝)과 같은 주술의 담당자가 제사의 희생으로 사용하는 존재라고 본 것이다. 인신(人身)공양의 대상으로는 주로 노예를 사용했다.

그런데 민을 노예로 보기보다 원주민과 달리 타 지역에서 유입된 이주민으로 보는 견해가 있다. 이는 민을 맹(萌) 또는 맹(氓) 자의 가차자로 해석하는 것이다. 『설문해자(說文解字)』에서는 "民은 萌의 무리이다. 고문의 상형에 따른 것이다"라고 했다. 여기서 맹(萌)은 번식과 양육의 의미이다. 이것은 무산자(無産者) 계급이나 생산수단을 갖지 못한 임금노동자를 뜻하는 프롤레타리아의 어원이 되는 고대 로마의 프롤레타리우스(proletarius)를 연상시킨다. 이들은 정치적 권리나 병역의무도 없고 전쟁에 나서는 어린이(proles)만 낳는, 번식과 양육 기능만 수행하는 자들이었다. 맹(萌)의 함의와 유사하다.

맹(氓)은 『시경』에 나오는 글자로 단옥재(段玉裁)의 『설문해자주(說文解字注)』에 따르면 '다른 곳에서 온 이주민(自他歸往之民)'이다. 이들은 성 밖의 교외에서 거주하는 자들로서 주로 포로나 죄인들이었다.[5] 이 설은 갑골문에 민을 가리키는 글자가 보이지 않고, 민의 자형에서 눈[目]의 글자를 연관하는 방식이 상관성이 적은 것이라 비판하고, 생산성을 위해서라면 눈먼 노예를 굳이 만들지 않았을 것이라는 상식적 판단 등을 근거로 한 것이다.

청동기 명문의 민 글자는 그 수도 드물지만, 주로 왕이 다음 왕에게 물려주는 나라의 강토와 그에 부속된 소유물을 가리킨다. 주나라의 3대 강왕(康王, 기원전 1020~996 재위) 때 만든 「대우정(大盂鼎)」의 명문에는 이러한 의미로 민을 사용하였다.

우야! ⋯ 밤낮으로 내가 사방을 다스리는 것을 도우면, 나는 선왕을 따라 [너에게] 민(民)을 주고 강토를 주겠다.[6]

이처럼 민을 통치자의 소유물로 보는 인식과 더불어, 금문에 등장하는 민은 소경, 맹인, 어두움 등 부정적인 의미를 갖고 있다. 『시경』 이래 민은 맹(氓) 또는 맹(甿)으로 불렸다. 위에서 보았듯이 맹(氓)은 성문 밖 교외에 사는 야인(野人)이며, 맹(甿)은 『설문해자』에 따르면 전민(田民)으로 곡식이나 뽕나무를 심거나 가꾸는 노동자들로, 사람을 낮춰 부를 때 쓰는 말이었다. 또한 맹(氓) 또는 맹(甿)은 소경을 뜻하는 맹(盲)이나 명(瞑)으로도 해석하기도 한다.

가의(賈誼)의 『신서(新書)』 「대정하(大政下)」에서는 "민이라는 말은 맹(氓; 백성)이다. 맹이라는 말은 맹(盲; 소경)이다(民之爲言, 氓也. 氓之爲言, 盲也)"라고 했다. 여기서 맹(盲) 즉 장님은 눈이 찔려서 실명한 사람이라기보다는 '까막눈'처럼 무지하고 무식한 사람, 곧 문(文)의 혜택을 보지 못하고 교화(敎化)되지 못한 야(野)의 뜻이라고 할 수 있다. 말하자면 민은 무식자(無識者)들이다.

이 수준에서 민은 야인(野人)이며 아직 인간으로 부를 수 없는 그런 처지에 있다. 그들은 우글우글 떼 지어 살며, 아무렇게나 다뤄도 좋을 적국의 보통사람들이거나 죄 지은 자들이고, 들판의 짐승들과 구분되지 않는 겨우 사람의 형상이나 갖춘 하찮은 존재들이었다. 이러한 인식은 공자(孔子)가 활동한 춘추전국시대 이전까지 고경(古經)들에서 유지되는 민의 개념이었다.

인(人)과 민(民)은 구별되는 존재였기 때문에, 민과 인의 문자에는 인식론적 차이가 마땅히 존재하고 있다. 인과 민의 개념적 차이는 『시경』과 『춘추좌전(春秋左傳)』(이하 『좌전』)에서 볼 수 있다.

> 아리땁고 즐거운 군자(君子)시여
> 좋은 덕(德)을 드러내고 드러내시어
> 민(民)을 화목케 하고 인(人)을 화목케 하시니
> 하늘로부터 복록(福祿)을 받으실진저.[7]

주석가들은 "군자는 왕이고, 민은 서민(庶民)이며, 인은 벼슬이 있는 자在位者]"라고 해석한다.[8] 현대에도 쓰이고 있는 서민(庶民)이라는 말의 서(庶)는 '많다,' '여럿' 등의 의미이고, 『시경』의 특별한 맥락을 벗어나면 인민, 민중, 백성 등과 호환되는 말이다. 인은 보편적인 사람이나 인간 일반이라기보다는 특별한 사회적 지위 혹은 특정 신분을 가진 사람이라는 의미로 이해되고 있다. 『좌전』의 기록은 인의 의미를 이해할 수 있는 단서를 준다.

> 하늘엔 10간(十干)이 있고, 인(人)에겐 10개의 등급이 있는데, 아랫사람은 그로써 윗사람을 섬기고, 윗사람은 그로서 신을 공경하는 것이다. 그래서 왕(王)은 공(公)을 신하로 예속시키고, 공은 대부(大夫)를 신하로 예속시키고, 대부는 사(士)를 신하로 부리고, 사는 조(皀)를 신하로 부리고, 조는 여(輿)를 신하로 부리고, 여는 예(隸)를 신하로 부리고, 예는 요(僚)를 신하로 부리고, 요는 복(僕)을 신하로 부리고, 복은 대(臺)를 신하로 부린다.[9]

위의 인용문은 기원전 춘추시대에 수립되어 있었던 인의 사회적 신분제를 보여준다. 왕(王), 공(公), 대부(大夫)가 최상층이며, 사(士)부터는 생산수단이 없다. 그래서 사는 주로 장원의 주인인 대부가(大夫家)의 집사(執事)나 무사(武士) 출신이 많았다. 사 아래의 조(皀), 여(輿), 예(隸), 요(僚), 복(僕), 대(臺) 등은 글자 뜻처럼, 마구간 지기, 관리 등 온갖 잡역에 종사하거나 직접 생산을 담당하는 일꾼이었다. 그러나 이것은 인의 사회적 신분이며, 인 이하에 민이 있다.

민은 유교무류(有敎無類. 가르침에는 차별이 없다. 신분이나 지위에 상관없이 누구나 다 가르치겠다)를 말하는 『논어(論語)』에서조차도 인과 구별되는 신분적 지위를 가지고 있는 것처럼 보인다.

천승(千乘)의 국(國)을 이끌려면 정사(政事)를 공경히 하여 믿음을 주고, 국용(國用)을 절약하여 인(人)을 아끼고, 민(民)을 부릴 때는 시기를 맞추어야 한다.[10]

인이나 민을 모두 사람으로 생각하는 지금의 관념으로는 인과 민을 구분해서 사용한 위의 인용문을 석연하게 이해하기 어렵다. 그 의미는 두 가지로 생각할 수 있다. 첫 번째는 천승(千乘)의 국(國)은 제후국(諸侯國)이다. 인을 관직에 있는 사람으로 보면, 민은 10등급으로 구성된 인에 속하지 않는 사람들이다. 다른 해석은 인을 제후국 안의 모든 사람을 포괄하는 단어로 생각하는 경우이다. 그럼 인은 민을 포괄하는 넓은 개념이고, 민은 나라[國]를 위해 부림을 당하는 정치적 의미를 지닌 존재로 정의할 수 있다.[11] 이러한 해석은 지극히 현대적이다. 그렇다고 해도 민은 노예를 포함한 광범위한 피지배 계층의 존재라는 의미는 변하지 않는다.

민의 뜻은 '백성'(백성 민)이다. 고경의 맥락에서 백성(百姓)은 매우 특별한 용어이다. 현재는 인민이나 민중과 같은 의미를 지니지만, 다소 왕조 체제의 시대성이 느껴지는 용어라고 할 수 있다. 본래 백성이라는 말은 '백가지(=많은)' 성(姓)을 가진 귀족을 가리켰고, 그래서 백성은 많은 수의 귀족 집단의 연합체를 의미했다.[12] 하(夏)나라나 은나라에서도 백성은 귀족의 표상이자 관직의 표상이었다. 그래서 백성을 백관(百官)이라고도 했다.[13]

주나라 초 성(姓)을 중심으로 종성씨족(宗姓氏族)의 종법(宗法)제도가 확립됨으로써 '백성(百姓)' 가운데도 차이가 나기 시작하더니, 춘추시대 후반기 종족(宗族)들이 무너지고 철기문명과 인구 증가로 인해 토지의 사유가 늘면서 세습 귀족들의 신분 변동이 생겨났다. 이 때문에 백성도 귀족의 의미를 잃게 되었다. 일부 '백성'의 사회적 지위는 '서민(庶民)'과 다름이 없어졌다.[14]

『논어』에서 백성의 쓰임이 이를 증거하고 있다.

　　백성(百姓)이 풍족하면 군주가 어떻게 풍족하지 않을 수 있겠습니까? 백성
　　(百姓)이 풍족하지 못하면 군주께서 어떻게 풍족할 수 있겠습니까? [15]

　『논어』에는 백성이라는 말이 3곳의 문장에서 등장하는데, 여기서 백성은
인과 민을 포용하는 것으로 쓰이고 있다.[16] 다만 백성은 백관으로 쓰인 것처
럼 인과 구분이 덜 되지만, 민과 완전히 겹치지 않는 것으로 보인다. 그러나
『논어』의 다음과 같은 민의 쓰임에 이르면, 민의 개념이 이제는 맹인이나 야
인들처럼, 사회에서 가장 낮은 신분에 속하는 사람에 국한되지 않고, 통치자
집단에 대한 피통치자 일반을 가리키는 것으로 이해된다. 그리고 민에 대한
관심, 민을 위한 정치인 인정(仁政)의 정치사상이 피어나기 시작한다. 흥미
롭게 우리가 말하는 민중이라는 말의 연원을 여기서 찾을 수 있을 것이다.
그것은 민중이 생략된 유명한 문구인 박시제중(博施濟衆)이 생겨난 본래의
완전한 문장이다.

　　만약 민(民)들이 혜택을 볼 수 있도록 폭넓게 베풀고 또 가난한 중(衆)들을
　　구제할 수 있다면 어떻습니까? 그 사람을 인(仁)하다고 할 수 있습니까? [17]

　여기서 '민'은 보통사람의 무리를 뜻하는 중(衆)과 대등하게 사용되고 있
다. 비록 통치 집단이 존재하지만, 민은 낮은 지위에서 승격되고 백성은 높
은 지위에서 낮은 지위로 격하되어, 통치를 받는 '보통사람들'의 함의를 갖
고 있다. 우리가 민을 '백성 민'으로 부르는 것은 이처럼 장구한 역사적 배경
속에서 이루어지는 것이다. 이는 공자의 시대인 춘추시대에 큰 폭의 신분변

동이 이루어졌기 때문이다. 그래서 이러한 역사적 경험을 한 뒤에는 민을 도외시하고는 정치를 말할 수 없게 되었다.

비록 유가는 정치의 핵심에 군(君)을 두지만, 군과 민은 이제 하나의 상관성으로 묶여지게 되어 실제로는 거의 군과 같은 무게와 비중을 갖는 개념으로 전제되고 있다.[18] 유가의 민 관념은 위민(爲民), 애민(愛民), 민본(民本)이라는 말로 구체화되면서, 고경 시대의 민 관념에서 탈피하여 민을 정치의 중심으로 승격해서 형성되었다. 이들 단어에 담긴 정치철학적 의미는 치자의 입장에서 보았을 때는 여전히 피지배 계층인 민을 다스리려는 유가의 정치원론 안에서 이루어지고 있지만, 군의 존립을 위해서 민이 도외시될 수 없다는 정치철학적 구조와 인식을 나타내주고 있다.

2. 초기 유가의 민(民) 이해

초기 유가는 고경을 해석하면서 유가의 정체성을 형성하기 시작했던 공자, 순자(荀子), 맹자(孟子) 등의 사상을 말한다. 흔히 원시유가, 근본유학, 공맹(孔孟)유학 등으로 불린다. 초기 유가의 민 이해는 민이 포함된 복합용어에 잘 드러나 있다. 이러한 용어들은 유가의 민 이해를 나타내는 규합개념(organizing concept)이면서 기원전에 수립되어 현대까지 이어지고 있다. 그런데 이 용어들을 이해하는 관점에는 상반된 시선이 있다. 첫 번째 시선은 문헌과학적 실증성에 입각해서 당시 경전의 쓰임을 분석하여, 유가의 민 이해가 철저하게 통치자의 입장에서 이루어진 것이라 본다. 두 번째 시선은 유가의 민 이해가 현대 민주주의의 선하(先河)라는 점을 강력하게 호소하는 해석이다. 더 나가 민주주의가 실현해야 하는 목적론적 이념을 제시하고 있다고 주장하기도 한다. 첫 번째는 유가 정치철학의 민주주의적 해석에 대해서 부정적인 견해를 강하게 나타낸다. 두 번째는 유가의 민주주의적 성격에 대해서 긍정적이고 낙관적으로 해석한다.[19]

필자는 이 두 해석에서 긍정적 해석에 귀를 기울이면서 더 적극적인 주장을 펴려고 한다. 유가의 민론(民論)은 당시의 시대적 환경과 정치철학의 발전 단계에 따라, 현재의 민주주의나 민중론과 차이가 있는 것은 사실이다. 그러나 유가의 민론은 서구로부터 수용된 민주주의와 대립적인 성격을 가지고 있다는 일반적인 견해와 달리, 서구식 민주주의의 본질에 대한 비판과 새로운 민주주의 모델의 대안 역할을 할 수 있다는 새로운 차원을 열어 보여주고 있다. 곧 서구 계몽주의 시대의 민주주의 이념 자체가 거꾸로 유가의 민론에 큰 영향을 받아서 성립되었다는 다소 충격적인 사실을 마주하는 시대가 되었다는 것이다. 그래서 실은 근대에 수용된 민주주의는 그 근원에서 유가의 민론을 자양으로 하여 전개되었다는 것이다.[20]

동양인들은 근대에 접어들면서 왕정(王政)의 사회구조를 벗어나 민주의 사회구조를 표방하는 민주주의 사상을 참신하다고 보며 도입하였으나, 이는 일시적으로 망각되었거나 그 가능성에 무지했던 고유한 사상이 다른 옷을 갈아입고 나타난 것이라 할 수 있을 것이다. 이러한 의미에서 이 글의 관점은 유가사상에 대한 맹목적 비판이나 이데올로기적 찬미와 결을 달리해서, 유가사상의 다양한 함의에 대한 과감한 해석을 통해, 과거 우리 역사에서 부분적으로밖에는 실현하지 못한, 완전하게 이해되지 않은 사상이라는 관점으로, 유가사상을 다시 음미하려고 한다. 이에 대해서는 민중사상의 연원에서 살피기로 한다.

유가의 민 이해는 공자로부터 시작된 것을 표준으로 삼는다. 그런데 공자의 사상은 앞선 주나라의 사상과 문물제도를 기술한 고경들을 기반으로 해서 성립되었다. 이런 이유로 공자와 유가에 영향을 끼친 고경의 민 이해를 먼저 살펴본다. 이어서 민의 복합용어로 표현된 유가의 민 이해의 여러 측면들을 살피면서, 유가의 민론의 특징을 알아보도록 하겠다.

민은 어원에서 살핀 것처럼, 노예나 문화의 향유가 불가능했던 무식자를 포함하는, 왕과 귀족에 대해서 낮은 신분의 광범위한 피통치자 일반에 속한다. 그런데 민은 천(天)과 같은 지고의 존재와 대비한 보편적 인간을 의미하는 경우도 있으며, 이는 유가 정치철학의 정수로 알려져 왔다. 이러한 민에는 군도 포함된다. 고경 가운데 하나인 『국어(國語)』의 기록이다.

> 민(民)은 하늘과 땅의 가운데 존재로 부여받아 탄생하였는데, 이른바 하늘의 명령이다.[21]

이러한 기록은 후대 음양가(陰陽家)에 의해서 발전된 천지인(天地人) 삼재(三才)의 사상과 이를 『주역(周易)』과 『중용(中庸)』 등을 통해 전폭적으로 수용한 유가의 대표적인 사상으로 이어질 수 있는 전거가 될 수 있을 정도로 민의 위상을 격상해서 선언하고 있다. 이어서 『서경(書經)』에서는 민유방본(民惟邦本. 民이야말로 나라의 근본이다), 즉 민본론(民本論)을 천명한다.

> 민(民)은 가까이 생각해야 하며, 뒷전에 밀어두면 안됩니다. 민(民)이야말로 나라의 근본이니, 근본이 튼튼해야 나라가 편안합니다.[22]

유가에 의해서 기원전에 성립된 민본론은 흡사 현대의 민주주의 사상을 보는 것 같은 느낌을 준다. 이와 함께 『서경』은 '민심이 곧 천심'이라고 하여 현대 민주주의 사상을 잘 나타내 보여주는 속설의 근원을 간명하게 보여준다.

하늘이 귀 밝고 눈 밝음은 내 민(民)의 귀 밝고 눈 밝음으로부터 오며, 하늘이 모든 것에 밝고 두려운 것은 내 민(民)이 모든 것에 밝고 두려워함에서 오느니라.[23]

민이 노예나 천한 국외자 등의 개념을 벗어나고, 군과 상관적 관계를 맺고서 나라의 주체로 여겨지자, 유가는 이를 군민동체(君民同體) 사상으로 정리했다. 유가의 현실주의자인 순자는 이렇게 말한다.

하늘이 민(民)을 낳음은 군주를 위해서가 아니라, 하늘이 군주를 낳은 것이 민(民)을 위해서 일하라는 것이었다.[24]

군과 민은 통치자와 피통치자의 관계이나, 적대적인 관계가 아니라 서로가 서로의 존립 이유가 되는 상호연관성으로 파악한다. 순자는 민이 다만 통치의 대상 즉 피동적 객체가 아니고 오히려 군주를 민의 공복(公僕)이라고 생각한다. 이는 『좌전』에서 "하늘이 민을 낳고 이에 군주를 두어 민을 이롭게 하였다"[25]라고 한 것보다 더 급진적인 생각의 표현이다.

『시경』에는 민을 포함하는 복합어가 많이 등장한다. 만민(萬民), 민인(民人), 사민(士民), 서민(庶民), 선민(先民), 여민(黎民), 인민(人民), 증민(烝民), 하민(下民) 등이 그것이다. 이러한 단어는 수세기를 거쳐 조선시대에 이르기까지, 매우 흔하게 사용된 민을 가리키는 일상적인 말들이다. 이 단어를 포함하는 민지부모(民之父母), 천생증민(天生烝民)은 주목할 만한 어절과 문장이다.

이 문구가 더욱 유명해진 것은 『대학(大學)』과 『중용(中庸)』에 인용되었기 때문이다. 『대학』과 『중용』은 본래 『예기(禮記)』의 한 편명이었지만, 이것이 새로운 유학 즉 성리학(性理學)의 수립과 더불어 하나의 경(經)으로 승격되었다는 것이 사상적으로 더욱 중요한 사실이다.[26] 즉 『시경』의 시어와 『대학』과 『중용』에서 인용한 시어는 서로의 맥락이 다르다. 전자가 당시 역사적 사실에 충실한 서사와 서정을 노래한 것이라면, 후자는 철저하게 유가의 새로운 정치철학에 고경의 권위를 부여하기 위한 의도를 가지고 있는 것이다.

『시경』의 '민지부모'는 "즐거우신 군자여, 백성의 부모이시다"라는 짧은 노래 가사에 나오는 말이다. 이를 인용한 『대학』의 맥락에서는 유가의 정치철학에 중요한 핵심으로 민을 위치시키는 말로 사용하고 있다.

> 시에 이르기를 "즐거우신 군자여! 백성의 부모이시다"하니, 백성이 좋아하는 바를 좋아하며 백성이 미워하는 바를 미워하니, 이것을 일러 '백성의 부모'라고 한다.[27]

『시경』의 본래 맥락에서 '민지부모'는 주나라를 세운 무왕(武王)의 아들인 성왕(成王)의 덕을 찬탄하는 것이다. 유가의 입장에서 무왕은 유가의 이상적인 군주상을 가리키는 내성외왕(內聖外王)의 전형 가운데 하나이다. 내성외왕은 천부의 인간성을 고양하여 내면의 인격을 갖추고, 이에 기반하여 세상을 다스리는 통치자를 가리킨다. 요순에서부터 시작되는 고대의 성스러운 왕들의 계보 가운데, 무왕도 자리 잡고 있다. 이 계보에 성왕은 들어 있지 않지만, 어린 나이에 즉위한 성왕은 무왕의 동생인 주공(周公)의 보필을 받아서 태평성세를 이끌게 된다.

주공은 천자는 아니었으나 성스러운 왕들의 계보에 속하는 권위를 얻고, 이어 '외왕'은 아니었으나 '내성'을 달성한 공자가 이 계보에 포함된다. 세속의 왕이 아니었던 공자는 이로 인해 소왕(素王)이라는 이름을 얻게 된다. 주나라 성립 뒤 2천년 뒤에 새로운 유학의 재건을 목표로 성립된 성리학은 요(堯), 순(舜), 우(禹), 탕(湯), 문(文), 무(武), 주공에 이어 공자와 맹자, 뒤이어 성리학의 직접적 선하(先河)인 이정(二程) 형제를 도통(道統)의 개념으로 계보화한다. 이른바 도통론(道統論)은 가상의 계보학이지만, 이를 통해 성리학의 정당성을 수립했다.

『시경』의 시가 『대학』의 맥락에 옮겨지면, 그것은 혈구지도(絜矩之道)를 보여주는 것으로 해석된다. 혈구지도는 '내 마음을 자(try square)로 삼아 남의 마음을 재고, 내 처지를 생각해서 남의 처지를 헤아리는 원칙과 방법'을 말한다. 오늘날의 철학적 관점에서 이는 사유에 기반한 공감의 원리에 비교될 수 있을 것이다. 유가의 정치사상을 나타내는 '치자의 인정(仁政)을 통한 위민(爲民)'의 원칙에는 이러한 공감의 원리가 자리하고 있다. 이 같은 사상은 『맹자』의 여민동락(與民同樂)의 사상으로 이어지고, 이는 고대 유가사상의 민본주의를 가리키는 대표적인 정치철학의 명제가 된다.

그러나 유가사상이 실제로 민본적인지에 대해서는 회의적인 시선이 없는 것은 아니다. 초기 유가사상의 이러한 정치적 언사들은 지배계급의 이익에 봉사하기 위한 명분과 선전구호에 지나지 않으며, 실제로 민은 단지 통치의 대상이며, 왕을 비롯한 지배계급의 자산을 풍요롭게 만드는 수단과 소유물로서, 생산을 위한 도구에 불과한 것이라는 냉소적인 해석도 일정한 논거를 가지고 있다. 그러나 고대의 유가 사상에는 냉소적으로만 일소될 수 없는 혁명성이 존재하고, 오히려 지배계급의 사상이 아니라 민중사상의 연원이 될 수도 있다는 역설적인 상황을 염두에 둘 필요가 있다.

'천생증민' 역시 유가의 민 중심의 정치사상을 잘 보여주는 말이다.

하늘이 많은 사람을 낳았고, 만물에 규칙이 있게 하시었다. 사람들은 그

떳떳함을 지키고[秉彝] 아름다운 덕[懿德]을 좋아한다.[28]

'증민'은 '많은 사람'이라는 뜻으로 서민이나 민중과 비슷한 말로 쓰였다. 『시경』에 이어 『맹자』에도 잘 쓰이는데, 여기서 민은 보편적인 인간을 가리키는 것으로 어의가 승격되었다. 이로써 한낱 눈을 파낸 노예를 가리키는 말에서 보편적인 인간을 가리키는 지위로 재해석되어, 천부의 성선(性善)을 논하는 근거가 되는데 이르렀다. 뒤이은 '유물유칙'이라는 말 역시도 사물의 내적 법칙을 가리키며, 주로 인간의 본성에 선을 지향하는 윤리적 본성이 내재한다는 형이상학적 설명에 잘 등장한다. 그러나 냉소적인 사람들은 이 역시도 치자가 피치자를 다스리기 위한 명분에 불과하다고 해석한다.

왕은 왕이기에 다스리고 민은 민이기에 다스려진다. 왕을 따르는 자발적 복종의 아름다운 덕(德)이 천부적으로 민에 내재되어 있다는, 신분제도를 정당화하는 이데올로기라는 식이다. 그러나 여기서도 한쪽으로 과도하게 치우친 해석만이 유일한 것은 아니다. 이러한 비판은 주로 성리학의 정치철학에 대한 것이며, 유가의 혁명적 성격까지 비판할 수는 없을 것이다.

민을 포함하는 복합어 어휘는 기원전에 성립된 것이 많지만, 현대어와 형상이 같은 것도 많다. 『좌전』에서는 국민(國民)이 등장한다. 그러나 이는 오늘날의 국민(nation)이 아니라, 주나라의 봉건제도를 전제하고서, '제후국[國]에서 그 제후의 통치를 받는 민(民)'이라는 의미이다. 또한 『좌전』에는 민인(民人), 천하지민(天下之民), 만민(萬民), 백성(百姓), 서민(庶民), 조민(兆民), 하민(下民), 소민(小民) 등의 용어와 함께 특이하게도 민주(民主)라는 말이 나오지만, 이는 지금처럼 '민이 나라의 주인'이라는 것이 아니라, 민지주(民之主)를 가리킨다. 그 뜻이 '민의 주인은 군주'라는 것은 말할 것도 없다.

유가의 정치사상에서 위민(爲民)과 애민(愛民)은 애용되는 단어들이다. '위민'은 '민을 위한다'는 것으로 '민을 나라의 근본으로 여긴다'는 뜻이며, 그러기에 아끼고 사랑한다는 애민사상으로 이어진다. 그러나 유가의 경전에서 '위민'이란 보다 엄밀한 맥락이 전제되어 있다. 곧 '위민'은 '위민부모(爲民父母, 민의 부모가 되다)'나 '위민상(爲民上, 민의 위가 되다)' 등과 같이 민이 중심이 아니라, 군주를 중심에 두고 있는 말이다.

위민을 '민을 위하는 민 중심의 정치'라고 해석하는 것은 매우 근대적인 발상이다. 글자의 형상이 같다고 해서, 시대적인 인식을 도외시하면 곧바로 오류를 범하게 된다. 그리고 특이하게도, 위민(爲民)이란 단어는 중국, 대만 및 일본 사전에는 수록되지 않고 우리 국어사전에만 실려 있다. 이 때문에 '민을 위한다'는 뜻의 위민은 한국 유학자들의 조어(造語)이며, 위민사상은 한국 유학자들의 희망일 뿐이라는 냉소적인 해석이 뒤따르기도 한다.[29] 과연 한국에서 위민사상이 실제로 시행되었는가, 라는 의심이 사라지지 않기 때문이다. 실제로는 오히려 치자의 위선이 주로 감지되는 현상이다.

'민본'은 전통 유가의 정치사상을 잘 나타내 주는 단어이다. 그러나 중국을 위시해서 청대(淸代) 이전까지 거의 쓰이지 않는 말이다. 우리나라 고문헌에서도 민본이란 '민은 본래'라는 뜻으로 쓰이며, '본'은 '본래'라는 부사에 불과하다. 다시 말해 '민을 근본이나 핵심으로 삼는다'는 뜻이 아니다. 민본은 오래전부터 법가(法家) 계열의 문헌에서 '민을 다스리는 근본'이라는 지배계급의 통치원리로 쓰이는 말이었다. '위민'이라는 말과 함께 '민본'이라는 말도 '민을 근본으로 삼는다'는 의미로는 오직 우리나라에서 애용된 단어이다.[30] 이 역시도 과연 민을 근본으로 한다는 관념에 충실하게 실제로 실천한 것인지는 여전히 의심하지 않을 수 없다.

지금까지 민의 함의를 살폈다. 민에 내포된 의미는 넓은 스펙트럼을 가지고 있다. 눈먼 노예에서부터 피통치자의 대명사인 보통사람을 거쳐, 인간 보편을 나타내는 말로 쓰이기도 하고, 정치학적으로 군주와 상대하는 유일한 존재를 지칭하기도 했다. 그러나 군주와 상대하는 민의 의미에는 효율적 통치를 위해 피지배자들을 전면에 내세워서 그들을 위무하는 지배의 이데올로기가 은닉되어 있다고도 해석할 수 있다. 역사적으로는 민에 대한 수탈과 억압을 생생하게 보여주고 있기 때문이다. 하지만 이러한 해석이 그 반대로 명실이 상부하는 민본주의이자, 민주에 가장 근접했던 혹은 민주를 지향했던 사상이라는 해석의 여지조차 말살하는 데까지 적용되는 것은 옳지않다. 그 반대로 역사 속에서 하나의 의미 있는 힘으로 응집되어, 궁극적으로 민주와 민권을 쟁취하는 데 사용되었다는, 민의 함의 속에 담긴 '채 해석되지 못한 여분들의 가치'를 재해석하는 것이 민중사상의 실체적 내용을 밝히는데 더 유용할 것이다.

이런 측면에서 민중을 억압하고 착취했던 정치체제를 공고화하는 데 책임이 있던 유가사상 속에서 오히려 기존의 유가사상을 전복할 수 있는 혁명적 메시지가 발견할 수 있는 것이다. '채 해석되지 못한 여분의 가치' 영역 속에서 공자와 맹자의 민에 대한 사상을 찾아 재구성하게 되면 이후 역사에서 이러한 유가의 혁명적 성격을 계승했던 민중사상을 파악하는데 결정적인 도움이 된다.

3. 민중과 근대화

조선시대의 민중사상에 대한 탐구는 넓게는 동북아시아의 한자문명권 속에서 갑골문의 시대부터 공유되는 민중의 정체성에 대한 이해에서 시작하여, 우리의 고대국가로 좁혀지면서 구체화되는 배경을 가지고 있다. 우리 역사 속에서 민중의 처지는 시대마다 신분의 변동으로 인해 변화되었지만,

『시경』 시대 민중의 처지를 현대인들도 공감할 수 있을 정도로 본질적인 변화는 거의 없었다고 할 수 있다. 다만 민중의 위상이 결정적으로 전환된 것은 이른바 근대화를 경험하고부터이다. 장구한 시간 동안 유지되어 오던 노예(노비)의 신분이 근대화를 거치면서 법률적으로 소멸한 것이 하나의 의미심장한 표지일 것이다. 그래서 민중의 요구가 근대화를 통해 실현된 것이라고 한다면, 근대화의 특징을 먼저 이해해야 민중의 요구가 지향하는 바를 뚜렷하게 파악할 수 있을 것이다.

역사를 목적론으로 파악하는 것의 정당성에 대한 역사철학적인 논의 결과에 관계없이, 현재를 사는 사람들에게 역사는 마치 목적을 가지고 움직여 온 것처럼 이해된다. 과거는 부단히 현재로 이어지고 미래로 흐르는 것처럼 보이기 때문에 이러한 관점은 지극히 상식적인 것으로 보인다.

민중사상은 비록 실현의 기약이 없이 기원전부터 요구되어 온 장구한 역사를 가지고 있지만, 근대화 이후에 실현되고 보편화된 정치 체제나 사회구조를 실제의 삶 속에 구현하기 위해서 역사적으로 다양한 수준에서 문제를 제기해 온 민중의 생각과 실천을 구체적인 내용으로 포함하고 있다. 이는 근대 이전의 열악한 역사적 조건 아래에서, 기초적인 생존의 문제를 민란과 폭력이라는 수단을 통해서, 또는 그보다 사정이 좋을 경우는 민중의 편에 선 창조적 지식인들에 의해서 생산된 이론적 지식을 통해 제기하고, 전파하고 확대재생산하는 끊임없는 과정을 겪으면서 생성되어 온 것이다. 민중사상이 오랜 시간 동안 목표로 삼아온 것들 가운데 가장 대표적인 것을 상징하는 '신분제 철폐'라는 하나의 사안을 관철하기 위해서 수천 년 동안 민중은 역사의 대지에 선혈을 뿌려왔던 것이다.

우리가 생각하는 근대화는 대략 다음과 같은 특징이 있다고 볼 수 있다. 정치 방면에서는 정치의 민주화로서 직간접적 국민 참정의 구현이며, 경제

방면에서는 시장화와 산업화를 들 수 있고, 사법 방면에서는 인간화와 법치주의 확립을 들 수 있다. 또한 사회 방면에서는 시민의 자유화로서, 구체적으로는 양심, 종교, 사상, 학문, 예술, 언론, 출판, 결사의 자유 등으로, 그 핵심은 자유의 신장이다. 여기에 더하여 교육, 문화, 예술 등에서 이루어지는 대중화를 말할 수 있을 것이다.[31]

이를 좀 더 부연하면, 근대에 접어들면서 국가는 역사적으로 국민국가로 발전하게 된다.[32] 근대화 이전의 국가란 국민국가라고 할 수 없다. 그런 의미에서 백성은 참정권을 갖자마자, 단순한 민(people)에서 국민(nation)으로 격상된다. 경제는 자급자족적 영농과 가내 공업, 지방적 국지성과 집단적 고립성을 넘어서게 된다. 그래서 경제 양식이 전국적이고 전 국민적으로 확산되어 생산양식과 교류양식 측면뿐 아니라, 생산과 양민(養民, 교육/복지/환경을 통한 국민의 행복 증진)의 실효성 측면에서 국민과 국가의 살림살이 전체를 포괄하는 국민경제의 단계에 이른다.

사회는 시민사회가 되고, 국제사회는 문명과 야만의 경계 구분과 문명권 내의 국가들 간 주종관계에 따른 지역적 '종주-속방' 또는 '군신관계국'에서 탈피하여 전 지구적으로 주권 평등의 국제관계와 인적이고 물적인 교류의 개방을 규제하는 세계적 공법체계를 갖춘다.

종교는 타종교들에 대한 무제한적 관용 정신을 갖추고 국민의 공공도덕과 공공이익에 합치되는 국민의 종교가 되어야만, 유사종교성 또는 사이비 종교성을 탈피한 것으로 간주하게 된다.

도덕은 사적인 이익을 보장하나 오직 그것만을 추구하고 강조하는 의식에 공감하지 않고, 보편적 인간애를 기반으로 사회적 공동체의 공익을 우선 추구하는 의식에 기초를 둔다. 문화는 소수 귀족층의 귀족문화, 고급문화의 울타리를 부수고, 민중문화와 융해되어 대중문화로 발전한다. 여론은 귀족층의 폐쇄된 공의(公議)와 소수집단들의 특수 언론기구의 여론조작, 즉 발간된 여론(published opinions)을 넘어 민심에 부합되는 만인의 조작 불가능한 공론이 마련된다.

이런 의미에서 근대화란 민중의 승리이며, 역사의 선이라고 할 수 있다. 그러나 우리는 근대화를 정적인 이해의 대상으로 삼는 것을 피해야 한다. 근대화가 마치 역사의 목적론적 완성인 것처럼 생각하는 것 또한 민중사상의 반대에 서 있는 관점으로 보인다. 우리가 살고 있는 시대는 근대성에 대한 비판과 회의를 기반으로 하는 후기근대성이나 탈근대성에 대한 논의가 상당히 진전된 시대이기 때문이다. 여기서 근대성이란 주로 왕정 구조에서 민주 구조로 전환하는 거시적인 역사적 변화 속에서 단절적인 변화를 겪는 시점에 이루어진 변화, 즉 근대적 변화(근대화)의 특성을 가리킬 뿐이다. 그리고 이러한 근대화는 민중사상의 완결이 아니며, 계속적으로 민중사상은 생성되고 있다는 것을 인식하는 것이 중요하다. 예컨대, 주권재민의 사상이 헌법에 명시되어 있다고 해서 과연 그것이 실제로 실현되고 있는가는 또 다른 문제이다. 명분을 넘어서 실제적인 실현, 예컨대 민의(民意)의 온전한 반영과 확대 및 이를 실현하는 충분한 제도화의 문제는 여전히 해결을 위해 논의되고 있는 중이다.

또한 우리의 역사가 근대화를 달성하는 데 있어서, 근대화 자체는 서구나 외세로부터 유래한 것이라는 생각, 구체적으로 근대화는 곧 서구화라는 생각을 무비판적으로 지속해서는 안 될 것이다. 서구로부터의 영향 이상으로 내부로부터 민중들의 사상과 실천이라는 지속적인 압력과 역사를 이끌어나가는 동력이 없었다면 우리 사회의 근대화는 성취되기 어려웠을 것이다. 말하자면, 근대화라는 역사적 경험은 서구화를 통해서만 가능한 것이 아니며, 더욱 본질적인 계기와 동력은 내부의 요건 즉 민중사상의 적극적인 역사적 개입이라고 보는 것이다. 정치 방면에서 근대화의 핵심인 신분제의 타파를 위해 수천 년 동안 투쟁해 온 것은 민중이고, 나라의 주인으로서 참정권을 쟁취하기 위해 피를 흘린 것도 민중이다. 또한 경제 방면에서 물질적인 기초의 획기적인 증대 즉 기계제 대량생산에 기초한 산업화와 자본주의가 실시될 수 있는 동력은 민중이 제공한 것이다. 법치주의가 만민 평등의 원칙을 지향해 가고, 사회의 여러 분야에서 자유의 신장이 이루어진 것은 민중의 요구가 관철된 것이라 할 수 있다.

적어도 조선시대 민중의 요구는 근대화라는 언어 이전에 '민중이 나라의 주인이 되는 새로운 세상의 도래를 위한 요구'라고 할 수 있을 것이다. 이러한 근대화에 대한 요구는 너무도 오랜 시간 동안 진행되어 왔다. 주권이 없었던 민중이 주축이 된 이러한 요구는 주권을 가진 세력에 의해 탄압되고 진압되었기 때문에, 부득이하게 반란이라는 폭력의 형식을 통해서 이미 동서양 모두 기원전부터 지속적으로 등장해 왔다. 앞선 『시경』의 시는 기원전 그 사회의 하부구조가 얼마나 큰 질곡 속에서 개인의 노동을 착취하고 인권을 유린하고 있는가를 보여준다. 민중의 풍자는 오히려 점잖은 것이었다.

다음 장에서는 근대화의 획기적인 변화를 추구하는 민중의 생각과 실천적 행동들에 근원이 되는 사상은 무엇이었는지를 살펴보려고 한다. 먼저 민중을 탄압하는 데 동원되어 왔던 유가의 정치사상이 실은 민중사상의 매우 견고하고 핵심적인 원천이었다는 역설에서부터 시작해서, 인간존재의 영원한 평화와 자유를 구가했던 종교적 해방의 가르침이 내포한 혁명적 성격, 천지신명(天地神明)과 일월성신(日月星辰)을 섬기는 소박한 자연신앙에서 자발적으로 생겨나서, 소박하지만 근원적으로 자유와 평등을 지향하는 사상들을 차례로 살펴보려고 한다.

2장

_____

민중사상의 연원

1. 대동(大同)의 세상과 공맹(孔孟)의 사상

1) 대동과 소강의 세상

기원 후에 집대성된 유가의 경전 가운데 『예기(禮記)』가 있다. 『예기』는 예(禮)에 대한 유가의 다양한 기록들을 수집해서 정리한 것이다. 예는 일종의 관습법인데, 유가는 형법 중심의 성문법을 통해 국가를 통치하는 법가적 방식보다는 예라는 관습법적인 사회적 규약을 통해 국가를 통치하려고 했다. 공자가 "송사를 잘 처리하기보다 송사 자체가 일어나지 않아야 한다"[33]라고 한 것이 이러한 원칙을 선언한 것이라 볼 수 있다.

『예기』에는 동양 사회의 매우 특별한 이상사회론이 실려 있다. 「예운(禮運)」편의 대동(大同)사회가 그것이다. 여기서 '대동'이라는 말은 우리사회에서 민주화의 열기가 뜨거웠던 1980년대에 신선하게 재등장했다. 당시 대학의 축제를 '대동제'라고 부르고, 여러 민중예술에서 대동을 주제로 삼은 작품이 발표되었는데, 그 기원은 『예기』에까지 소급된다.

그런데 실제 역사에서 대동이라는 말의 등장은 매우 위험한 것이기도 했다. 우리나라에서 대동은 성리학적 질서에 대항한 정여립(鄭汝立, 1546~1589)의 대동계(大同契) '모반,' 조선시대 개혁의 상징이었던 대동법(大同法)의 실시, 그리고 독재 시대의 권위주의에 맞서는 학생운동의 대동제 등에서 체재 저항적인 '불온성'이 잘 드러나고 있다.

조선시대에 대동이라는 말은 반공국가에서 '자본론'을 입에 올리는 것과 같았다. 대동이라는 말이 유가의 경전인 『예기』에서 공자의 입을 통해서 등장한 것임에도 불구하고, 사대부 가운데 누구도 그에 대해 말한 자가 없을 정도였다. 대동법은 본래 '치자가 백성들에게 시혜를 베푼다'는 의미에서 선혜법(宣惠法)이 공식명칭이었다. 그러나 민중이 이를 대동법이라고 불렀기 때문에, 결국은 선혜법을 제치고 권위를 획득해서 공식명칭으로 정해진 것이다.[34]

박식한 조선의 유자들 가운데 대동에 대해서 언급한 사례가 많지도 않고, 그 내용도 빈약했다는 것은 조선사회가 그만큼 사상 통제가 극심한 사회였음을 보여준다. 조선시대는 「예운」에 대한 언급을 회피했다.[35] 대동이란 곧 이상사회이기 때문에, 이상사회를 구상하고 이를 실현하기 위한 구체적인 방책을 논하는 사상가를 조선에서 뚜렷하게 찾아볼 수 없다는 것은 이상의 추구를 억압하는 특정 이데올로기의 힘이 강했다는 것을 반증한다.[36]

『예기』「예운」의 대동사회는 동북아시아의 대표적인 이상사회론이다. 그것은 무릉도원(武陵桃源)의 목가주의적 신비경이 아니고, 무하유지향(無何有之鄉)의 고차원적 정신세계의 이상도 아니며, 용화(龍華)세계나 천년왕국(千年王國) 등과 같은 종말론적 분위기의 종교적 이상사회도 아니다. 대동은 매우 현실적이고 세간적이며 역사세계에서 실현 가능성을 타진해 볼 수 있는 이상사회이다.

이제 대동사회의 기본적 얼개를 살피고, 대동의 이상적 사회가 현실적으로 실현되지 못하는 이유가 무엇인지 탐색해 보자. 이는 구체적으로 대동과 짝이 되는 차선의 사회, 즉 소강(小康)에 대한 탐구로 이어진다. 아래는 대동과 소강에 대한 공자의 구상과 설명이다. 대동에 앞서 공자는 "대도(大道)가 행해지던 일과 삼대(三代)의 영명한 군주들을 나 공구(孔丘)는 겪어보지 못했지만 이에 대한 기록들은 남아 있다"[37]라고 서단을 연다.

    대도가 유행할 적에 '천하는 공의 원리에 따르는 공기(公器)'[天下爲公]였고, '현인과 능력자를 선출'했다[選賢與能]. 신의를 다지고 화목을 닦았다. 그러므로 사람들은 오직 제 어버이만을 친애하지 않았고 오직 제 자식만을 사랑하지 않았다. 노인은 생을 마칠 곳이 있었고, 젊은이들은 일할 곳이 있었고, 어린이는 키워줄 곳이 있었고, 환(鰥, 늙어 아내가 없는 홀아비), 과(寡, 늙어 남편이 없는 과부), 고(孤, 어려서 부모가 없는 고아), 독(獨, 늙어서 자식이 없는 자)과 폐질자(고칠 수 없고 불구가 되는 병을 앓는 자)는 보살펴줄 곳이 있었다. 남자는 직분이 있었고 여자는 시집갈 곳이 있었다. 재화가 땅에 버려지는 것을 싫어하지만, 재화를 반드시 (사적으로) 자기에게만 숨길 필요도 있지 않았고, 스스로 힘을 써 일하는 것을 싫어하지는 않지만 반드시 자기만을 위하여 일하지도 않는다. 이러므로 계모(計謀)가 닫혀 일어나지 못했고 도둑과 난적이 활동하지 못했다. 그러므로 바깥문을 닫지 않았다. 이것을 일러 대동이라 한다.[38]

    그런데 이와 같은 대동사회는 대도(大道)가 '숨어버리자' 즉 대도의 원리가 적극적으로 구현되지 못하자, 소극적 명분으로만 유지되어 소강의 사회로 한 단계 수준이 하향된다. 소강사회는 이런 사회이다.

    그런데 지금은 대도가 숨어버렸고 '천하는 가(家)에 따르게 되었고'[天下爲家] 각기 제 어버이를 친애하고 각기 제 자식을 사랑하고 재화와 힘은 자기를 위한다. 대인(치자)은 세습을 예로 삼는다. 성곽과 해자(垓字)를 방위시설로 삼는다. 예(禮)와 의(義)를 기강으로 삼아 군신을 바르게 하고 부자를 독실하게 하고 형제를 화목하게 하고 부부를 화합하게 하고 제도를 설치하고 전리(田里, 동네)를 세우고 용기와 지혜를 받들고 공을 세워 자기를 위한다. 그러므로 계모가 이를 틈타 작용하고 전쟁도 이로 말미암아 일어난다. 우임금, 탕임금, 문왕, 무왕, 성왕, 주공은 이 때문에 잘 다스렸다. 이 여섯 군자는 예에 신중하지 않은 적이 없었다. 이 예로써 그 의리를 드러내고 신의를 이루었다. 과오를 드러나게 하고, 인(仁)을 강제하고[刑仁], 겸양을 외게 하고, 백성에게 공시하는 것이 상례다. 이 예에 따르지 않는 자가 있다면, 권세가 있는 자도 백성을 버리게 되어 재앙이 된다. 이것을 일러 소강이라고 한다.[39]

대동과 소강은 형식상의 사회구조는 같지만, 대도의 적극적 작동 여부에 따라서 질적인 차이가 있다. 대동이 최선이라면 소강은 차선이다. 양자를 대응시켜 비교하면 두 사회의 차이가 명확히 드러나 보인다.

대동과 소강의 두 사회를 구성하고 운영하는 원리는 대도(大道)이다. 다만 대동은 대도가 현행(現行)하고 있고, 소강은 자취를 감추고 있다. 그러나 소강은 대도의 소멸이라기보다는 은장(隱藏)되어 소극적인 상태에 있다고 읽어야 한다. 그래서 그것은 현행될 수 있는 가능성이 있는 것이다.

대동사회의 시제를 과거형으로 볼 때는 복고적으로 보인다. 공자의 설명 자체가 회고적이다. 여기에 소강을 설명하면서 '지금은 대도가 숨어버렸고'라고 했으므로, 소강이 현재라면 대동은 과거인 것처럼 보인다. 그러나 중국적 사유방식은 미래를 과거에서 찾는 경향이 강하다. '요순시대'는 먼 과거이기도 하지만, '시간적 후퇴의 개념보다는 전진을 위한 현실비판의 개념'[40]이다. 그러므로 고(古)는 복고(復古) 혹은 회고를 통해서 미래지향적인 전망을 갖는 것이다. 공자가 온고지신(溫故知新)을 말한 것은 이러한 사고방식의 철학적 표현이다. 이는 중국적 사유방식이 가급적 모든 사유의 대상을 경험이 가능한 영역으로 설명하려는 경험주의적 특성을 띠고 있기 때문에 생긴 것이다. 그러므로 대동은 복고적이지만 그것은 단순한 과거가 아니라, 당위적 실현을 요청하는 '미래지향적 과거'라고 할 수 있을 것이다.

대도가 현행하여 적극적으로 실현되면 대동의 사회가 되며, 은장되어 소극적으로 퇴행하면 소강의 사회가 된다. 그러나 대도가 소멸되지 않는 이상 그것은 언제든 현행될 수 있고, 그렇게 된다면 대동이 달성된다. 대동을 꿈꾸는 이상주의자들의 꺼지지 않는 열정의 불씨가 「예운」의 내용에 암시되어 있는 것이다.

대동과 소강사회의 정치적 측면들을 비교하면, 권력의 소재는 각각 공(公)과 가(家)에 있다. 대동에서는 '천하위공'이라 하여 권력이 사회구성원 모두에게 있다는 것이며, 소강에서는 '천하위가'라 하여 권력이 가(家)라는 특정 집단에 있다는 것이다. 대동사회의 권력은 모든 인간 즉 민중(民衆)에게 있다.⁴¹ 비록 민중 속에 신분의 차등이 존재한다고 해도, 그 역시도 민중의 일원에 속하기 때문에, 평등의 이념에 따르고 있다. 그러나 소강은 민중이 아니라 특정한 집단, 즉 가(家)라고 하는 세습적 신분과 재화의 생산수단을 소유한 집단이 권력을 가지고 있다. 통상의 신분제에서 사(士) 이상의 왕(王), 공(公), 경(卿), 대부(大夫) 등은 생산수단을 가지고 있으며, 사는 생산수단이 없이 이들에게 지식이나 기술의 능력을 가지고 봉사함으로써 권력(재화)의 일부를 나누어 받으며, 사 이하의 민중은 이들의 지배를 받는다. 소강사회는 통치자와 피통치자가 철저하게 신분 혹은 계급으로 고착되어 존속되는 불평등 사회이다.

권력의 유지와 이양이 대동사회에서는 선양(禪讓)의 원칙에 따른다. 선양은 군주조차 선출하는 군주선출제와 통치권의 집행을 담당하는 자들을 선출하는 제도로 이루어져 있다. 그러나 소강 사회에서는 권력이 세습(世襲)된다. 왕은 종통(宗統)을 가진 혈연에게 왕위를 계승하고, 그에 따른 권력 또한 혈연에 기반한 가(家)를 중심으로 유지된다. 소강의 사회는 전형적인 왕정의 구조이고, 대동은 민주의 구조와 상당하게 닮아 있다. 수십 세기 전에 남겨진 기록을 통해서 민주사회의 윤곽을 근대 서양이 아닌 고대 동양 속에서 찾을 수 있다는 것이 오직 놀라울 뿐이다.

경제적 특징을 보면 특히 대동사회는 소박하지만 사회복지와 완전고용이 실현되고 있다. 비록 초보적 농업 경제를 기반으로 하고 있지만 남녀의 분업이 존재하고, 자발적 경제활동을 통해 획득된 재화는 공유된다. 이런 기반 위에서 여러 사회적 약자들에 대한 배려와 대책이 시행된다. 이는 공(公)의 원리에 따른 자연스러운 귀결이다. 천하는 공공(公共)의 것이기 때문에 누구라도 주인이 된다.

대동사회는 상호신뢰에 기반을 둔 화해의 사회이다. 타인에 대한 배려는 먼저 자신의 부모와 자식에 대한 사랑을 기반으로 해서 확충된다. 인(仁)과 사랑은 강제적이지 않은 자발적인 자각에 따른 것이므로, 유가의 가르침인 인(仁)이 사회적으로 실현되고 있는 것이다. 그러나 소강 사회는 자신의 부모와 자식에 대한 혈연적 애정에 한정되고, 사적 재화의 독점 등과 같은 소유론적 가치에 따른 삶의 양식이 지배적인 사회이다. 더욱 큰 문제는 대동사회가 이해관계의 갈등이 최소화된 평화의 사회인 반면, 소강은 사적 이해로 인한 갈등이 첨예하게 대립되고 있으며, 언제라도 전쟁 상황으로 돌입할 준비가 되어 있는 불안한 사회이다. 이 때문에 사회는 질서 유지를 위한 적절한 개입을 필요로 한다. 그래서 소강사회의 큰 특징인 사회적 규범의 수립, 즉 예(禮)가 등장하게 된다.

예는 후대의 성리학에서처럼 내면의 규범이라기보다는 소강사회의 정치, 경제, 문화 등의 전 사회 영역에 적용되는 외재적 규범이다. 정치 분야에서 권력은 신분제와 세습이라는 예(禮)에 따라서, 민(民)을 배제한 가(家)라는 소수의 특권 계층에 집중된다. 공공이 아닌 가(家)의 사적 이해가 중심에 있는 사회이기 때문이다.

대동과 소강의 사회를 비교할 때 가장 두드러진 특징은 공공적 삶의 양식이 사유적 삶의 양식으로 전환되었다는 것이다. 이러한 전환은 평화가 무너지고 갈등과 전쟁의 위협을 초래하게 된다. 그래서 등장한 것이 예이다. 그런데 예는 미약하나마 대도에 의해서 생겨난 질서의 원리이다. 그러나 소강은 대도가 이미 숨어버린 사회이기 때문에, 이것은 불완전하고 부족한 원리일 수밖에 없다.[42]

대동과 소강에 대해 학자들은 상반된 견해를 보여준다. 대동사상은 유가의 사상, 더 나아가 공자사상의 정수라는 의견이 있는 반면 대동사상은 유가의 사상이 아니며, 특히 공자의 사상은 대동보다는 소강의 예치에 가까운 것이라는 의견도 있다. 전자는 유가사상을 혁신적인 것으로 보는 견해이다. 그러나 반대 진영에서는 이를 사상사적 근거가 결여된 유가 중심의 아전인수격 해석이라 비판한다. 후자의 주장은 지성사적 관점에 충실한 해석이다. 『예기』「예운」의 성립 과정과 당대 사상의 지형 속에서 실증적인 접근을 통해 해석하는 것이다. 그러나 반대 진영에서는 이는 유가의 사상에 대한 미래전망적인 비전을 상실한 관점이며, 유가나 공자사상 피상적으로 이해한 것이라 비판한다.[43]

우리는 두 주장을 절충해서, 전자로부터는 유가와 공자사상의 미래전망적 해석의 태도를 수용할 것이며, 후자로부터는 대동의 이상주의적 사회상이 점차 변질하거나 타락하여 예의 엄혹한 신분질서에 기초한 군주전제사회로 이르는 과정에 대한 관점을 수용하려고 한다. 전자를 대동의 미래전망적 접근, 후자를 지성사적 접근이라고 부르겠다.

이 글에서는 특히 미래전망적 접근이 중요한데, 그것은 유가와 공자의 이상주의적 정치사상이 민중사상의 근원 가운데 핵을 이루기 때문이다. 이것은 매우 역설적인 상황이다. 왜냐하면 대대로 통치자와 위정자의 입장에 서 있었고, 보수적인 지배세력의 철학으로 알려진 유가와 공자의 사상에서 민중사상의 혁명성이 직접 연유하기 때문이다. 이에 대해서는 먼저 후자의 지성사적 접근을 살핀 뒤에 다시 탐색하겠다.

2) 공맹사상의 지성사적 접근

지성사적 접근은 『예기』「예운」이 유가의 경전이고 대동을 말하는 화자가 공자라는 것에 전적으로 동의하지 않는다. 그러한 견해는 문헌학적 검토를 통해 공자의 권위를 빌린 가탁에 불과한 것으로 판단하고, 진(秦)나라의 과오를 딛고 새로운 통일제국으로 출현한 한(漢)나라 당시의 문제의식에 더 집중한다. 대동과 소강의 논의에서 대동의 관념적이고 이상적인 논의는 소강이라는 현실적인 사회구조를 논의하기 위한 표현의 장치로 생각한다. 게다가 대동은 유가의 외피를 하고 있을 뿐이고, 당시의 절충적인 학파들의 연합인 잡가(雜家)의 범학파적인 입장에서 기술한 것으로 파악한다.[44] 가령 대동사회의 묘사는 『여씨춘추(呂氏春秋)』와 같은 잡가들의 저술에서 흔히 발견된다. 공(公), 선양제, 세습제 비판 등에 대한 관념이 매우 유사하다.

천하는 한 사람의 천하가 아니라 천하 모든 사람의 천하이다.[45]

옛날의 성왕이 천하를 다스릴 때에는 공을 앞세웠다.[46]

군주를 세운 것은 공의를 구현하려는 데에서 나온 것이다.[47]

그러므로 대동의 주장들이 반드시 유가로부터 연유한다고 할 수는 없다. 「예운」의 사상가들의 실제 주안점은 소강에 있다. 소강의 사회는 현실의 천하와 같기 때문이다. 그러나 소강사회 또한 현실적으로 성취하기 어려운 높은 수준의 질서를 토대로 하고 있다는 의미에서 일종의 바람직한 사회의 모델에 해당한다. 이러한 소강사회의 성취는 예치에 기초하고 있다.

한나라의 통일제국은 진나라의 실패를 거울삼는 문제의식이 있었다. 진의 멸망은 "민중에게 흉포한 정책을 시행하고 형벌을 지나치게 사용했기 때문"[48]이다. 법치의 부정적인 효과에 직면하여, 법이 아닌 다른 사회규범을 모색할 때 예는 자연스럽게 부각되었다. 실제로 예는 유가사상의 특별한 장점이다. 예컨대 전국시대 유가인 순자는 등급을 통해서 인간세상을 조직할 수 있다고 했다.[49] 이는 한 제국의 잡가들에게 호소력을 갖는 것이었다. 이들은 순자의 예론을 계승해서, "나라를 다스리는 데에는 근본이 있으며, 그 근본이란 등급을 정하는 것일 뿐이다"[50]라고 했다. 더 나아가 예치의 정당화를 모색했던 동중서는 '등급을 정하는 것'이 예의 특성이며, 이는 법치와 달리 '예는 … 존비(尊卑)와 귀천(貴賤), 대소(大小)의 지위에 순서를 매겨주고, 내외(內外)와 원근(遠近)과 신구(新舊)의 등급을 나타내 주는'[51] 오랜 관습을 토대로 성립된 비교적 자율적인 질서이기 때문에, 법을 대신할 수 있는 새로운 질서체계에 적합한 자격을 갖춘 것이라 천명했다. 그리고 이러한 예의 전문가들이 유가들이었다.

소강사회에서 등장한 탁월한 군주들은 '예에 신중'하고, "예로써 의리를 드러내고 신의를 이루었다." 그런데 이 탁월한 군주들인 우, 탕, 문, 무, 성왕, 주공 가운데, 처음의 우임금은 요와 순의 선양과 달리 세습을 시작한 군주였다.[52] 그러므로 이 세습은 예치의 중요한 상징적 표현이자, 현실의 제도였다.

소강사회의 예치는 군주를 정점으로 하는 질서체계이며, 이는 소강사회는 예에 입각한 엄격한 신분질서가 확립되었다는 의미이다. 더구나 예는 본래 조상에 대한 제사에서 연유했기 때문에, 이미 가부장적 위계질서의 관념이 깊게 배어 있다. 이 때문에 전형적인 유가의 정치사상인 '천하가 하나의 가(家)'라고 생각하는 유비적 사유가 자연스럽게 자리를 잡았다. 지금도 국가의 공무 담당자들이 흔히 소속원들을 대할 때 친근하게 '한 식구'라고 표현하는 것이 어색하지 않은 것은 이러한 문화적 관념이 사라지지 않고 있기 때문이다.

> 하늘에는 해가 둘이 없고 땅에는 왕이 둘이 아니며, 나라에는 군주가 둘이
> 아니고 가정에는 존경의 대상(가장)이 둘이 아니어서, 이러한 유일의 절대성
> 으로써 그것들을 다스린다.[53]

이러한 예치의 이념을 자연법처럼 불변하는 준칙(準則)으로 만드는 이데올로기 작업이 한나라에서 이루어졌다. 예의 근간인 효(孝)와 예치로 이루어진 소강사회적 제국의 질서를 연결시킨 『효경(孝經)』의 경전화가 이 시기에 이루어졌다. 『예기』의 한 편이었던 「대학」의 유명한 '수신(修身), 제가(齊家), 치국(治國), 평천하(平天下)'의 논리는 유가적 통치질서의 정당화였다. 또한 동중서에 의해서 예치의 정점에 있는 군주의 지위를 높이고, 이를 하늘에 연결시키며, 예치를 자연법적인 준칙으로 격상시키는 유가적 군주전제주의의 이론적 완성이 이루어지는 시기였다.

> (군주는) 백성을 죽이고 살릴 수 있는 지위에 있는 존재로 하늘과 함께 변화
> 의 형세를 주관하는 자이다.[54]

이후로 수십 세기 동안 예치에 근거한 신분제의 질곡에 민중을 가두어 놓을 수 있는 이론이 이처럼 공고하게 구축되고, 이 같은 유가의 정치사상은 우리나라에 상륙해서 삼국시대, 고려시대, 조선시대를 거쳐 내내 지속되다가, 대한제국에 이르러 명분적으로나마 신분제 철폐가 이루어지면서 끝이 난다.

대동사상에 대한 진지한 접근이 거의 전무했던 우리나라는 겨우 소강에 대한 논의가 이상사회론으로 취급되었고, 그나마 그 사례도 적다. 유가의 정치사상은 신분제를 유지하는 것, 즉 예치를 더욱더 정교하게 실현하는 것이 중요했을 뿐, 신분제 자체의 존재를 추호도 의심하지 않았다. 이러한 유가의 정치사상은 민중을 노예로 삼고, 왕가와 사대부가의 사적 특권 집단의 이익을 생산하는 가금(家禽)과 다름없는 영리수단으로 전락시켰다. 가금일 뿐이니, 존엄이나 가치는 적용되지 않는 존재이다. 공자의 휴머니티는 통치 집단들이 통치의 명분을 위해 꾸민 가장(假裝)에 지나지 않았기 때문에 민중의 오래된 적일뿐이었다.

그러나 유가와 공자 사상을 미래지향적인 비전을 가진 것으로 보는 관점은 채 소화되지 못한 유가와 공자 사상의 미언대의(微言大義, 숨겨진 본래의 뜻)를 재해석한다. 본래 유가사상이란 공자가 없다면 성립되기 어려운 개념이다. 유가의 창시자 혹은 교주가 공자이기 때문이다. 그런데 공자의 사상은 주로 『논어』에 집중되어 있다. 대동과 소강의 사회에 관련해서 『논어』에 있는 공자의 발언은 불일치한다. 이는 『논어』가 공자와 그의 제자들 사이에 나눈 어록이기 때문이다. 그래서 우리는 『논어』에서 대동사회를 지향하는 공자, 즉 「예운」편의 대동사상과 연관되는 공자를 만날 수도 있고, 예치를 목마르게 주장하는 소강사회의 공자를 만날 수도 있다.

전자라면 공자는 민중의 일원에 속하는 창조적 지식인이며, 후자라면 민중을 통치하는 위정자의 대변인이 될 것이다. 또 공자의 정체성이 후자로 귀결된다면 '공자'는 민주사회의 진정한 발전을 저해하는 불미스러운 전통의 근원이라는 오명을 면할 수가 없다. 그러나 우리는 공자사상의 미래전망적 해석이 유효하다는 해석학적 지평 속에서 대동사상을 공자와 맹자의 정치사상과 함께 살펴보려고 한다.

3) 공맹사상의 미래전망적 접근

공자와 함께 맹자의 정치사상을 살피려는 이유는 맹자가 공자의 사상을 이어받은 아성(亞聖)이라는 인식 때문이 아니라 맹자는 공자에서 시작된 대동사상의 본류(本流)를 형성하기 때문이다. 이러한 맹자 사상의 혁명성은 역사적으로 평가를 받아 왔다. 『사기(史記)』는 맹자의 사상이 당대에 어떻게 이해되고 있었는지를 보여준다.

> 천하가 모두 합종연횡 정책에 의존하면서 전쟁을 가장 좋은 수단으로 삼고 있을 때, 맹자만이 도리어 요순의 정치를 찬술하였으니, 가는 곳마다 위정자들과 뜻이 맞지 않았다.[55]

위정자들이 맹자와 번번이 어긋나게 된 것은 맹자의 이상주의적 정치론, 즉 왕도(王道)정치론에 대한 위험성과 비현실성을 동시에 느꼈기 때문이다. 이 때문에 후대에 명 태조는 홍무(洪武) 3년에 맹자의 신위(神位)를 문묘에서 축출하였으며, 27년에는 유삼오(劉三五)에게 『맹자』에서 '불온한' 내용을 삭제해서 축소된 경전으로 만들라고 명령하기도 했다. 이는 맹자의 왕도정치론이 갖고 있는 위험성에 대한 전제군주의 인식을 직접적으로 표출한 사건이었다.[56] 이런 이유로 맹자의 정치사상을 살펴보는 것이 의미 있다고 보았다.

대동과 소강이 다른 것은 공(公)과 가(家), 즉 공(公)과 사(私)의 원리에 각
각 기초한 사회라는 것이다. 사의 원리가 지배하는 소강사회는 필연적으로
예치를 추구하였다. 공의 원리에 입각한 대동사회의 가장 핵심적인 특징은
세습이 아니라 선양과 선출에 의해 권력의 이양, 민중의 생활과 관련해서 복
지국가의 비전을 보여주는 것 등을 들 수 있다. 전자는 주권의 소재 문제이
고, 후자는 민의 생존과 관련된다. 이러한 대동의 사회상은 공자의 언설을
통해서 확인할 수 있다.

공자의 선양과 선출에 대한 생각은 요순사상에서 도출한 것이다. 그것은
무위지치론(無爲之治論)이다. 예치의 유위(有爲)적 강압성과 다른 것이다.

천하에 나면서부터 귀한 자는 없다.[57]

그러므로 예의 차등론은 자연주의적이지 않으며 오히려 인위적이고, 공
자의 생각과 다른 것이다. 공자는 소강이 아닌 대동을 말하고 있다.

무위(無爲)로 다스리는 자는 순임금이었노라. 대체 그가 무엇을 했겠는가.
자기를 공손히 하고 똑바로 남면했을 따름이니라.[58]

높고 높도다. 순임금과 우임금은 천하를 영유했으나 이에 간여하지 않았
노라.[59]

이러한 무위의 치세는 대동사회에서 "현인과 능력자를 선출해서 썼다"는
구절의 정치사상적 근거가 된다. 이는 요순의 사상이고, 공자의 사상이다.
또한 공자는 예치의 소강사회에서 등장하는, 전쟁을 수행하지 않을 수 없

는 천하를 멀리한다. 이는 무위의 치세에 대한 그의 강렬한 소망이었다. 『논어』에는 무위의 치세에 대한 공자의 생각을 미학적인 비유를 들어서 미언(微言)이지만 강렬한 언사로 전달하고 있다.

공자는 무왕 시대의 악곡 무(武)보다 순임금 시대의 악곡 소(韶)를 더 좋아했다. 소를 평하여 "더할 나위 없이 아름답고 더할 나위 없이 선하구나"라고 하고, 무를 평하면서는 "더할 나위 없이 아름다우나 선함은 미진하구나"라고 했다.[60] 게다가 소를 듣기만 한 것이 아니라, 실제로 곡을 배우고 '(그 아름다움에 취해) 석 달 동안 고기 맛을 잃었다'는 것은 공자의 평화를 향한 강렬한 열망을 보여준다.[61] 이러한 평화사상은 대동의 사회가 예치가 아닌 무위지치의 원리로 이루어졌기 때문이다. 그러므로 대도가 행해지는 것은 요순의 도가 행해지는 것이며, 이는 구체적으로 무위지치와 선양제의 실시로 드러난다.

무위지치의 가치는 후대 명청(明淸) 시대의 권력분립적 내각제로부터 제한군주정 내각제 또는 내각의 왕제를 발전시켰다. 그리고 공자의 사상이 서구 17세기에 준 영향은 영국의 윌리엄 템플(Sir William Temple, 1628~1699)을 비롯한 영국인들이 "임금은 천하를 영유하나 이에 간여하지 않는다"는 제한군주론으로 이어진다.[62] 그러므로 공자의 대동사회와 무위지치론으로부터 공화주의적 선출왕제와 왕, 내각, 국민의 분권통치에 기초한 근대적 이상국가론을 도출하는 것이 부자연스럽지 않다. 실제 사상통제가 극심했던 우리나라의 조선시대에서조차 이러한 파천황적인 주장이 정여립에게서 발견된다. 그러나 이들은 역도(逆徒)로 처단되고 대동의 꿈은 자취를 감추었으며, 사상통제는 더욱 극심해져서 이후로도 오랫동안 민중은 대동을 숨어서 말하게 되었다.

공자의 무위지치론은 유위지치론과 만나서 완성된다. 무위지치론은 선양과 선출제에 입각한 주권재민 또는 군주제한제, 나아가 공화주의적 권력의 분립에 유용하다. 그러나 경제 분야에서 무위지치론은 시장의 자유경쟁의 경제론에 연결되고, 시장의 자연적 운행에 잠복해 있는 기능적 결함으로 인한 불완전성때문에 피치 못할 오류를 범할 수 있다. 다시 말해 경제적 소외현상으로 인한 부익부빈익빈(富益富貧益貧)의 양극화가 발생할 수 있는 소지가 있다. 이러한 결함을 보완하기 위해 국가가 직접 사회적 약자들에 대해 물질적 혜택을 베푸는 '복지'정책이 추진되어야 한다.[63] 이는 무위에 대한 유위의 치세론이다. 대동은 무위와 유위의 중용(中庸)적 정책이 시행되는 사회이다.

대동사회에서 제기된 노후복지, 유아복지, 배우자 없는 노인, 고아, 독거노인 등 사회적 약자들에 대한 민생복지 및 폐질환자에 대한 보건복지, 여기에 남녀 분업을 통한 고용안정 등은 국가의 개입이 필요한 부분에 대한 언급이다. 공자의 대동사회는 사회복지의 완성을 추구하는 완벽한 복지국가다. 공자의 이런 복지이념은 이후 많건 적건 모든 동아시아국가의 국정을 구속했다.[64]

맹자는 공자를 사숙한 유가의 이상주의자로 알려져 있다. 맹자의 정치사상을 이루는 주제는 유덕자위왕론(有德者爲王論), 선양론, 여민동락의 양민론(養民論), 방벌(放伐)의 혁명론, 노력자(勞力者)와 노심자(勞心者)의 기능론 등이 있다. 맹자의 사상 역시 대동과 소강의 범주를 빌려 말하면, 소강사회, 즉 예치 중심의 정치론을 펼친 사상가로 더 잘 알려져 있다. 그러나 공자에 대한 인식이 상반된 것처럼, 맹자의 왕도정치론에 대해서도 비판적인 견해가 있는데, 주로 대동사상에 관한 맹자의 주장이 비현실적이며 특히 노심자와 노력자에 대한 논의는 민중의 저열한 지위를 정당화하는 논리라고 비판받아 왔다.[65] 그러나 이러한 지적이 반드시 옳은 것은 아니다. 우리는 공자와 맹자의 사상을 공맹사상으로 합해서 말할 수 있는데, 미래전망적 해석에 따르면 공맹사상이 민중사상의 연원이 되는 혁명성을 가지고 있기 때문이다. 그런 점에서 대동사상의 혁명성이 맹자사상에서도 여실히 드러난다고 말할 수 있다.

맹자는 왕위 전승에서 세습보다 선양을 우선시했다. 그것은 "모든 사람이 요순과 같은 성인이 될 수 있다"[66]는 관점에서, 성인이 가진 덕(德)을 누구라도 가질 수 있고, 이 덕을 펼 수 있는 사람이 왕의 지위에 올라야 한다고 본 것이다. 이는 요순의 선양제에 대한 논의이다. 이 덕을 공자는 인이라고 보았고, 맹자도 "오로지 인자만이 마땅히 높은 지위에 있어야 한다. 인하지 않으면서 높은 지위에 있는 것은 그의 악을 여러 사람에 뿌리는 것이다"[67]라고 했다. 그래서 선양제와 더불어 '능력 있는 사람을 선출해서 쓰는' 대동사회의 기본적 정치구조에 동의하는 것이다. 그런데 이들을 선출하는 주체는 하늘이며, 하늘은 민과 같은 위상에 있다. 이는 하늘과 백성을 동위(同位)로, 민심(民心)을 천심(天心)의 근거로 본 것이다.

민심을 얻은 자가 천하를 다스릴 수 있다는 것은 천하는 사유(私有)가 아니라는 것, 즉 천하는 공공의 것이기 때문이다. 공공의 것이란 왕이나 특정한 가(家)와 같은 특권 집단에 권력이 독점되지 않고, 하늘과 상대하는 자격을 가진 민중(인간 전체)에게 주어져 있다는 의미이다. 어떤 정체(政體)를 취하든지 민중이 주권에서 소외될 수는 없다는 것이 공자와 맹자의 사상에 함의되어 있다. 아래는 이러한 의미를 담은 『맹자』의 유명한 구절이다. 제자 만장(萬章)은 묻는다.

"요임금이 천하를 순에게 주었다는 것이 사실입니까?"
"아니다. 천자는 천하를 남에게 주지 못한다."

"그렇다면 순은 천하를 얻었는데, 누가 순에게 준 것입니까?"

"하늘이 준 것이다."

"하늘이 천하를 주었다는 것은 자세히 훈계하면서 명령하였다는 것입니까?"

"아니다. 하늘은 말을 하지 않고, 행위와 그 일을 가지고서 그 뜻을 보여줄 뿐이다."[68]

요와 순의 선양은 세습과는 전혀 다른 원리에 입각하고 있는 것을 알 수 있다.

"천자는 하늘에 사람을 천거할 수 있으나 하늘로 하여금 천거한 사람에게 천하를 주도록 하지는 못한다. 제후는 천자에게 사람을 천거할 수는 있지만 천자로 하여금 천거한 사람을 제후로 임명할 수 있게 하지는 못한다. 대부는 제후에게 사람을 천거할 수 있지만 제후로 하여금 천거한 사람을 대부로 임명할 수 있게 하지는 못한다."[69]

제후를 세우는 것은 천자의 고유권한이며, 제후는 대부를 만드는 고유권한을 가지고 있다. 천자를 세우는 것은 하늘이다. 그런데 하늘은 말이 없다. 따라서 천자의 천거 이후의 정치 현상을 통해 확인할 수 있다.

"순에게 제사를 주관하게 하였는데, 모든 신(神)이 흠향하였으니 이것은 하늘이 받아들였다는 것이다. 순에게 나라의 일을 시켰는데, 나라의 일이 제대로 되었으니 이것은 백성들이 받아들였다는 것이다. 하늘이 천하를 주었고, 백성들이 천하를 주었기 때문에 천자는 남에게 천하를 주지 못한다고 한 것이다. …『서경』「태서(太誓)」에서는 '하늘이 보는 것은 백성들을 통해서 보고, 하늘이 듣는 것은 백성들을 통해서 듣는다'고 하였는데, 이것을 말한 것이다."[70]

위 인용문에서 맹자가 인용한 『서경』의 글귀는 '민심은 천심'이라는 천심민심동위론(天心民心同位論)을 가리키고 있다. 회의적인 눈으로 보자면, 위 『서경』의 글 전체가 후대인들의 위작이라고 한다. 그러나 미래전망적인 관점에서 볼 때 이 글귀는 고대로부터 전해 오는 오랜 전통이며, 대동사상과 궤를 같이 하는 것이다. 하늘과 백성이 같은 위상에 있기 때문에, 『서경』의 "백성은 나라의 근본이니 근본이 공고하면 나라가 강령하다"는 민유방본론(民惟邦本論)은 당연시될 수밖에 없다. 여기에 더해서 맹자는 "백성이 가장 귀하고, 사직(社稷)은 그 다음이며, 임금은 대단치 않다"[71]고 민귀군경론(民貴君輕論)을 덧붙이는데, 이것도 천심과 민심이 동위라는 생각에서 자연스럽게 유출되는 유가정치 사상의 정수라고 할 수 있다.

천자, 제후, 대부 등의 신분은 천부적으로 정해진 것이 아니며, 백성들의 선출로 이루어지는 한시적이며 사회기능적인 신분에 불과하다. 그래서 이른바 위정자들이 백성들의 복지를 우선시하며 백성들과 삶의 향유를 공유하는 것이 큰 미덕이며, 그 신분의 책임을 다하는 것이다. 이러한 여민동락론(與民同樂論)은 '천하는 공공에 속한다'는 대동사상으로부터 도출되는 것이다. 만일 위정자들이 자신의 소임을 다하지 않으면, '민귀군경'에 입각해서 탄핵(彈劾)하거나 방벌(放伐)할 수 있다. 이들은 자격이 없는 공공의 적이기 때문이다.

대동사상에서 '천하는 공공의 기물[公器]'이고 '현인과 능력자를 선출'하는 기본적인 원칙은 고경의 '민심즉천심' '민유방본' 등의 논의로 이어지고, 이를 연찬한 공자를 거쳐 맹자에 이르면, "민이 귀하고 왕(이하 제후, 공, 경, 대부 등)은 가볍다"는 철학으로 귀결된다. 이러한 사상은 공자의 말을 채록해서 성립된 『예기』의 "백성들은 임금을 표준으로 자치한다"[72]는 백성자치론(百姓自治論)과 결합하게 되면, '국민이 나라의 주인'이라는 주권재민론이나 위민 정치론을 이미 내포하고 있다. 이러한 언급은 민중사상의 핵으로 자리잡기에 충분한 내용들이다.

대동사상의 복지론은 맹자에 이어져서 백성을 부유하게 만들고, 이를 통해 인심이 좋아지게 하여 도덕생활을 가능케 하는 물적 토대를 만들기 위한 취지에서 양민론(養民論)이 주창된다. 민중을 부자로 만든다는 부민론(富民論)의 전제로서 맹자는 먼저 백성과 치자의 욕망을, 위정자와 백성이 함께 풍요를 즐기는 여민동락(與民同樂)의 논리로 해방한다. 이러한 양민의 근본 원리는 소강사회의 예치가 아니라, 대동의 무위이다. 즉 "사람들이 하지 않는 것을 하도록 시키지 않고, 그들이 바라지 않는 것을 바라지 않는다."[73]

이러한 무위의 원칙은 천부의 인권을 인정하는 것이다. 과거처럼 민(民)을 인(人)과 분리하여 야만인으로 취급하는 것이 아니라, 하늘로부터 부여받은 본성을 가진 보편적 존재로 인식하는 것이다. 그래서 누구나 요순과 같은 왕이 될 수 있다. 이는 혁명적인 민의 이해가 아닐 수 없다. 야만의 존재로 통치자의 압제 속에서 사는 운명적 존재가 아니며, 천자와 같은 동류의 존재로 격상된 것이다. 그러나 민중은 문(文)을 습득할 수 있는 기회를 박탈 당하는 사회 구조 속에서 살아야만 했기 때문에, 이러한 사실을 온전히 알 수 없었다. 그러므로 공자와 맹자의 혁명적 민중사상은 역사에서 온전하게 구현되지 못했다. 역사는 공자와 맹자의 언설 속에서 민중을 근본으로 삼은 민중사상의 내용이 발양되지 못하고, 민중을 피통치자로 보고 통치의 대상으로 전제하는 통치자 입장의 철학을 더 지배적으로 개발시켜 왔다. 이러한 지배자의 시선으로 공맹 사상을 바라보는 대표적인 관점이 지배와 피지배의 신분을 정당화하는 논리의 제공자가 맹자라는 것이다. 이 때문에 맹자를 비롯한 유가사상은 반민중적 성격을 가진 철학이 되었다. 이 점에 대해 미래전망적 입장에서 간략하게 정리하는 것이 향후 글의 전개를 위해서 필요할 것이다.

이른바 맹자의 노심자(勞心者)와 노력자(勞力者)의 구분 논리는 유가의 사상을 예치로 해석하는 경향 속에서 이해되어 왔다. 맹자가 말하는 노심자와 노력자의 구분은 이렇다.

> 백공(百工)의 일은 진실로 농사를 지으면서 동시에 하기에 불가하다. 그렇다면 천하를 다스리는 일만은 유독 농사지으면서 동시에 할 수 있겠는가? 대인의 일이 있고 소인의 일이 있다. 또 한 사람의 몸으로서 백공이 마련하는 것을 만약 스스로 한 다음 쓰는 것이라면 이것은 천하를 이끌어 쉴 새 없이 도로를 내달리게 하는 것이다. 그러므로 노심이 있고 노력이 있다고 말하는 것인데, 노심자는 남을 다스리고 노력자는 남에 의해 다스려지고, 사람들에 의해 다스려지는 자는 사람들을 먹이고 사람들을 다스리는 자는 사람들에 의해 먹여지는 것이 천하의 통의인 것이다.[74]

이 구절에서 '노심'은 대인 혹 군자의 일로서 치인(治人)이고, '노력'은 소인의 일로서 피치자의 역할이라고 해석되어 왔다.[75] 그런데 위 맹자의 글은 실제로 허행(許行)과 진상(陳相)의 무분업적 현자정치론을 비판하는 맥락에서 제기된 것이다.[76] 맹자는 노심과 노력으로 대별되는 분업의 불가피성을 주장하고 있다. 문제가 되는 것은 그 분업이 신분에 기초한 것이며, 그 신분이 고정불변된 것이며 특히 세습적인 것인지 여부이다. 만일 대동사회라면 분업은 신분에 고착된 것이 아니며, 그 선택이 개인의 자유이고, 그 결과에 따라 신분의 변동이 가능한, 단지 기능에 의한 분업으로 간주된다.

후대의 해석은 노심과 노력의 담당자를 맹자처럼 대인과 소인으로 말하지 않고, 군자와 소인으로 구분하고 있다. 이 해석은 문제가 없는 것처럼 보이지만, 맹자의 대인과 소인은 후대 유가들의 군자와 소인에 정확하게 대응하지 않는다. 즉 맹자의 대인은 정신노동과 육체노동의 분업 메카니즘에서 대체(大體; 마음의 사유기능)를 따르는 사람이고, 소인은 소체(小體; 이목구비의 감각기능)를 따르는 사람일 뿐이다.[77] 그러나 군자와 소인은 예치의 관점에 서라면, 인(仁)과 불인(不仁)의 구분과 더불어 지(智; 지혜로움)와 우(愚; 어리석음)의 구분에 의해 치자와 피치자의 신분이 고정되고 정당화되는 상하층 계급에 각각 속한다.[78] 군자와 소인은 이미 불변적 신분 분업, 즉 계급을 전제하는 개념이다. 특히 성리학이 이런 해석의 전범이다. "군자는 소인이 없으면 굶주리고, 소인은 군자가 없으면 어지럽게 된다."[79] 그런데 성리학에 비판적이었던 조선의 실학자들도 신분제에 기초한 분업론을 제기하고 있다는 사실은, 『맹자』의 이 구절이 얼마나 오독되어 왔는지를 보여주는 것이다.

신분(명분)이라고 하는 것은 본래 귀천의 등급이 있는 것으로부터 나왔고 다시 귀천은 본래 현자와 우자의 구분에서 나왔을 따름이다.[80]

이러한 인식은 신분의 귀천이 천성적 현우에 나온다고 하는 논리로서, 신분적 귀천 자체가 천연적 자연질서라고 확신하는 것이다. 그러나 맹자의 대인과 소인은 곧바로 군자와 소인으로 대치될 수 없다. 또한 공자도 군자와 소인을 선천적인 신분적 차등의 존재로 이해하지 않았다. "태어나면서부터 귀한 사람은 없다"는 것이 인간의 본질적 측면이기 때문이다. 또한 "하늘이 많은 사람을 낳았고, 만물에 규칙이 있게 하시었다. 사람들은 그 떳떳함을 지키고[秉彝] 아름다운 덕[懿德]을 좋아한다"는 고경(『시경』)의 가르침이 있다. 여기에 민귀군경론에 이르면 노심자와 노력자의 신분제적 분리는 맹자의 본의가 아니라는 것을 알 수 있다.

공자는 농사를 짓은 일과 천하를 다스리는 일의 분업을 인정하면서도, 농사를 짓다가 천자가 된 우(禹)와 후직(后稷)의 고사처럼, 신분의 차이가 역전되거나 상승 등의 변동이 일어나는 것을 당연하게 여겼다.[81] 성인 공자는 누구보다 어린 시절 미천한 일을 한 경험이 있었지만,[82] 이를 부정하지 않고 '하학이상달(下學而上達)'하여 중요한 관직과 정신적 성취를 이룬 사람이다. 또한 군자가 마땅히 익혀야 할 육예(六藝)의 구성은 노심과 노력을 통합한 것이었다.

공자와 맹자에게 노심과 노력은 각각 대인과 소인의 일이었고, 이는 한 사람이 한때 맡는 직분으로써, 언제든지 변동될 수 있는 사회적 기능이나 개인의 선택가능한 분업의 영역이었다. 그것을 불변하는 신분제적 차등으로 곡해한 것은 다분히 소강사회적 이데올로기에 입각한 해석에 연유한 것이다. 그래야 군자들이 소인에 속한 민중(백성)들을 합법적으로 지배할 수 있을 것이다. 말하자면, 치자는 도덕적으로나 인지적으로도 우월하며 피치자인 민중은 언제나 어리석고 우매하기 때문에, 군자가 치자로서 민중(백성)을 다스리고 민중은 통치의 수동적 대상이 되어야 한다. 그러나 이것은 대동사상과 공맹사상이 귀결하는 바가 아니다. 왜냐하면 치자와 피치자의 구분 이전에 모든 민은 본질적으로 귀천이 없으며, 민중은 자치의 능력이 있고 나아가 치자보다 더 귀한 존재이기 때문이다. 그것이 대도(大道)에 입각한 세상이다. 그러므로 신분귀천의 차등을 선천적인 것이라고 외치는 해석은 대도에 따른 것이 아닐뿐더러, 공맹의 가르침에 대한 올바른 해석이라고 말할 수 없다.

노심과 노력의 구분을 선천적인 것이라고 보는 해석은 맹자의 사상을 민중탄압적인 치자의 입장을 정당화하는 사상으로 왜곡하는 근거가 되어 왔다. 그러나 맹자 사상의 골수를 통찰해 보면, 이는 신분제를 정당화하고 인간의 속박과 제한을 조직화한 소강사회의 논리가 아니라, 인간을 좀 더 자유롭게 하고 덜 속박하며 무제한적인 존재로 파악하는, 평화와 해방의 대동사회의 논리를 계승한 것으로 볼 수 있을 것이다.

비록 대도가 숨었기 때문에 사유(私有)적 집단에 의해서 좌우되는 사회 속에서 심하게 왜곡되었지만, 본의는 그렇지 않다는 것을 이해하는 것이 중요하다. 왜냐하면 이러한 본의가 민중에게 적실하게 알려졌을 때, 대동사회로 전환하는 혁명의 논리가 생겨나기 때문이다. 성패 여부와 관계없이, 민중은 대동의 의미를 알면서부터, 즉 민중이 의식화되면서부터 스스로 나라의 주인이며 자치의 주체이고 더없이 중요한 존재라는 자각을 바탕으로, 만인의 행복을 추구하는 복지사회를 현실화하려고 했기 때문이다. 이런 의미에서 대동사상과 공맹의 '채 해석되지 못한' 혹은 '아직 도래하지 않은' 정치철학 사상은 민중사상의 연원이 된다.

2. 자연주의사상과 미륵불교사상

현실적인 사회가 이미 불평등[83] 사회였기 때문에, 비록 대동사상이 엄존하고는 있었지만 이에 관한 지식은 위정자의 사유와 독점으로 인해 민중으로부터 소외된 채로 있었다. 게다가 민중의 범위에는 노예부터 평화와 해방을 지향하는 창조적 지식인들까지 포함되지만, 대다수 민중은 문맹(文盲)이기 때문에 창조적 지식인들이 제기한 여러 사상들이 문자화되었을 때도 쉽게 접근할 수가 없었다. 지식으로부터의 소외가 '어린' 백성[民=盲]의 처지였다.

예컨대, 공자는 많은 이들을 가르치는 스승이었고, 여기에는 귀족 출신도 있지만 평민 출신의 제자도 있었다. 더욱이 맹자 시대에는 직하(稷下)의 학문 분위기 속에서 노예들도 이따금 사상가로 대접을 받고는 했다.[84] 그러나 힘을 써서 밭을 갈아 생산에 종사하는 민중들로서는 지식, 특히 부당한 신분제의 예속으로부터 해방을 말하고, 인간의 존엄과 가치나 심신의 평화를 자각하고 인식하게 해주는 지식을 접하는 것은 요원한 문제였다.

이 절에서는 유가의 이상주의적 대동사상과는 다른 영역에서 연유하는 민중사상의 연원을 살펴본다. 여기에는 자연의 신성에 주목한 애니미즘과 같은 자연신비주의적 사상과 이들을 기(氣)의 철학으로 체계화한 고대의 유사과학(pseudo-science)을 생각할 수 있다. 그리고 인도의 불교에서 연유한, 극락(極樂)을 약속하는 미륵불교사상과, 종말론적 유토피아를 제시한다는 의미에서 유사한 지향성을 가지는 기독교의 천년왕국 사상을 꼽을 수 있을 것이다.[85]

그런데 이들 민중사상의 연원들은 현실정치구조의 억압과 질곡이 변하지 않고 지속되면서, 서로 간에 합치고 변화하여 다양한 형태를 취하기도 한다. 이 지식들은 민중의 해방과 평화를 성취하려는 의지를 피어나게 만든 실존적 자각의 원천이 되었고, 부당한 제도와 권력의 압제에 맞서 싸우는 무력투쟁의 사상적 배경이 되기도 했다. 전근대적 사유방식의 마술적 특징으로 인해서, 이와 같은 민중사상의 연원들은 미신적 색채를 띠는 편이었으나, 민중의 해방과 평화를 향한 열망을 구체적인 논리로 담아내는 역할을 했다. 순서대로 살펴보기로 하자.

1) 도가와 기(氣)의 술수학

민중사상의 근원은 유가와 대립하는 도가(道家)에서 찾을 수 있다. 도가는 철학과 종교의 유일하고도 매우 흥미 있는 결합이고, 다른 한편으로 원시과학과 마술의 결합을 보여준다.[86] 도가는 유가 중심의 문명을 거부하는 근원적인 평화주의를 보여주면서, 인위적인 압제와 속박에 사로잡힌 인간의 해방과 자유를 말하는 체계이다.

> 도가는 … 인간 사회를 초월한 외계의 자연에 대한 광대한 지식과 이해가 없이는, 인간 사회에서 유가의 무리들이 이루려고 노력했던 것처럼 질서가 세워질 수는 없다는 것이었다. 그들은 지식을 공격했지만, 그들이 공격한 것은 봉건 사회의 계급과 관행에 대한 유교적인 스콜라적인 지식이었지, 자연의 도에 대한 진정한 지식은 아니었다.[87]

도가의 직접적 공격의 대상은 대동사상의 유가가 아니라, 예치로 촘촘히 짜여진 소강사회의 유가였다. 이들은 문명과 제도의 인위성을 거부하고, 무위자연(無爲自然)의 도를 추구했기 때문에, 대동사회의 무위지치적 원리를 공유하지만, 사회에 속하지 않고 사회를 떠난 은자의 모습을 하고 있다. 도가의 대표 사상가인 노자(老子)와 장자(莊子)는 관직 경험이 있었으나 은자를 추구했고, 열자(列子)는 구름을 타고 다니는 자유인이었다.

그리고 이들의 사상을 추종하고 이로부터 파생된 도가의 무리들은 무위자연의 도에 대한 지식이 있었기 때문에, 한편으로는 사회보다는 자연의 지식에 박식한 자들로서, 사회과학보다는 자연과학에 가까운 사람들이었다. 자연에 대한 지식이라는 측면에서 이들은 고대의 과학자들이었다.

> 일종의 대지(大地)적인 종교와 마술(근본적으로는 샤머니즘적인)의 대표자로서 고대 중국인의 생활 속에서 중요한 역할을 했으며, 인민 대중과 긴밀한 관

계를 맺고, 유교가 지원하는 천 중심의 국가 종교에 반대했다.[88]

이들은 유가의 적극적인 사회개입, 즉 국가의 건설과 유지보다는 후대인들이 원시공산사회라고 부르는 작은 공동체에서 소박한 생산으로 만족하고, 재화로 인한 갈등이 없는 평화로운 삶의 지속성을 유지하는 것에 관심이 컸다. 이들은 소강사회의 영고성쇠(榮枯盛衰)에 직접적으로 개입하지 않고, 허무하게 부침(浮沈)하는 인간사회의 제도를 비웃었다. 그리고 유가의 예치와 같은 사회의 인위성에 '비판적'이었기 때문에, 무위자연에 비교적 가까운 예술의 세계를 추구했다. 그러나 '비판적'이었기 때문에, 유가의 예치가 극도로 문란해져서 민생이 위협받을 때는 금세 반란과 혁명의 세력이 되기도 했다. 평상시에는 예술과 과학 속에서 살다가, 유사시에는 민란의 주역이 되었다.[89]

그런데 도가와 도교(道敎)는 동의어로 사용되기도 하지만, 다른 의미 지평을 가지고도 있다. 도가는 추상적 철학에 속한다면, 여기에 삶의 구체적인 기술이나 예술 또는 종교적 내용을 담아 변형된 것이 도교이다. 그래서 도교는 민중의 삶과 더욱 밀접한 연관을 가지게 되었다. 민중은 도가(도교)의 세계 속에서 현실의 고통을 벗어날 수 있는 무위자연의 영원한 안식을 얻었고, 그 평화의 철학에서 위안을 받았다. 또한 도가(도교)들은 자연에 대한 지식이 풍부한 사람들이었기 때문에 장인과 기술자가 대부분이었다. 『장자(莊子)』에 등장하는 많은 인물들이 장인과 기술자인 까닭이 여기에 있었다.

도가의 기원을 좇다보면 노자의 지성이 아닌 다른 계열, 즉 주로 샤머니즘과 연관된 무(巫)와 방사(方士)의 무리에 도달한다. 이들은 고대중국의 연(燕)나라와 제(齊)나라가 위치한 동부 연안에 집중되어 있었다.[90] 평화와 안식을 각성한 지식인 도가와 달리, 이들은 기술과 종교에 관련된 샤먼들이었다. 민중은 지식으로부터 소외되어 있었기 때문에, 도가보다는 종교와 삶의 지식 즉 무와 방사의 구체적 지식을 수용한 도교와 밀접하게 연관되기 쉬웠다.

도가에서는 도라는 추상적인 원리를 다룬 노자의 『도덕경(道德經)』, 도를 추상적 기술뿐 아니라 우화의 형식을 통해서 전달한 『장자(莊子)』와 『열자(列子)』 등의 저술이 유명하다. 그리고 후대에 광범위하게 도가의 영향을 입은 술수(術數)에 속하는 지식들은 동아시아의 원형과학의 기원에 해당한다.

도가의 중요한 사상적 업적은 자연의 질서를 원리적으로 파악한 도(道)에 대한 관념을 발전시킨 것이다. 그리고 기(氣)라는 원질(arche)에 대한 탐구가 매우 두드러진 점도 특기할 만하다. 기는 '물질-에너지'라고 할 수 있는데, 물질-에너지가 불활성이라는 것만을 제외하고 '살아 있는 계기'로 이해되는 만물의 원질이라고 할 수 있다. 그래서 기에 대한 탐구는 자연에 대한 탐구로 자연스럽게 이어진다.

기(氣)의 사상은 오래전부터 사물의 기초적인 두 범주로 인식되어 온 음양(陰陽)과 결합되고, 여기에 삶에 필요한 기초적인 물질에서 시작되어 기가 운동하는 여러 국면들을 포착하는 오행(五行)이 더해지면서, 매우 특징적인 자연학 체계가 생겨났다. 이런 과정은 기원전후를 통해 수세기 동안 진행된 것으로써, 대략 한나라의 제국이 성립되면서 일종의 제국의 패러다임으로 자리 잡게 된다. 그것이 앞에서 말한 잡가(雜家)의 절충적인 체계이다. 이 체계를 성립시키는 데, 도가의 인식이 매우 중요한 기여를 했다.

그런데 이 제국의 패러다임은 의사(疑似) 과학의 외양을 하고 있었다. 미래를 예언하는 점복(占卜)이나 점성술, 삶의 여건을 탐구하는 풍수지리, 의식의 다양한 탐구 결과인 꿈의 해몽, 드러난 현상의 의미를 찾는 관상술, 동아시아의 전통 생리학과 여러 양생술 등의 기술은 기와 음양오행의 설명체계를 갖추고 있지만, 여전히 신비주의적인 성격을 띠고 있다.

이러한 신비주의적인 기술과 인식은 민중의 삶 속에서 작동하는 삶의 기술이었기 때문에, 비록 지식에서 소외된 민중이지만, 그 지식이 반드시 문자적 형태가 아니라도 교육되고 전수될 수 있었다. 손과 발을 사용하는 기술은 삶의 현장에서 유리되지 않는 절실한 것이고, 지배세력은 손과 발을 사용하는 기술을 천시했기 때문에, 오직 민중들만이 여기에 정통할 수 있었다. 그래서 이러한 지식들은 민중사상의 연원이 된다. 우리나라에서도 역술(易術), 풍수지리, 의약(醫藥)에 밝은 지식인들이 여러 분야에서 새로운 지식을 낳고, 유사시는 민중의 지도자가 되어 불의에 저항한 정치적 사건들을 일으킨 사례가 많다.

이 가운데 민중들의 정치적 사건에 큰 영향을 미친 참위(讖緯)와 풍수지리(風水地理)를 간략히 살펴보기로 한다. 이 두 지식체계는 지배자나 피지배자를 가리지 않고, 정치적 성격을 짙게 가지고 있기 때문이다.

참위는 음양오행론을 비롯한 여러 술수학을 활용한 정치적 예언이라고 할 수 있다.[91] 참(讖)은 미래의 징험을 약속하는 은미한 말이라는 뜻이다. 위(緯)는 경(經)과 대비하여 전통적인 민간사상과 신앙에 의거해 유가의 경전을 독자적 입장에서 해석한 것이다. 참위는 도참(圖讖)이라고도 하는데, 도(圖)는 미래에 일어날 일을 상징하는 부호를 뜻한다.[92] 참위의 철학은 한나라의 동중서(董仲舒, 기원전 176?~104)에게서 볼 수 있다.

동중서는 천인감응(天人感應)의 논리를 펼치면서, 하늘이 인사(人事)에 감응하여 천변재이(天變災異)로써 견고(譴告, 꾸짖어 알림)한다고 강조했다. 특히, 하늘의 의지가 지상의 특정한 사건으로 구현된다는 참위는 정치적 예언의 근거가 되었다. 이를 토대로 통치는 하늘의 종교적 권위를 가지고 시행될 수 있었으며, 반대로 혁명의 근거가 되기도 했다. 동양사회에서 왕조의 교체기나 혁명의 시기에 참위는 항상 등장했다. 참위의 정치적 성격에 대한 사례를 살펴보자. 기원전 한나라 시기이다.

> 소제(昭帝) 원봉(元鳳 3년, B.C. 78) 때이다. 태산현(泰山縣)에서 큰 돌이 저절로 서고, 그 주변에 백조 수천 마리가 내려앉았다. 이때 창읍(昌邑)에서는 마른 사목(社木, 사당의 신령한 나무)이 다시 살아나고, 상림원(上林園)에서는 잘려져 널브러져 있던 대유(大柳, 큰 버드나무)가 다시 소생했는데, 벌레가 잎을 갉아 '공손병이립(公孫病已立, 공손씨는 병석에서 이미 일어났다)'이라는 문자가 새겨져 있었다.[93]

이러한 천변재이를 휴홍(眭弘)이 나서서 해석했다.

> 돌[石]이나 버드나무[柳]는 음(陰)의 종류로 하층 민중의 상징이고, 태산(泰山)은 신성한 산 중 최고의 산으로서 군주의 교체를 하늘[天]에 고하는 곳입니다. 이제 큰 돌이 저절로 서고, 쓰러졌던 버드나무가 다시 소생한 것은 사람의 힘으로는 할 수 없는 일입니다. 이는 평범한 사람이 천자(天子)가 되는 것이며, 고목이 살아난 것은 폐가가 되었던 공손씨(公孫氏)가 다시 부흥할 조짐입니다. … 동중서께서 살아계셨더라면, 설사 지금의 임금이 왕업을 계승하고 사방을 교화할 수 있다 해도 성인이 천명을 받는 데 방해되지 않는다고 말하실 것입니다. 한나라의 왕실은 요순의 후대로서 천하의 대업을 이어받고 계승할 운명을 갖고 있으므로, 임금은 마땅히 사자를 도처에 파견하여 현명한 사람을 찾은 후 은나라와 주나라 시기 두 왕의 후계자처럼 왕위를 그에게 양보해야 합니다. 이렇게 하여야 천명에 순응하는 것입니다.[94]

황제인 소제(昭帝)로서는 매우 불충한 말이 아닐 수 없다. 당시 소제는 나이가 어려서 대장군이던 곽광(霍光)이 정권을 잡고 있었다. 당연하게도, 요사스러운 말을 퍼뜨려 백성들을 미혹시키니 대역무도하다는 죄를 물어 휴홍을 잡아다가 목을 베었다. 그런데 휴홍의 영험함이 있었는지, 5년 뒤에 선제(宣帝)가 민간에서 영입되어 황제에 오르게 된다.

이런 참위정치는 동양 삼국의 정치사에서 빈번하게 등장한다. 조선왕조를 보면, 새 왕조를 열려 했던 이성계(李成桂)가 구세력에 이 방식으로 도전했고,[95] 조광조(趙光祖)의 신진사대부 개혁세력을 제거할 때,[96] 또한 대동사상의 정여립을 죽이려는 정치세력이 참위설로 반대 세력을 모함했다.[97] 참위는 비록 지금의 인식으로는 미신에 불과한 것처럼 보이나, 민중의 편에 서게 되면 여론을 모으고 변혁의 의지를 확산하는 힘으로 작용했다. 대표적인 것이 『정감록(鄭鑑錄)』류의 비기(祕記)들이다. 『정감록』은 풍수지리적인 내용이 많지만, 자연의 특이한 현상을 통해 정치적 예언의 근거를 삼고, 변혁의 논리를 구한다는 점에서는 참위정치 서적에 속한다.

풍수지리는 술수학 가운데 하나이며, 풍수, 감여(堪輿), 지리, 지술(地術)이라고 불렀다. 풍수는 다른 술수학처럼 천인상감(天人相感)에 바탕을 두고 있으며, 기원전 점술법 가운데 하나인 형법(形法)이 음양오행론을 수용하면서 체계화되었다.[98] 형법은 각 장소에는 그 장소 특유의 지형상 특징이 있으며, 이것이 자연의 기로써 특정한 형세로 드러난다는 생각에 바탕을 두면서, 길흉(吉凶)을 살피는 근거로 삼은 것이다.[99]

풍수는 주거지에 대한 관심이 크지만, 매장지를 선택하는 것에도 큰 관심을 기울였다. 이는 조상숭배와 연관되어 있는데, 가문의 화복(禍福)은 조상의 혼백(魂魄)이 깃든 장소의 여부에 따라 영향을 입는다는 관념으로 이어졌다. 이러한 생각은 현대에도 여전히 유효하다. 또한 풍수지리의 고전인 진

(晉)나라의 곽박(郭璞, 276~324)이 쓴 『장경(葬經)』(일명 『금낭경(金囊經)』)에는 '탈신공개천명(脫神功改天命)'이라는 유명한 문구가 있다. 이는 "화복은 날을 가리지 않아서 군자는 신이 하는 일을 빼앗아서 천명을 고친다"[100]는 뜻인데, '천명을 고친다'는 의미에서 개인이든 국가이든 혁명(革命)을 원하는 사람들의 마음을 사로잡는 구절이 되었다. 고려시대 묘청(妙淸)의 난이 '천도(遷都)'에 대한 견해를 둘러싸고 일어난 것도 풍수지리 사상의 영향력을 알려주는 잘 알려진 예이다.

그래서 풍수는 특정 장소의 기를 변화시켜서 개인의 운명, 가문의 운명, 국가의 운명 등을 인위적으로 변화시키려는 매우 특별하고 능동적인 목표를 지향한다. 이는 참위가 천변재이(天變災異)의 현상을 해석해서 특정한 정치적 의도를 관철시키려는, 상대적으로 수동적인 성격을 갖고 있는 것과 대조적이다. 이러한 사상은 신라 말 승려 도선(道詵, 827~898)을 종주로 하는 우리나라의 풍수사상에도 이어져서, 고려의 태조 왕건(王建)이 지은 『훈요십조(訓要十條)』의 제2조에도 등장한다.

> 모든 사찰은 도선이 산수(山水)의 순역(順逆)을 점쳐서 개창한 것이다. 도선은 '내가 점쳐 정한 장소 외에 함부로 사찰을 창건하면 지덕(地德)을 손상시킬 것이므로 왕업이 오래가지 못할 것이다'라고 했다. 짐은 후세의 국왕, 공후, 후비, 조신들이 저마다 원당(願堂, 명복을 빌기 위하여 특별히 건립한 절)을 세운다면 큰 걱정이다. 신라 말에 사탑(寺塔)을 다투어 세워 지덕을 손상하여 나라가 망한 것이니, 어찌 경계하지 아니하랴.[101]

도선은 풍수를 중국의 이인(異人)에게서 전수받았다고 했는데, 이미 불교와 풍수가 결합되어 있는 후대의 체계화된 풍수사상을 접한 것이라고 할 수 있다. 그러나 불교뿐 아니라 민간신앙에서도 이미 오래전부터 명산대천(名山大川)을 숭배하고, 그로부터 복을 받고자 했으니, 이는 풍수의 개념으로 보면 좋은 기(氣)를 받아서 천복(天福)을 구하기 위한 것이다. 이러한 기복적인 습속은 유사 이래 오랫동안 지속되면서 자연스럽게 정착된 것이기 때문에 민간신앙이자 민중의 사상이 된다. 그런데 민중이 변혁을 위해 새로운 세상을 염원할 때, 풍수는 기존 세상의 종언과 더불어 새로운 세상의 터를 고지할 수 있는 강력한 이념으로 작용하게 된다. 이는 우리나라는 물론이고 동아시아 삼국에서 흔히 볼 수 있는 역사적 사건으로 증명된다.

민중은 문자를 매개로 하는 지식에서 소외되어 있기 때문에 몸으로 체화되고 전수되는 기술적 지식이 거의 유일한 것이다. 이러한 지식의 궁극적 목표는 좋은 기를 받아서 천복을 현세나 내세에 누리는 것이다. 이러한 경향은 민중에게 운명론적 체념을 심어주는 부정적 영향을 끼치기도 하지만, 한편으로는 새로운 세상을 구하려는 적극적 의지를 불러일으키는 강력한 도구가 되기도 했다.

우리나라의 여러 풍수 관련 비기들은 '대동'에 뜻을 둔 지식인들에게는 실의에 빠진 민중을 고무하게 해주고, '대동'을 염원하는 민중들에게는 난세에 살아갈 길을 찾게 해주고, 희망을 말하는 법을 가르쳐주었다.[102] 모든 지식이 그렇듯이 민중의 편에 서면 대동을 위한 변혁의 강력한 무기가 되었다.

조선시대 『정감록』은 거의 모든 변란에 사상적 동력으로 작용했다. 우리가 이해하는 『정감록』은 단지 하나의 서적이라기보다는 삼국시대부터 전래되거나 중국에서 도래한 것을 포함한 광범위한 비기(祕記), 참서(讖書), 참언(讖言)이나 요언(謠言) 등을 모두 포함하는 집합개념이다. 『정감록』의 출현은 고려시대부터 단초가 비롯되었지만, 양대 전란 이후 민간에 널리 유포된 것으로 보인다.[103]

『정감록』은 다양한 비기들의 결합이며 이본이 많지만, 중심적이고 공통적내용은 이심(李沁)과 정감(鄭鑑)이 조선의 국운(國運)을 문답으로 주고받은『감결(鑑訣)』이다.『감결』이 아마도『정감록』의 주된 사상적 내용일 것이다.[104]

『감결』에서는 난세에 숨어들면 안전한 피장처(避藏處)를 말하는데, 현대인에게도 익숙한 이른바 십승지(十勝地)를 열거하고 있다. 그리고 이망정흥(李亡鄭興)의 역성혁명(易姓革命) 사상을 말한다. 역성은 이씨(李氏)에서 정씨(鄭氏)로 변하는 것이고, 정씨는 성인(聖人) 또는 진인(眞人)이라는 구세주(救世主)로 그려진다. 흔히 정진인(鄭眞人)이라고 하며, 정도령(鄭道令)이라고 불리기도 한다. 또한 정진인은 남쪽의 해도(海島)에서 기병(起兵)을 해서 조선을 정벌하는 장군이기도 하다.

진인(眞人)은 유가의 성인(聖人)에 대한 도가나 도교의 이상적 인간 혹은 성인에 비견할 수 있는 존재이다. 이 역시도 유교문명에 대한 비판을 토대로 한다. 남쪽이라는 지명은 후일 남조선(南朝鮮) 사상으로 발전을 하는데, 이는 이상향을 가리킨다. 해도(海島) 또한 이상향인데, 가령 홍길동의 율도국이 소설 속에서 형상화된 대표적인 해도의 이상향이다. 조선시대 실제로 일어난 민란이나 거사, 역모 등의 정형화된 공식은 '진인이 해도에서 기병하여 이씨 세습왕조를 갈고 새 왕조를 세운다'는 것이었다. 그래서 난의 주모자를 정씨로 세우려 한다든지, 정씨 성을 가진 이를 찾는다든지 하는 일이 일어났다. 그리고 수많은 역모에서 모종의 섬을 정해서 양병(養兵)하고 거사 준비를 한다는 사전 계획이 마련되어 있었다.

그런데『정감록』의 정확한 뜻은 알기 어렵다. 다만『정감록』 전체가 조선왕조의 전복을 겨냥하는 '반역의 서(書)'이기 때문에,『정감록』의 정(鄭)은 정진인(정도령)의 성을 가리키는 것이며, 이 정씨는 이씨와 상극(相克) 관계에 있다고 볼 수 있다. '불을 물이 끄고 쇠를 불이 녹'이듯, 이씨는 정씨가 답이다. 왜 그런가? 여기에 기이하고 흥미로운 설명이 있다.

정몽주(鄭夢周, 1337~1392)는 조선의 성립을 근원에서 거부하고 고려의 뜻을 지키려 하다가 조선 건국을 추진하는 세력에 의해서 살해당했지만 충절(忠節)로 이름이 난 비운의 인물이다. 그리고 정도전(鄭道傳, 1342~1398)은 조선을 처음부터 기획하고 군권(君權)보다는 신권(臣權)을 강조하여, 왕위세습제를 근원적으로 차단하지는 못하지만, 현명한 신하에 의해서 나라를 다스리려는 꿈을 키우다, 조선 건국의 주체 세력에게 살해당한 불우한 인물이다. 마지막으로 정여립(鄭汝立, 1546~1589)은 민중의 근원적인 이상세계인 대동세계를 현실에서 실현하려 했으나, 조선의 왕과 결탁한 사대부들에 의해서 참혹하게 살해당한 비극적 인물이다. 민중은 조선에 한(恨)이 많았을 이들 세 정씨가 이씨 왕조를 전복할 수 있는 존재라고 보아 신화화한 것이다.[105]

민중의 입장에서는 꿩 잡는 것이 매이고 이씨한테는 정씨가 임자라고 생각한 것이다. 이러한 『정감록』의 사상은 조선후기까지 맹위를 떨치고 근대국가가 출현하면서 영향력이 줄어들었지만, 현대 한국의 대선(大選)에도 여전히 출현할 정도로 한국 문화의 기저를 이루고 있다.[106]

2) 미륵불교와 평등사상

불교는 우리나라 삼국시대에 수용되어 이전의 토착신앙을 격의(格義)하고, 그 에너지를 바탕으로 독창적인 문화를 만들었다. '격의'란 새롭지만 생경한 개념이나 사상(事象)이 수용될 때, 이전의 익숙한 것에 자리를 잡아서 새로움을 이해시키는 방법이다. 인도의 불교는 중국의 노자와 장자가 마련한 유사한 사유의 토양이 이미 존재하고 있지 않았더라면, 찬란하게 개화하여 특색 있는 중국불교를 창조하지 못했을 것이다. 한국의 토착 사상은 불교의 형식을 통해서 자신을 표출했고, 이를 토대로 해서 중국의 불교와 우리나라의 불교가 구별되는 독창성이 마련된 것이다. 먼저 후대의 문헌 속에서 우리나라의 토착신앙을 살피고, 그 위에 건설된 불교 특히 미륵(彌勒)불교사상에 대해서 알아보기로 한다.

불교 수용 이전의 토착신앙의 모습에 대해서는 자료의 제한 때문에 분명하게 알기는 어렵다. 다만 샤머니즘이나 무(巫)와 같은 자연종교였으리라는 추정을 하는 정도이다. 이는 하늘(해, 달, 별 등), 산(땅), 물(바다, 하천)과 같은 대표적인 자연물에 대한 자연숭배로 드러나 있다. 토착신앙의 성격을 알아보기 위해서는 신화와 제의를 살피는 것이 유효한데, 『삼국유사(三國遺事)』에 실린 '단군(檀君)신화'에는 토착신앙에 대한 여러 가지를 정보가 담겨 있다.

> 『고기(古記)』에 이런 말이 있다. 옛날에 환인(桓因)의 아들 환웅(桓雄)이 계
> 서 천하에 자주 뜻을 두고, 인간 세상을 탐내어 구했다.[107]

단군신화에서의 '환인'은 '하늘' 또는 '하느님'이라는 우리말을 음역(音譯)한 것으로 단군신화의 형성기에 이미 지고신으로서 '하늘'에 대한 신앙이 원형적인 신의 심상(心像)으로 표현되어 왔음을 보여주고 있다.[108] 하늘을 신적 존재로 인식하였던 것은 한국 고대신화의 공통적 요소로, 고조선의 단군신화를 비롯하여 부여(夫餘)의 해모수(解慕漱), 신라(新羅)의 박혁거세(朴赫居世), 가야(伽倻)의 김수로(金首露) 신화들에서 볼 수 있다. 이러한 신화는 건국(建國)신화에 속한다. 그런데 건국신화 속의 천신 신앙은 정치세력들의 권력 정당화 논리로서 그들 스스로를 신의 후예라 자처하며 혈통의 신성성으로 지

배의 정당성을 확보하는 데 기여했다.[109] 사정이 이렇기 때문에 신화는 아직 민중의 사상으로 합류되지 않은 상태이다. 무사공평한 신조차 통치자들의 편에 서 있는 신이었다.

우리나라의 토착신앙 가운데 하늘 이상으로 오래되고 일반적인 전통으로 내려온 것은 산에 대한 신앙이다. 이 역시도 단군신화에 반영되어 있다.

> 환웅은 그 무리 3천 명을 거느리고 태백산(太白山) 꼭대기의 신단수 밑에 내려와서 이곳을 신시(神市)라 불렀다. … 주나라 무왕이 왕위에 오른 기묘년에 무왕이 기자를 조선에 봉하니 단군은 이에 장당경(藏唐京)으로 옮아갔다가 후에 돌아와 아사달(阿斯達)에 숨어서 산신이 되었는데, 나이가 일천구백여덟 살이었다고 한다.[110]

단군신화는 오래전부터 유래한 산악(山岳)신앙을 바탕으로 해서 성립된 건국신화이기도 하다. 하늘의 아들인 환웅은 산 정상에서 나라를 세우고, 그 아들인 단군은 죽어서 산신령이 되었다. 이러한 산악신앙은 후일 삼국시대에 들어서 산천에 제사하는 제도로 전개된다. 특히 삼국 가운데 신라는 중국의 사전(祀典) 제도를 수용한 것이지만, 삼산오악(三山五岳)에 대한 대중소사(大中小祀)의 삼사(三祀)제도를 선덕왕(宣德王) 때 제정했다.[111] 그런데 삼산(三山)신앙은 우리나라의 삼신(三神)신앙에서 비롯된 독특한 것이다. 중국에서는 오악은 있으나 삼산제도가 없는데 반해 백제와 신라에서는 삼산이 존재한다.[112] 사전 제도의 형식은 중국의 것이지만, 대상에 있어서는 이전부터 숭배해 오던 산악신앙의 연속이었던 것이다.

하늘과 산에 이어 물(바다, 하천, 비)도 생명의 핵심인 물에 내포된 풍부한 상징성과 더불어, 실제로 농업의 절대적 요소였기 때문에 인류의 시원부터 경배의 대상이 되었다. 신석기 중기에서 청동기 초기로 추정되는 울주군 천전리(川前里) 암각화에는 선각(線刻)되어 있는 세 마리 용(龍) 문양이 있다. 이 용들은 2개의 지느러미와 사지가 달려 있는데, 승천하는 모양을 하고 있다.[113]

우리나라의 건국신화를 보면, 주몽(朱蒙)신화에서는 압록강에서 하백(河伯, 물의 신)의 딸이 천제의 아들을 만나서 건국의 영웅을 낳는다. 혁거세신화에서는 나정(蘿井) 곁에서 알로 현신한 혁거세, 알영정(閼英井)에서 출현한 계룡(鷄龍)으로부터 출생한 혁거세의 부인 등 물과 관련한 많은 이야기가 전한다.

또한 기우제는 나라의 성패를 좌우하는 중대한 일로서 물의 신에 지내는 제사인데, 이는 용이라는 상서로운 형상의 신수(神獸)에게 지내는 것이기도 하다. 통상 용은 중국에서 전해진 것으로 생각한다. 그러나 용신앙은 인류 문명의 보편적 내용이고, 용의 우리말이 미르(『훈몽자회(訓蒙字會)』의 훈)로 표기된 것을 보면, 우리나라 고유의 용이 미르의 이름으로 존재하고 있었다고 생각된다. 미르가 용으로 대체된 것이다.[114]

하늘, 산, 물 등에 신격(神格)을 부여한 토착신앙들은 그것이 건국신화에 등장하는 것인 만큼, 통치집단의 정당화에 토착신앙의 신격이 활용된 것이다. 이를 뒤집어 민중의 입장에서 말한다면, 이 신격들은 이미 민중의 신앙 대상으로서 절대적인 권위를 가진 존재이기 때문에, 신으로부터 통치권을 부여받았다는 왕권신수설적 통치의 정당화에 더 없이 효과적이라고 할 수 있다. 통치와 피통치의 강화에 기여하고 있는 것이다.

그런데 이러한 토착신앙은 고대 국가들이 연맹 단계에서 중앙집권체제의 국가로 나아가자 방해 요소가 되었다. 통치 집단이 연맹 상태이기 때문에 건국시조나 왕실만이 천손(天孫)일 수밖에 없었다. 예컨대, 신라에서 통치

집단을 구성하는 박혁거세 외에 6부 촌장들 자체가 모두 하늘에서 산정으로 내려왔던 천손들이다. 그래서 왕뿐 아니라 귀족들의 통치 기반이 강하게 존속되고 있었다는 사실을 말해 주는 것이다. 그래서 왕권 중심의 중앙집권화에 장애가 되었다. 왕실은 이를 위해 불교라는 고등종교를 도입하게 된다. 불교의 판테온[神殿]은 부처가 여러 신들을 거느리는 형태이다. 그래서 천신의 후예임을 자처하는 귀족들의 권력의 정신적 토대를 약화시킬 수 있는 이론적 근거로 삼을 수 있었다.[115] 왕실의 전략은 성공적이었다. 토착신앙의 신격을 불교가 대신하게 되고 토착신앙은 불교에 복속된 것이다.

그러나 민중은 여전히 낮은 처지에 머물렀고, 타고난 본래의 인권을 실현하는 자유인이 될 수 없었다. 다만 민중의 의식은 샤먼에서 벗어나 불교의 가르침으로 채워지기 시작했다. 문자 지식으로부터는 여전히 소외되었지만, 민간으로 내려온 지식의 영향은 축적되어 가고 있었다. 부처와 중생이 하나이며, 중생은 부처가 될 수 있는 성품이 갖추어져 있다는 가르침은 대동의 사상과 도가(도교)의 사상 이상으로 귀족만이 아니라 민중에게도 자유와 평화가 본래적으로 향유되어야 하는 인간의 실존적 권리라는 것을 자각하게 해주었다.

고구려 소수림왕(小獸林王) 372년에 전래된 불교는 차례로 한반도에 전파되었다. 백제에는 침류왕(枕流王) 384년에 들어오고, 신라에는 고구려보다도 약 140년 늦게 이차돈의 순교를 계기로 해서 법흥왕(法興王) 15년(528)에 이르러 불교가 공식적으로 인정된다. 신라에의 불교 전파가 늦어진 것은 귀족 세력의 저항이 컸기 때문이다.[116] 정치적 영향력이 더 큰 불교는 토착신앙의 하늘 신들의 권위를 대체하기 시작했다. 불교의 제석천(帝釋天)이 하늘 신을 대신했다. 예컨대, 불교에서 제석천은 자식을 점지하는 경우가 거의 없으나, 우리에게 들어온 제석천은 자식을 점지해 주는 토착신앙의 친근한 신의 역할을 하고 있었다.

　왕이 어느 날 표훈대덕에게 명했다. "내가 복이 없어 아들을 두지 못했으니 원컨대 대덕은 상제(上帝)께 청하여 아들을 두게 하여 주오."[117]

또한 산신령들이 거처한 자리는 불보살(佛菩薩)들이 대신했다. 삼국이 모두 그러했지만 특히 신라에서는, 오악명산에 불교 사찰을 건립함으로써 산신령의 성소가 도량(道場)으로 전환되었다. 동악(東岳)의 토함산(吐含山)에는 불국사(佛國寺), 북악(北岳)의 태백산(太白山)에는 부석사(浮石寺), 중악(中岳)의 팔공산(八公山)에는 동화사(桐華寺), 남악(南岳)의 지리산(智異山)에는 화엄사(華嚴寺)가, 서악(西岳)의 계룡산(鷄龍山)에는 갑사(甲寺)가 건립되었다.[118]
　현재의 사찰에는 전래의 토속신앙과 불보살과 불교의 제신들이 조화를 이루며 배치되어 있는데, 이는 이미 신라의 진평왕 시대부터 안정적인 형태로 존속되어 온 것이다.

　진평왕(眞平王) 시대에 한 비구니가 있었는데 이름이 지혜(智惠)였으며, 어진 행실이 많았다. 안흥사(安興寺)에 살았는데, 불전을 새로 수리하려 했으나 힘이 모자랐다. 그때 꿈에 모양이 예쁘고 구슬로 머리를 장식한 한 선녀가 와서 위로하며 말했다. "나는 선도산 성모인데, 네가 불전을 수리하려는 것을 기뻐해서 금 열 근을 주어 그 일을 돕고자 한다. 내 자리 밑에서 금을 꺼내어 주불(主佛) 3개를 장식하고, 벽 위에는 53불과 여섯 부류의 성중(聖衆) 및 여러 천신과 오악(五嶽)의 신군(神君)을 그리고, 해마다 봄과 가을 두 계절의 열흘 동안 남녀 신도들을 많이 모아 널리 모든 중생을 위해 점찰법회를 베푸는 것으로써 일정한 규정을 삼아라." 지혜는 놀라 깨어 무리들을 데리고 신사(神祠)의 자리 밑으로 가서 황금 160냥을 파내어 불전을 수리했는데 모두 신모(神母)가 한 말에 따랐던 것이다.[119]

안흥사 건립의 유래에서 볼 수 있는 것처럼, 불교신앙과 토착신앙이 융합되고 있다. 이러한 융합은 민족문화는 물론 민중사상의 연원으로 계속 전승되어 간다.

용의 상징을 중심으로 성립된 수신(水神)의 토착신앙은 수신을 모시던 성소에 사찰이 건립되면서 대체된 양상을 보여준다. 가장 대표적인 것이 황룡사(皇龍寺) 건립이다.

신라 제 24대 진흥왕(眞興王) 즉위 14년 계유(533) 2월에 대궐을 용궁 남쪽에 지으려 하는데 황룡(黃龍)이 그곳에 나타났으므로, 이에 고쳐서 절로 삼고 황룡사라 했다.[120]

그런데 신라의 진흥왕은 불교 이상사회의 사상적 배경이 되는 미륵신앙과 깊은 연관을 가진 인물이었다. 미륵신앙은 불교 전래 초기부터 수용되었다. 불교의 세계관에 따르면, 고뇌의 근원은 업력(業力)으로 인해 고통을 본질적 속성으로 하는 육도윤회(六道輪廻)의 실상을 벗어나지 못하는 데 있다. 그래서 이고득락(離苦得樂), 말하자면 해탈을 하기 위해서는 육도를 윤회하는 업력을 제거해야 한다.

그런데 부처(석가모니)는 업력을 제거하여 무상정등정각(無上正等正覺)을 얻었기 때문에 논리적으로 더 이상 육도의 세계, 즉 중생이 사는 세계에 개입할 수 없다. 이 때문에 미래불(未來佛)을 하나 더 두어서 중생을 구제하게 되는데, 이가 곧 미래불로서 미륵이다. 미륵(彌勒)은 사랑과 평화를 뜻하는 산스크리트어 마이뜨레야(Maitreya)를 음역한 것이다. 그래서 미륵의 설법을 듣고 깨달으면 중생도 이고득락할 수 있다.

육도 가운데 천상도(天上道)의 도솔천(兜率天)에는 미륵이 머무르는데, 중생은 죽어 그곳에 태어나 미륵의 가르침을 받을 수 있다. 그에 반해 적극적으로 미륵이 중생이 사는 이곳에 태어나면, 이는 극락이 옮겨져 온 것과도 같다는 생각도 가능하다. 이른바 미륵하생(彌勒下生)이 그것이다. 이는 동서양 어디에서든 발견되는 천년왕국의 세계이다. 미륵이 강림하면 이 현세가 용화(龍華)세계의 이상사회가 된다. 대동의 이상사회와는 색채가 다른 불교신앙의 구복적 성격이 반영된 이상사회론이라고 할 수 있다.

그런데 특이하게 인간세상에 부처가 태어날 때 세속에는 전륜성왕(轉輪聖王)이라는 정치 지도자가 병렬적으로 탄생하여, 불법의 이상을 세속에 실현한다. 만일 불교를 토대로 왕권을 강화하여 세속의 권력을 장악하려는 자가 있다면, 그는 미륵이 되든지 전륜성왕이 되면 될 것이다. 전자는 뒷날 후삼국시대의 견훤(甄萱, 867~936)이나 궁예(弓裔, 미상~918)가 자처했고, 후자는 신라의 진흥왕이 자처한 것이다. 그는 왕자들의 이름을 금륜(金輪)과 동륜(銅輪)이라 불렀다. 이는 진흥왕이 전륜성왕의 입장에서 불교를 진흥한다는 뜻이고, 신라 땅에 미륵이 하생(下生)하여 미륵국토를 만든다는 의지의 표현이다. 이어서 그는 흥륜사(興輪寺)를 창건했다. 전륜성왕의 치세를 나타낸 절 이름도 그렇지만, 흥륜사는 화랑(花郞)제도와 밀접한 것이 흥미롭다.[121]

신라의 화랑은 옛 신라의 전사(戰士)적 훈련을 하는 청소년 단체였으나, 이를 화랑제도로 정비한 것이 진흥왕이다. 화랑의 낭도(郞徒)는 13~18세의 소년들이며, 낭도의 우두머리가 '화랑'이다. 화랑은 다수가 있어서, 화랑들의 우두머리가 있는데, 이가 국선(國仙)이다. 그리고 낭도 가운데는 성인 승려가 존재한다. 국선은 낭도와 화랑의 우두머리이며, 국왕이 받드는 국가적 권위를 가지고 있다. 그런데 이러한 국선은 미륵불을 상징하고 있다. 국선은 신라의 미륵불이며 나라의 아기부처로 받들어졌다. 이런 의미에서 진흥왕이 제도화한 화랑은 미륵사상에 입각하여 이상사회를 건설하는 국가 사회적 요원들이다. 이들은 스스로를 용화(龍華)의 향도라고 했는데, 이는 용화세계를 지상에 건설하는 사명을 띤 미륵사상의 실천자라는 의미이다.[122]

여기에 자장(慈藏, 590~658)이 중국 당나라에서 수입한 화엄(華嚴)불교가 더해지면서, 미륵사상이 약속하는 용화세계라는 이상사회 관념이 분명하게 형성된다. 말하자면, 화엄불교는 누구든지 성불(成佛)하여 부처가 될 수 있다고 가르치고 오대산, 낙산 등의 산악에서 현신하는 불보살의 예에서 보는 것처럼, 어디서나 불보살의 진신(眞身)이 나타난다는 사상적 특색을 보여준다. 화엄사상의 가르침에 따르면, 부처가 보리수 아래에서 정각(正覺)을 이룬 것은 동시에 일체의 도량이 모두 정각을 이룬 것이기 때문이다. 신라는 이러한 불교사상을 실천하여, 불국토(佛國土)사상으로 전개시켜 나간다. 신라 땅 도처에 부처의 진신이 출현하고, 상하를 막론하고 성불하게 되며, 국토는 그대로가 화엄도량이라 인식한 것이다. 이런 토양에서 원효(元曉, 617~686)는 무애(無碍)사상을 통하여 민중의 성불 가능성을 일깨워주었고, 의상(義湘, 625~702)은 연화장(蓮華藏)세계의 구현을 목표하여 화엄사상을 보급했다.[123]

이처럼 화랑의 미륵불교와 화엄불교의 사상은 이 세상을 불국토의 이상사회로 만드는 매우 진취적인 성격을 띠고 있다. 통치자의 입장에서는 강력한 권력을 행사할 수 있게 하는 이데올로기였고, 더불어 민중의 입장에서는 미천한 민중이라도 성스러운 부처가 될 수 있다는 본래적 의미의 평등을 자각하게 되는 계기가 되었다.

미륵사상이나 화엄사상은 넓은 의미에서 불교사상이 개인의 해탈과 평등을 가르치는 평화의 사상이라는 성격에서 전개된 것이다. 그러나 후삼국시대는 미륵을 자처하는 견훤과 궁예 같은 자들의 정치적 야심에 불교가 이용되기도 했다. 예컨대, 신라 진성(眞聖)여왕 이후 후삼국의 분열에 따른 대변동의 직접적인 계기는 신라 말의 농민반란이었다. 이 농민반란의 사상적 배경에는 미륵불교가 자리하고 있다. 당시 진표(眞表, 신라중기)는 백제 유민의 승려로서, 미륵불교사상을 통한 용화세계를 구현하기 위해 설법하고, 백제의 정신적 부흥운동을 도모했다.[124] 당시 강릉(명주)과 철원을 배경으로 활동한 궁예는 진표의 포교 이래 민중이 용화세계를 대망하는 성숙된 여건을 이용한 것이었다. 또한 견훤은 진표가 중창한 금산사(金山寺)와 밀접한 관계가 있었고, 왕건이 승려 석충(釋冲)으로부터 진표의 가사를 받았다는 사실은 더욱 의미심장한 역사의 기록이 아닐 수 없다.[125]

고려시대라고 해서 민중의 처지가 더 나아진 것은 없었으나, 수행하면 누구든 성불할 수 있다는 평등사상이 민중들에게 깊고 넓게 각인되어 가고 있었다.

이어진 조선시대는 이상사회의 가능성이 질식된 성리학에 토대한 철저한 신분제 사회가 관철되었기 때문에, 민중의 삶은 더욱 고통스러웠다. 그러나 민중은 불교의 평등사상을 이미 잘 알고 있었으므로, 그 저항의 바탕에 불교는 늘 동력이 되었다. 여러 비기(祕記)들의 배경에서 불교의 평등사상은 숨쉬고 있었고, 외래의 서학(西學)이 가르쳐준 천년왕국사상도 불교 덕에 민중 속에 습합될 수 있었고, 동학 및 신종교의 민중운동의 핵심에는 미륵불교가 그 연원으로 자리하고 있었다. 예컨대, 동학운동이 좌초한 뒤에 생겨난 신종교의 하나인 증산교(甑山敎)의 교리 속에서 이를 살펴볼 수 있다.

(상제가) … 금산사의 미륵불에 임해서 30년을 지내면서 최수운에게 천명

과 신교를 내려 대도를 세우게 했으나, 수운이 능히 유교의 테밖에서 벗어나 진법을 들춰내 신도와 인문의 풋대를 지으며 참 빛을 열지 못하였으므로 갑오년에 천명과 신교를 거두고 신미년(1931)에 스스로 세상에 내려왔다.[126]

특정 종교의 교리와 상관없이, 미륵사상이 민중사상의 연원으로 오랫동안 자리 잡고 있었다는 사실을 잘 보여주고 있다. 이 사상의 핵심에는 평등의 가르침이 있었다. 알고는 있었으나 사적(私的) 이익을 독점한 세력의 반대 탓에 한 번도 실현하지 못한 평등사상이 불교를 통해서 민중의 가슴속에 한(恨)으로 살아 있었던 것이다.

3) 천주교 전래

천주교(天主敎)는 초기에 사대부 지식인들에게 서학(西學)이라는 이름으로 전래되어 신앙보다는 학문으로 연구되기 시작했다. 그런데 점차 서학서(西學書)가 한역(漢譯)되고 한글로 번역되자 민중에게 서학은 빠른 속도로 전파되기 시작했다. 본래 기독교는 척박한 지방에서 생겨난 '가난한 자들의 종교'였기 때문에, 임진·병자 양란(兩亂)과 잇따르는 미증유의 자연재해, 가중되는 정치경제적 억압과 수탈 속에 고통받던 조선의 민중에게 위안을 주기에 충분한 복음(福音)이었다.

이전에 민중에게 위안을 주는 사상이란 불교나 무속(巫俗) 혹은 『정감록』과 같은 참서(讖書)들의 예언이었다. 그런데 천주교는 수용된 지 얼마 지나지 않아 1785년 당시 신자 수가 1천여 명에 달한다는 기록이 보일 정도로 급속하게 퍼져나갔다.[127] 이처럼 천주교가 신분과 지역을 초월하여 수용되어 갈 수 있었던 것은 한글교리서와 이를 매개로 한 강습 활동, 즉 새로운 배움의 기회 때문이었다.

오늘날 세속에는 이른바 서학(西學)이란 것이 진실로 하나의 큰 변괴입니다. … 서울에서부터 먼 시골에 이르기까지 돌려가며 서로 속이고 유혹하여 어리석은 농부와 무지한 촌부(村夫)까지도 그 책을 언문으로 베껴 신명(神明)처럼 받들면서 죽는다 해도 후회하지 않으니, 이렇게 계속된다면 요망한 학설로 인한 종당의 화가 어느 지경에 이를지 모르겠습니다.[128]

그런데 국가는 천주교를 용납하지 않았다.[129] 천주교가 가르치는 내용은 유교 국가의 신분질서를 위협하는 것이었다. 천주(天主)를 군사부(君師父)보다 우위로 생각하는 천주교리 탓에 극단적으로 진산(珍山)사건(1791, 정조 15)이 일어나기도 했다. 조상에 대한 제사를 중시하는 유교국가에서 조상의 신위(神位)를 불태운 사건과 그 가르침은 조선의 뿌리를 뒤흔드는 것으로 간주되었다.

그 인륜을 무시하고 상도(常道)를 배반하는 것 가운데 큰 것으로는 저들이 높이는 대상이 하나는 옥황(玉皇)이고 하나는 조화옹(造化翁)이며, 제 아비는 세 번째로 여긴다고 하니 이는 아비를 모르는 것입니다. 아비를 모르면 임금도 또한 모를 것이니 어찌 저런 흉악한 말을 허용할 수 있겠습니까.[130]

무부(無父)에 대한 인식은 무군(無君)에 대한 인식으로 이어진다. 그래서 천주교는 이단이며, 체제에 도전하는 역심(逆心)을 품은 사상으로 불온시 되었다. 더욱이 천주교인들이 양반사대부, 중인, 양인, 천인 등 신분 구별 없이, 강학(講學)과 첨례(瞻禮, 예배) 시에 여러 신분계층이 함께 참여하는 모습은 신분제 사회의 근기를 흔드는 행위에 다름 아니었다. 이밖에도 천주교인들은 신분질서가 강제되는 향리(鄕里)를 떠나 이주(移住)·유망(流亡)하는 사회적 이탈을 했기 때문에, 정부는 세수(稅收)의 감소라는 현실에 직면하여 천주교 금지 정책을 강화했다. 그러나 천주교인들은 생존을 박탈당한 유민(流民)이라기보다는 교세 확장과 믿음의 공동체 건설이라는 천주 교리의 실천에 충실한 사람들이었다.[131]

정치사상적으로 보았을 때, 천주교가 민중사상에 끼친 영향 중에 중요한 것은 소중화(小中華)에 머문 조선의 인식을 깨트린 것이다. 다시 말해 세상의 중심은 중화(中華)뿐 아니라 다른 중심도 존재한다는 사실을 인식하게 한 것이다. 그리고 종말론적 세계에 대한 교설은 『정감록』과 같은 변혁운동의 사상적 동력이 되어 준 민중사상에도 영향을 주었다.

천주교를 접한 뒤에 『정감록』은 마치 미륵불교를 접한 뒤에 미륵불교의 사상을 흡수한 것처럼, 천국(天國)의 도래에 앞서서 지상에서 벌어지는 최후의 심판에 대한 학설을 흡수했다. 말세에는 괴질(怪疾)과 전쟁이 지상을 휩쓸 것이며, 이러한 심판 뒤에 새로운 세상이 도래한다는 내용이다. 이러한 종말론은 미륵불교나 기타 참서에서는 보기 드문 것이었다.

그리고 서학에 대한 동학(東學)의 창도(唱道)에도 영향을 끼쳤다. 동학은 기존 민중사상과 천주교의 사상을 비판적으로 흡수하여 생겨난 것이기 때문이다.[132] 동학이 제시한 개벽(開闢)사상은 이러한 종말론적 세계 변혁의 사상이 없었다면 역동적인 성격을 갖지 못했을 것이다. 개벽이란 기존 역학에서는 단지 천지창조의 의미였지, 인간 세상의 질적인 변화와 그를 넘어선 총체적인 변혁이라는 성격은 미미하게 암시되어 있었을 뿐이었다.

3장

———————————

왕과 사대부의
나라

조선왕조는 고려왕조를 교체하고, 1392년 건국하여 1910년 경술국치(庚戌
國恥)까지 518년을 유지했던 국가이다. 조선은 불교를 이념으로 했던 고려
와 달리 전통적 유가사상을 혁신한 성리학을 이념으로 하여 출범했다. 그러
나 민중과 관련해서 고려와 조선의 처지가 달라진 것은 찾기 어렵다. 오히
려 성리학은 더욱 철저하게 신분제에 기초한 정교한 예치를 기획하는 체계
이기 때문에, 민중의 처지는 곤경에 처할 수밖에 없었다.

이 장에서는 조선이라는 나라에서 민중의 실제적 지위와 이와 관련한 성
리학의 이론적 입장을 살펴본다. 이어서 조선을 변혁하고자 입론을 펼친 율
곡 이이의 개혁사상을 살피고, 같은 시기에 발생한 이른바 정여립의 난을 병
행해서 살피고자 한다. 비록 이상주의에 그쳤지만, 소강사상과 대동사상이
조선에서 전개된 역사적 경험을 탐색한다. 또한 양난을 전후하여 발흥한 비
판적 지식인들의 민중론을 알아보고, 꺼져가는 조선을 다시 살리기 위해 대
두했던 이른바 실학의 민중론을 살핀다.

1. 조선의 국체(國體)와 성리학

1) 국가 권력의 구상: 이색, 정도전, 권근

고려왕조가 후기로 접어들던 1170년(의종 24년)에 일어난 무신(武臣)의 난
(亂)은 고려 귀족사회의 신분제도를 흔들었다. 문신(文臣)에 비해 상대적으

로 낮은 지위에 있었던 무신의 득세는 농민과 노비를 비롯한 천민의 봉기에 영향을 주었다. 1193년에는 신라 부흥을 내걸고 김사미(金沙彌, ?~1194)와 효심(孝心, ?~?)의 농민반란이 일어났다. 이와 함께 '무신의 난' 이후 출세를 거듭한 소금장수의 아들 이의민(李義旼, ?~1196)은 고려왕조를 상징하는 "용손이 12대에 끊기고 십팔자(十八子)가 일어난다"는 참위를 이용해 왕이 되려하다 최충헌 형제에 의해 참살당했다.[133] 그러나 고려에 반기를 들고, 신라, 고구려, 백제 부흥을 표방하면서 전국 각지에서 계속해서 농민봉기가 일어나 정권을 위협했다. 여기에 1198년(신종 원년) 5월에 최충헌(崔忠獻)의 사노(私奴)이자 가노(家奴)인 만적(萬積, ?~1198)의 난이 일어났고, 만적은 신분제 타파의 피맺힌 절규를 상징하는 "왕후장상이 처음부터 씨가 따로 있는가"[134] 라는 말을 남기고 수장(水葬)되었다.

이후로 최씨 무신정권이 유지되다가 삼별초(三別抄)의 대몽(對蒙)항쟁(1270~1273)이 끝나고, 친원파(親元派)를 중심으로 형성된 권문세족이 고려를 농단했다. 이윽고 공민왕(恭愍王)의 개혁정치 아래에서 세력을 키운 신흥세력인 사대부가 등장한다. 무인 이성계는 이들 신흥사대부와 결탁하여 1392년 역성혁명(易姓革命)을 일으켜 조선을 개창했다. 사대부는 불교가 아닌 성리학을 이념으로 하는 지방 향리 출신의 중소 지주들이었다.

성리학은 전통 유가, 즉 공맹유학을 근본으로 삼고, 불교의 형이상학과 도가의 우주론을 수용하여 성립된 새로운 유가사상이었다. 도가로부터 전래의 기(氣)에 입각한 우주론을 계승하고, 불교의 형이상학을 모방해서, 이 우주를 움직이는 배후의 근원적인 이법(理法)을 가리키는 리(理) 개념을 수용했다. 이를 통해 존재하는 모든 것을 기(氣)와 리(理)의 결합으로 설명하는 이론인 리기론(理氣論)을 정식화했다.[135]

신흥사대부들은 고려를 대체하는 조선이라는 새로운 국가의 정치체제를 구상했는데, 여기에는 3가지 기본 관점이 있었다. 왕권론(王權論), 신권론(臣權論), 군신공치론(君臣共治論) 등이 그것이다.[136] 이를 살펴보고, 신흥사대부들의 구상 즉 성리학에 이념을 둔 정치체제에서 민중의 위상이 어떠한지를 알아본다.

국가 권력 구상의 3가지 기본 관점은 고려말의 목은(牧隱) 이색(李穡, 1328~1396)으로부터 시작된다. 흥미롭게도 이색의 문하였던 '조선왕조의 설계자' 정도전(鄭道傳, 1342~1398)과 조선 성리학의 이론적 전개의 시작이 되었던 권근(權近, 1352~1409)이 이색의 관점과 각기 다른 관점을 제시한 사상가들이다. 첫 번째, 왕권론자인 이색은 전형적인 소강사회의 지지자였다.

> 천지 사이에 나라를 세우고 하늘을 대신해서 일을 행하는 자를 천자라 한다. 천자를 대신해서 봉해진 것을 나누어 다스리는 자를 제후라 한다. 지위는 상하가 있고 세력은 대소가 있으니, 조금도 문란할 수 없어서 『주역』의 리괘(履卦)가 있는 것이다.[137]

이색은 명쾌하게 신분제를 지지하고, 인간세의 질서는 자연의 질서와 다르지 않다고 보았다. 그리고 『주역(周易)』의 괘상(卦象)을 증거로 인용하는데, 이는 성리학의 흔한 논법이다. 지금 우리에게 『주역』의 괘상은 인위적인 상징적 조작으로 생각되지만, 성리학에서는 『주역』의 괘상에는 우주의 이법이 반영되어 있다고 보았다. 그래서 경험적 자료를 증거로 제시하는 지금의 논법에 비추어보면 이해할 수 없는 정당화 방식이지만, 선천적 질서의 정당화를 위해 『주역』이 동원되는 것은 매우 자연스러운 논변이었다.

리괘(履卦)는 천택리(天澤履, ☰☱)로서 상괘(上卦)는 건(乾, ☰)이고 하괘(下卦)는 태(兌, ☱)로 이루어진 괘이다. 이에 대해 성리학의 정초자 가운데 한 사람인 정이천(程伊川, 1033~1107)은 『역전(易傳)』에서 이렇게 말한다.

> 하늘(☰)이 위에 있고 연못(☱)이 아래에 있음은 상하(上下)의 분수(分數)와
> 존비(尊卑)의 의리(義理)로, 이치의 마땅한 것이고 예절(禮節)의 근본이니 항상
> 이행하는 도리이다. 그러므로 리괘(履卦)가 된 것이다.[138]

리괘는 '상하(上下)의 분수(分數)'와 '존비(尊卑)의 의리(義理)'가 우주에 내
재한 선천적 질서라는 것을 나타내주는 상징이다. 이 상징은 자연의 질서가
스스로 개시(開示)되어 인간에게 나타난 것으로 생각되었고, 이를 창제한 성
왕(聖王)의 권위로 보장된 것이다. 건(乾)은 하늘이고 태(兌)는 연못인데, '건'
은 강건함의 상징이고 '태'는 기쁨의 상징이다. 이러한 상징을 해석하면서,
신분은 불변적 자연의 질서이자 변경 불가능한 사실로 정당화된다.

> 태(兌, ☱)가 기뻐하고 순함으로써 건(乾, ☰)의 강함 것에 응(應)하여 밟히고
> 깔림은, 아랫사람이 윗사람에게 순종함이고 음이 양을 받들어 이음이니 천
> 하의 지극한 이치이다.[139]

이처럼 군신 관계뿐 아닌 신분제 질서를 정치적 역학관계나 체제로 이해
하는 것이 아니라, 불변의 원칙과 의리(義理)에 입각한 관계로 설명한다. 이
러한 사고방식이 전제되는 '천하'란 이미 우주 안에는 군위신강(君爲臣綱) 혹
은 군신유의(君臣有義)와 같은 삼강오륜(三綱五倫)의 덕목이 선천적으로 내재
되어 있는 세계이다.

이러한 논리는 인(仁)을 필두로 사덕(四德. 仁義禮智)의 이념이 우주에 내재
한다는 성리학의 형이상학에 따른 자연스러운 논리적 귀결이다. 이를 받아

들인다면, 신분제는 임의적이거나 자의적이고 인위적인 제도이기 때문에 변할 수도 있는 가변적인 제도가 아니라, 불변하는 이법이다. 그래서 강상(綱常)의 윤리를 저버린 존재에 대한 성리학의 규정은 우주와 세계를 붕괴시키려는 세력을 보는 것처럼, 이 세계를 지키려는 수호자가 갖는 정당한 분노와 혐오에 가득 차 있다. 이색은 온화한 지식인이었지만, 그는 민중에 속하는 지식인이 아니므로 대동사회를 혐오할 것이 분명하다. 대동이란 신분질서가 문란해진 사회이기 때문이다.

두 번째, 신권론에 힘을 실은 경우이다. 이색의 제자인 정도전은 이색처럼 왕권의 세습제를 인정한다. 그러나 성리학의 인간관에 따라 인간이 타고난 기질(재질)은 우연의 영역에 속해서, 언제나 성군(聖君)이거나 현군(賢君)일 수 없다는 차이를 인정했다.[140] 이는 성리학의 차별적 인간관이 왕에게도 보편적으로 적용된 결과이다. 그러나 신분제 자체에 대한 회의에 이르지는 못했다. 세습제와 차별적 인간관이 혼합되면서, 군주의 한계를 보완하려 한다.

> 인군(人君)은 하늘의 일을 대신하여 천민(天民)을 다스리지만, 혼자의 힘으로는 할 수 없는 것이다. 이 때문에 관(官)을 설치하고 직(職)을 나누어서 중외에 포고하여, 널리 현명하고 유능한 선비를 구하여 관직에 이바지하게 하는 것이다. 이것이 관제를 만든 이유이다.[141]

이는 천명(天命)을 대행하는 군권(君權)은 상징적인 것에 국한하고, 대신 선비[士大夫]에게 실질적 권한을 부여하는 논리이다. 그래서 정도전은 재상(宰相)에게 권한을 주고, 왕권을 제한하는 권력 구조를 구상한다.

> 총재는 위로는 군부(君父)를 받들고 아래로는 백관(百官)을 통솔하여 만민

을 다스리는 것이니, 그 직책이 큰 것이다. 또 인주(人主)의 자질에는 혼명강약(昏明强弱)의 차이가 있으니, 총재는 인주의 아름다운 점은 따르고 나쁜 점은 바로 잡으며, 옳은 일은 받들고 옳지 않은 것은 막아서 … 그러므로 상(相)이라 하니, 보상(輔相)한다는 뜻이다. 백관은 직책이 다르고 만민을 직업이 다르니 공평하게 하여 그들로 하여금 그 마땅함을 잃지 않도록 하고, 고르게 하여 그들로 하여금 각기 그 소업을 얻게 해야 한다. 그러므로 재(宰)라 하니, 재제(宰制)한다는 뜻이다.[142]

세습군주제지만 재상의 보필이 더해져야 치국이 이루어진다. 그런데 재상은 군주를 견제하는 적극적인 기능이 있다. 이것은 왕의 입장에서는 왕권의 약화이며, 치국의 요체는 재상에게 있다는 논리이다. 그래서 재상은 성인을 목표로 하는 위성지학(爲聖之學)을 갈고 닦는 정기(正己)를 통해 정물(正物)을 해야 한다.

재상이 된 자는 성현이 전한 정도(正道)를 깊이 상고하되, 공자, 자사, 맹자, 정자의 글이 아니면 앞에 늘어놓지 않으며, 새벽부터 밤늦게까지 그 취지를 궁구하여 몸에 돌이켜서 천리(天理)의 소재를 구하며, 이미 스스로 그 자신의 마음을 바르게 하고 나서 그것을 미루어서 임금의 마음을 바르게 하며, 다시 미루어서 말을 하고 정무를 보는 사이에 이르러서 천하의 마음을 바르게 하면, 재상의 공명과 덕업이 삼대의 왕좌와 비견될 만큼 흥륭(興隆)해질 것이다.[143]

정도전의 권력 구상은 왕권의 제한을 둔다는 점에서 이색에 비해서 개혁적인 것이었다. 그러나 왕권과 신권의 끊임없는 긴장관계, 즉 왕권을 견제하거나 신권을 제약하려는 갈등이 유발될 소지가 처음부터 배태되어 있다. 그러나 여기에 민중의 입지는 없다. 공맹에게서 뚜렷하게 드러난 민본과 민귀경군의 대동사상적 민중론은 고려의 대상이 아니다. 다만 임금의 나라에서 사대부의 나라로 권력이 이동되었을 뿐이다.

왕권에 대한 신권의 우위를 이론화한 정도전은 왕권 강화의 권력투쟁에서 죽임을 당한다. 소강사회를 구상한 그의 논의조차 이상적인 것으로 여겨졌기 때문이다. 세 번째로 신권과 왕권의 양자를 절충한 것이 권근(權近, 1352~1409)의 구상이다.

> 하후씨(夏后氏, 우임금) 이래로 국가를 가진 자는 반드시 그 아들에게 전해주었는데, 후세에 왕위를 가지고 다투는 혼란이 있을 것을 염려하는 것일 뿐만 아니라 종사를 중시하기 때문이니, 타성(他姓)에게 전한다면 혁명이라 이르고 종묘가 혈식(血食, 피 흐르는 제물을 바쳐 조상에게 제사 지냄)하지 못하게 된다.[144]

권근은 군주세습제를 옹호하는 소강사회주의자이다. 그런데 권근은 왕권의 강화를 성리학의 철인(哲人)군주론에서 찾았다. 성리학에서 말하는 도통(道統)은 요, 순, 우, 탕, 문, 무, 주공, 공자 등으로 이어진다. 여기서 공자를 제외하고는 모두 군왕이자 성인이었다. 위 글에서 요순은 왕위 선양을 했기 때문에, 세습제의 시작인 하나라의 우임금부터 인용되어 있다. 이를 보더라도 조선의 권력구상은 소강사회의 관념 위에 세워져 있다는 것을 알 수 있다. 다만 왕권에 대한 신권의 무조건적인 복종은 불가하며, 왕은 성왕의 자격을 갖출 때야만 비로소 왕권을 발휘할 수 있다고 본다.

예로부터 하늘의 마음은 인군(人君)을 사랑하여 견고를 드러내 보여서 반드시 보우하여 안전하게 하고자 하는 것입니다. 영명한 자질이 있어 큰일을 할 만한 임금이 범상한 옛 것만을 따르고 진작하고 분발하여 큰일을 하려 하지 않으면, 하늘은 반드시 더욱 비상한 재앙을 내려서 경구하여 두려워하고 근신하여 큰일을 하게 하는 것입니다.[145]

참위정치의 전제를 이루기도 하는 천인상감의 논리는 왕을 견제하는 논리가 되기 쉽다. 그리고 신하는 간언(諫言)의 책임과 권리가 있다. "감히 진언하여 숨기지 않는 것은 신하의 굳센 절개이며, 너그럽게 용납하여 어기지 않는 것은 임금의 성덕입니다."[146]

권근은 왕권중심적 기조를 유지하여 어느 일방의 권력독점을 제한하는 권력관계의 새로운 모델을 구상했다.[147] 이것이 군신공치이며, 이러한 권력관계는 인체에 비유되고 있다.

임금과 대신의 관계는 머리와 팔다리의 관계와 같아서 한 몸을 이루니, 가부(可否)간에 서로 도와서 함께 다스림을 이루는 것입니다. … 그러므로 임금이 가(可)하다고 하는 것을 재상이 불가(不可)하다고 하는 것도 있는 것입니다.[148]

위의 3가지 정치권력 구상을 보면, 조선은 왕권과 신권의 대립과 길항에 따라 유지된 군국(君國)이자 사대부지국(士大夫之國)이었다는 것을 보여준다. 이 3가지 권력 구상은 조선이 오래 지속된 이유를 설명해 주는 논리였다. 그러나 방본(邦本)이었던 민중에 대한 고려는 없으며, 그들은 권력에 참여할 수 없었다. 이처럼 권력 부문과 민중 부문으로 이루어진 조선은 국체의 개념으로 보았을 때, 임금의 나라이면서 사대부의 나라였다.

2) 조선의 국체와 방본(邦本)

국체(國體, forms of state)는 주권의 담당자가 누구인가에 따라서 분류하는 국가 형태를 말한다.[149] 조선의 경우는 주권이 군주에 속하기 때문에 군주 국체이다. 그런데 국체는 자주 정체(政體, forms of government)와 혼동되어 사용된다. 정체는 주권(主權, sovereignty)과 통치권(統治權, powers of sovereignty)의 구분을 전제로 통치권의 소재에 따라 통치형태를 나누는 개념이다. 그러나 주권과 통치권의 구분은 개념적으로 가능할지 모르지만, 역사적 경험적 국가에 적용하는 것은 사실상 불가능하다.[150] 그러므로 주권과 통치권의 구분을 전제한 전통적 국체, 정체 구분은 무용지물이 되기 쉽다. 그래서 민유방본이라는 유가의 전통적 사상에 입각해서 정체가 아닌 국체를 중심으로 조선을 보는 것이 민중과 관련된 역사적 사태를 더 잘 볼 수 있는 방법이다.

유가에게 백성(민중)은 민유방본이라는 말에서 볼 수 있는 것처럼 나라의 근본[邦本]이다. 방본(邦本)의 실질적 의미는 '국가의 주력 생산자'라는 것이다. 그래서 지금의 정치학적 관념을 가지고서 방본의 정치 사회적 차별 형태와 차별 여부에 따른 국가 형태를 보면, 방본을 '말하는 도구'로 격하하고 군주의 소유물로 예속시킨 노예제 국체, 방본을 신분제의 차별로 제한을 가한 신분제 국체 등이 있다.[151] 이러한 국체에서 방본은 자유롭지 못하며, 차별로 인한 제약을 받는데, 주로 경제적 박탈과 착취의 대상이 되었다. 방본을 제도적으로 억압하는 국가 형태들이다.

비록 유가의 대동사상이나 불교의 평등사상이 진작부터 존재하였으나, 정치 사회적으로 실현된 적이 별로 없었다. 신분제를 혁파해서 방본이 정치 사회적으로 차별받지 않는 사회가 현대의 평민(平民) 국체이다. 이때야 비로소 방본인 민중(백성)의 나라가 된다. 그러나 조선은 신분제에 기초한 군국이자 사대부지국이었다. 이것은 반상(班常) 구별의 세습적 신분에 기초한 전형적인 소강사회이다.

소강사회인 조선의 기본적 국체는 정도전에 의해서 제시되었다. 그러나 정도전의 국가 구상에서는 방본에 대해 비록 그것이 정치적인 수사에 불과할지라도, 민귀군경의 대동사상적 요소가 개입하고 있다. 그것이 정치적 수사라고 할지라도, 방본인 백성을 신분제의 굴레로 속박하는 것은 이미 유가 전통에서 설 자리가 크지 않은 것을 반증하고 있다.

정도전은 그의 사상적 기반인 성리학에 충실하게 이상적인 유교국가로 주나라를 목표로 두고 있다. 이는 대동사상을 말하지만 동시에 주나라의 예치를 말하고 있는 공자의 불합치하는 언설에 기원을 두며, 이 가운데 주나라가 공자의 이상이라는, 역대로 정통으로 인정받은 해석에 입각하고 있다. 그러나 이 글은 대동이 주나라의 소강보다 더 본질적으로 공자 사상의 원류에 속한다고 해석하는 입장을 따른다.

> 인군은 하늘의 직무를 대신하여 하늘의 백성을 다스린다.[152]

백성(민중)의 주인은 하늘이며 인군이 주인이 아니다. 이는 '민심은 천심'이라는 대동사상의 다른 표현이다. 그래서 "임금이 백성의 숫자가 기록된 문서를 받을 때 절하면서 받는 것은 그 하늘을 중히 여기기 때문이다."[153] 그런데 통치권은 군주에게 있기 때문에 군주가 백성의 주인 노릇을 하게 한다. 인군(人君)이며 인주(人主)라는 뜻이 그렇다. 인군이 되는 조건은 그가 인(仁)을 소유하고 있느냐의 여부이다. 이는 "덕이 있는 자만이 왕의 자리에 있을 수 있다"는 '유덕자위왕론(有德者爲王論)'의 사상을 계승하여 이를 제도적

틀로 구상한 것이다.

> 인군의 위(位)는 높기로 말하면 높고, 귀하기로 말하면 귀하다. 그러나 천
> 하는 지극히 넓고 만민은 지극히 많다. 한 번 그들의 마음을 얻지 못하면, 아
> 마 크게 염려할 일이 생기게 되리라. 하민(下民)은 지극히 약하지만 힘으로
> 위협할 수 없고, 지극히 어리석지만 지혜로써 속일 수 없는 것이다. 그들의
> 마음을 얻으면 복종하게 되고, 그들의 마음을 얻지 못하면 배반하게 된다.
> 그들이 배반하고 따르는 그 간격은 털끝만큼의 차이도 되지 않는다. 그러나
> 그들의 마음을 얻는다는 것은 사사로운 뜻을 품고서 구차스럽게 얻는 것이
> 아니요, 도를 어기어 명예를 구하는 방법으로 얻는 것도 아니다. 그 얻는 방
> 법 역시 인(仁)일 뿐이다. … 인(仁)으로써 위(位)를 지킴이 어찌 마땅한 일이
> 아니겠는가? [154]

군주와 하민(下民, 백성, 민중)은 귀천(신분)이 다르지만, 군주의 정당성은
인(仁)이라는 공적 원리를 바탕으로 한다. 비록 추상적인 원리이나, 여기에
는 암암리에 왕위의 정당성[仁]을 지키지 못하는 경우는 방벌(放伐)될 수 있
다는 사상이 배면에 깔려 있다. 그러나 여하한 경우에도 방본(邦本)은 국본
(國本)이 되기 어렵다. 이러한 왕위의 계승은 오직 세습군주제를 통해서 이
루어진다는 것이 위의 논의가 정치적 수사라는 것을 알게 해 준다.

> 저부(儲副, 세자)는 국본(國本), 즉 천하 국가의 근본이다. 옛날의 선왕(先王)
> 이 세자를 세우되 반드시 장자(長者)로써 한 것은 왕위 다툼을 막기 위한 것
> 이고, 반드시 현자(賢者)로써 한 것은 덕을 존중하기 위한 것이었으니, 천하
> 국가를 공적으로 생각하는 마음이 아님이 없었다. [155]

인군인 왕권의 독점을 방지하기 위해 재상의 보좌를 제시하고 있다. 왕이 혼군(昏君)이나 암주(暗主)가 된다면, 나라가 무너지기 때문이다. 이로부터 군국의 국체는 사대부 국체와 합쳐지게 되며, 조선은 군국이나 사대부의 나라로 정해진다. 방본은 단지 생산을 위한 존재, 말하자면 노심자(勞心者)에 대한 노력자(勞力者)의 위상으로만 제한하게 된다. 더욱 기만적인 것이 노력자들은 마치 자연의 질서가 그러한 것처럼, "자발적으로 아래에 속해 밟히고 깔리는 것에 기뻐하고 순종한다"고 규정하는 것이다. 그것이 '지극한 이치'라고까지 강조한다.

방본인 민중(백성)들이 방본으로서 국체가 되는 과정이 근대화의 목적론적 여정이라고 본다면, 이러한 과정이 가시화되기 시작한 시기는 조선의 18세기 무렵으로 본다. 말하자면, 조선에서 평민국가로의 국체의 전환은 역사적으로 군국(君國, 임금의 나라, kingdom)으로부터 민국(民國, 백성의 나라, nation state)으로 향하는 국가이념의 전환에서 나타났다. 18세기 영·정조(英正祖)의 탕평시대부터 쓰이기 시작한 민국(民國)이라는 말이 국초부터 사용되던 국가 개념인 군국(君國)을 대체하기 시작했기 때문이다.[156]

18세기 탕평군주(영·정조)들은 민중의 신분평등과 자치와 참정을 열망하는 민압(民壓)을 적극 수용하고, 소민(小民; 서얼·중인·양민·천민·노비 등의 광범위한 민중)의 정치적 지위 향상과 참정 요구에 호응하여 새로운 정치체제의 구축을 모색했다. 그들은 붕당적 훈구사족들과 대민(大民)의 기득권에 눌려 수탈당하는 소민(小民)의 보호를 국가의 '존재이유'로 규정하고, 대대로 왕조를 받든 세신(世臣)들을 소민 보호의 신(新)국정을 지탱하는 근왕 세력으로 삼고 훈구사족과 구분한 다음, 훈구사족의 우월권을 박탈하는 방향으로 체제를 재정비했다.[157]

이 과정에서 영·정조는 민(民)과 국(國)을 일체화(一體化)하는 의미의 합성어 민국(民國)을 애용한 것이다. 영·정조는 민국이념의 구현을 위해 추쇄법(推刷法)의 유예·폐지를 통한 간접적 노비제 혁파와 직접적 노비 해방안 마련, 임금노동 촉진, 서얼등용, 법전 편찬, 법치 확립, 어사제도 강화·개편, 상언(上言)·격쟁(擊錚)제도 활성화, 소민(小民)도덕교육, 소민을 위한 세제(稅制)·부역(賦役)제도 개편 등 여러 개혁 조치를 취한다.[158]

이와 같이 점차 신분 상승을 통하여 해방된 백성들이 나라의 밑바닥에서 나라의 중심으로 부상하고, 백성이 나라와 일체가 되는 정치적 지향을 통해 그 희미한 실체를 드러낸 '민국'은 신분제적 '양반(사대부)국체'와 구별되는 새로운 '국민 국체'로 영·정조대 위정자들에게 두루 통용되었다. 특히 정조는 양반 사대부 중심의 국가 운용을 탈피하여 소민의 보호와 '자치·자안'을 위해 신분 상승과 맹아적 참정을 촉진하는 '민국 건설'을 의식적 국정목표로 삼았다.[159]

> 이러한 국체는 계속 진화하여 간혹 등장하는 '역적들'과 동학농민혁명에서 백성의 나라라는 성격이 더 강화되고, 이후 국권 상실 후의 독립협회 및 만민공동회 회원들, 그리고 언론과 신문독자, 일반 잡지와 협회보, 심지어 양민과 도적들까지 '민국'이라는 단어를 주고받을 정도이니 조선 후기에 '민국'이라는 말이 얼마나 대중화되었는지를 짐작할 만하다. 이로써 조선 초반 '사대부의 나라', 즉 '양반국가'였던 '조선왕국(군국)'은 임금을 표준삼아 또는 임금을 보호막 삼아 자유 평등한 참정을 추구하는 '백성의 나라'인 '조선민국', 즉 '적극적' 민본주의에 따라 국민이 '자치·자안'하는 '조선 국민국가'로 발전하는 중에 있었다.[160]

이어지는 향후 논의를 위해서 조선 초기부터 말기까지 대체적인 시대 구분이 먼저 제시되어야 할 것으로 보인다. 이러한 구분은 군주별 왕권 구분보다 정치사적 변화에 따른 것이다. 크게 3부분으로 구분한다.

첫 번째는 정치권력의 초기 제도화 시기에 해당하며, 이는 태조(太祖)에서 성종(成宗)까지의 기간이다. 두 번째는 양난의 큰 변동을 포함해서, 축적된 왕권의 권위와 국가정통성 자체가 단속적 위기와 갈등의 극복 과정을 통해 여러 가지 유형으로 단련되어 나가는 중기 정치변동기이다. 이는 연산군(燕山君)에서 정조(正祖)까지이다. 세 번째는 세계 자본주의 체제에로의 강제 편입과 내적 대응 실패로 인해 붕괴와 해체의 길로 접어드는 조선 말기의 정치 변혁의 시기이다.[161]

민중의 입장에서는 이 3시기를 거치면서 이른바 민중의식이 성장하고 의식에 따른 실천적 정치 참여가 빈도나 규모에 있어서 점증하였다. 다음 절에서는 국가적 위기를 예감하고 제시된 개혁적 사상과 이와 맞물려서 출현한 매우 급진적인 변혁 사상을 살펴본다.

2. 개혁과 변혁의 사상

1) 율곡의 이상사회론 : 성리학적 대동사상

조선왕조가 중기로 접어들면서 성리학에 기반을 둔 조선왕조의 국가적 위기를 감지한 사상가는 율곡(栗谷) 이이(李珥, 1536~1584)이다. 그는 선조(宣祖, 1581)에게 국가의 새로운 경장(更張, 느슨해진 것을 다시 조율함)을 촉구한다.

이이가 임금에게 아뢰었다. "자고로 나라를 다스려 그 중엽에 이르면 반드시 안락에 젖어 점점 쇠퇴하는 것인데, 그때에 어진 임금이 일어나 분발하고 진흥시켜 천명을 맞아 연속시키고 나서야 국운이 영원히 이어지는 것입니다. 우리나라도 2백여 년을 전하여 이제 이미 중엽의 쇠퇴기여서 정히 천명을 맞아 연속시킬 때입니다."[162]

이미 근 20여 년에 걸쳐 관직생활을 하면서 경장과 혁폐(革弊, 폐단을 고침)를 주장해 왔고, 이론적으로도 『성학집요(聖學輯要)』(1575년, 선조 8년에 완성)를 지어 성리학에 입각한 이상사회론을 제시한 지 오래지만 여전히 조선은 나아진 것이 없었다. 그의 이상사회론은 국가권력의 구상에서 군신공치를 주장하는 것만큼 사림(士林)에게 큰 역할을 부여하는 것을 골간으로 하였다. 이는 신분제 개혁의 주장으로 이어졌다. 즉 서얼의 허통(許通), 공사천(公私賤) 중에 무재(武才)가 있는 자의 속량(贖良, 양민을 만들어 줌) 등이 주를 이룬다.

신의 우계(愚計)는 전자에 이미 발표하였다가 다시 중지하였는데, 지금에 와서는 더욱 다른 방책이 없습니다. 만약 신의 말을 쓴다면 방법은 다음과 같습니다. 서얼(庶孼) 및 공사천 중에 무재가 있는 자를 모집하여 그들에게 각자 양식을 준비하여 남북도에 들어가 방비하도록 하십시오 … 서얼은 사로(仕路)를 허통하고, 천예(賤隸)는 면천(免賤)하여 양인(良人)이 되게 하며, 사천(私賤)은 반드시 본주(本主)가 병조(兵曹)에 단자를 올린 뒤에 시재(試才)를 허락하여, 주인을 배반하는 종이 없도록 하고, 그 대가는 자원에 따라 골라 주도록 하소서. … 사로의 허통과 종량(從良)하는 것도 무사(武士)의 예와 같이 하소서. … 이는 세종대왕께서 권도(權道)로 이미 시행하신 규례입니다.[163]

위는 이른바 「계미봉사(癸未封事)」로 알려진 상소이다. 당시 건의한 조치들 가운데 신분제에 관한 것은 매우 개혁적인 것을 알 수 있다. 그러나 그의 개혁은 도로(徒勞)에 그치고 이듬해 세상을 떠나자 개혁 조치도 함께 사라졌다.

신분제의 혁신에 대한 율곡의 논의는 오랜 시간 동안 지속된 것이며, 그의 이상사회론의 골간을 이루는 것이기도 하다. 「은병정사학규(隱屛精舍學規)」에는 "서재(학교)에 들어오는 규칙은 사족과 서류를 막론하고 다만 학문에 뜻이 있는 사람을 모두 들어오게 한다"[164]고 되어 있다. 은병정사(隱屛精舍, 1577, 선조 10년)는 율곡이 황해도 해주 석담리(石潭里)에 세운 서재(書齋, 학교)를 가리킨다.

율곡의 민중에 대한 견해는 공맹의 민본론을 원론적으로 견지하고 있다. 즉 "하늘이 보는 것은 우리 백성의 눈을 통하여 보고 하늘이 듣는 것은 우리 백성의 귀를 통해서 듣는 것이니, 인심이 돌아가는 곳이 곧 천명이 있는 곳이다"[165]라고 하였다. 그런데 율곡은 조선시대 전체를 통틀어 누구보다 가장 진지하게 『예기』의 대동과 소강의 이상사회론을 검토하고, 그것을 실제로 조선사회에 적용하려 한 사상가였다. 그가 역대로 '개혁'의 사표(師表)로 여겨지는 근저에는 대동과 소강의 문제의식이 자리하고 있었기 때문일 것이다.

조선시대를 통해 가장 큰 영향력을 행사했던 사상가 가운데 한 명인 율곡에게 조선을 이상사회로 개혁하려 논의가 준비되어 있었다는 것은 민중사상의 흐름을 좇는 우리에게도 매우 뜻깊은 것이다. 실제로 대동과 소상의 이상사회론은 조선시대에 충분히 논의되지도 검토되지도 않았다. 율곡의 이러한 논의 자체가 매우 희귀하고 드문 것이다. 당대 최고의 석학이자 조선시대 학문의 문제의식과 방향을 설정했던 사상가에게 대동사상이 어떤 평가를 받는지는 매우 흥미로운 문제가 아닐 수 없다. 이는 공맹 사상 속에서 대동사상과 긴밀한 연관성을 주장하는 것이 무의미한 것이 아니라는 반증이 될 수 있을 것이다.

우리는 율곡의 대동과 소강의 이상사회론을 검토하면서, 그것이 민중사상의 연원이 될 가능성을 타진해보도록 하겠다. 민중의 개념에는 공론(公論)을 구성하는 창조적 지식인도 포함된다. 율곡은 민중의 사상가인가, 다만 명망 있는 사대부에만 머물러 있을 것인가, 궁금한 일이 아닐 수 없다.

『성학집요』「위정(爲政)」 말미에서는 『예기』의 대동에 대한 기사가 편집되어 있다. 우선 '집요(輯要)'라는 형식은 자체가 성학(聖學)에 대한 무비판적인 답습이 아니라, 성학의 핵심을 편집하여 전달하겠다는 의도성을 보여준다. 율곡은 대동을 소개하면서, 중간 부분을 생략하고, 전문을 그대로 싣고 있다. 논의를 위해 앞서 소개한 부분을 다시 살펴본다.

대도가 행해질 적에 천하는 (공의 원리에 따르는) 공기(公器)였고, 현인과 능력자를 선출했다. 신의를 다지고 화목을 닦았다. 그러므로 사람들은 오직 제 어버이만을 친애하지 않았고 오직 제 자식만을 사랑하지 않았다. 노인은 생을 마칠 곳이 있었고, 젊은이들은 일할 곳이 있었고, 어린이는 키워줄 곳이 있었고, 환(鰥, 늙어 아내가 없는 홀아비), 과(寡, 늙어 남편이 없는 과부), 고(孤, 어려서 부모가 없는 고아), 독(獨, 늙어서 자식이 없는 자)과 폐질자(고칠 수 없고 불구가 되는 병을 앓는 자)는 보살펴줄 곳이 있었다. 남자는 직분이 있었고 여자는 시집 갈 곳이 있었다. 재화가 땅에 버려지는 것을 싫어하지만, 재화를 반드시 (사적으로) 자기에게만 숨길 필요도 있지 않았고, 스스로 힘을 써 일하는 것을 싫어하지는 않지만 반드시 자기만을 위하여 일하지도 않는다.(男有分 女有歸. 貨惡其弃於地也, 不必藏於己, 力惡其不出於身也, 不必爲己) 이러므로 계모(計謀)가 닫혀 일어나지 못했고 도둑과 난적이 활동하지 못했다. 그러므로 바깥문을 닫

지 않았다. 이것을 일러 대동이라 한다.[166]

『성학집요』에서는 『예기』의 본문 중 굵은 글씨 부분이 생략되었는데, 그것은 신분제가 공고화되지 않은 대동의 특징을 나타낸 것이다.[167] "남자는 직분이 있었고 여자는 시집갈 곳이 있었다"는 구절은 가부장제에 따른 '차별화'된 성 역할이라기보다는 '구별'된 성 역할을 설명하는 것이다. 이러한 해석은 천하가 부권(父權) 중심의 차별화된 성별 역할이 부여된 '가(家)의 원리'로 이루어진 소강이 아니기 때문에 할 수 있다.

"재화가 땅에 버려지는 것을 싫어하지만, 재화를 반드시 (사적으로) 자기에게만 숨길 필요도 있지 않았다"는 구절은 재화를 전체 사회가 공유한다는 대동사회의 특성이다. 이는 소강사회가 철저한 사유제에 근본한다는 것과 다른 점이다. 이어서 "스스로 힘을 써 일하는 것을 싫어하지는 않지만 반드시 자기만을 위하여 일하지도 않는다"는 것도 신분제에 기초한 지배와 피지배 관계 속에서 힘써 일하는 노동의 산물을 착취하는 불평등 관계가 없는 대동의 특성을 말하는 것이다.

율곡은 예치의 기본적 전제인 가(家=私)의 원리를 구체화한 신분제와 사유제 같은 제도가 없는 대동사회의 특징을 제거했다. 그것을 실현 불가능한 것으로 생각했는지, 그렇지 않으면 유가가 아닌 도가적 사회라는 이단사상에 대한 거부에서 비롯되었는지, 혹은 양자 모두 때문인지 알기 어렵다. 그러나 분명한 것은 『예기』의 대동은 위정공효(爲政功效), 즉 '인정(仁政)이 천하에 끼친 효과'가 어떤 모습인지를 말하기 위해서, 율곡에 의해 변형되었다는 것이다. 대동사회는 인(仁)의 정치로 인해서 즉 왕도정치로 인해서 성취되는 사회의 이상적 상태로 성격이 변화된 것이다. 이러한 율곡의 대동사회론은 『성학집요』 말미의 「성현도통(聖賢道統)」에서 구체화된다. 도통(道統)이란

유가, 즉 성리학에서 말하는 도(道)의 정통적 흐름을 가리킨다. 이 도는 상고
(上古)부터 삼황오제(三皇五帝)와 같은 성신(聖神)이 하늘의 뜻을 이어 수립한
천하에 통용되는 불변의 준칙(準則)을 가리킨다.[168]

> 신이 가만히 생각해 보니, 태초의 생민들은 풍기(風氣, 사회, 문화, 관습 등)가
> 처음으로 열리자 새처럼 거처하고 날고기를 먹으며 살아 생활해 가는 방법
> 을 갖추지 못하였습니다. 머리를 풀어헤친 채 발가벗고 살았으며, 인문(人文)
> 이 구비되지 못하여 임금도 없이 모여 살면서 물어뜯고 손톱으로 할퀴며 싸
> 워대 순박한 생활은 흐트러지고 대란이 일어나려고 하였습니다.[169]

풍기(風氣)는 풍속(風俗)의 다른 말인데, 여기서는 인간의 역사가 시작되자
생겨난 사회, 문화, 관습 등을 구별하지 않고 포괄하는 말로 쓰였다. 생민(生
民, 하늘이 낳은 민중)이 존재했으나 인문이 갖추어지지 않은 시대는 도가처럼
평화시대가 아니라, 약육강식이 지배하는 금수의 시대였다고 보았다. 인문
(人文)을 질서의 시작으로 여기는 것은 전형적인 유가의 관점이다. 도가라면
인문은 인위의 다른 말이고 타락의 시작이다. 노자(老子)는 "대도(大道)가 폐
(廢)하니 인의(仁義)가 생겨났다"[170]고 설파했다. 『순언(醇言)』을 지을 정도로
노자를 잘 알고 있었던 율곡의 의도는 인문이 지배하는 사회로부터 대도의
시작을 말하려는 것이다.

여기서 대동을 단순히 소박한 원시공산사회로 보는 관점은 지양되어야
할 것이다. 대동은 대도(大道)의 원리 즉 '천하위공(天下爲公)'의 원리에 따라
서 작동하는 사회이다. 곧 수준이 낮은 상태가 아니라 높은 상태의 질서를
유지하는 것으로 해석되어야 한다. 이를 역사상 실재하는 사회로 생각해서
평화로운 원시사회를 가정하는 것은 큰 의미가 없다. 왜냐하면 실증도 어려

운 인류 최초의 사회가 평화로운가 대란(大亂)인가를 상상하는 것이 아니라, 이상사회의 조건으로 고도의 원리가 지배하는 사회를 구상했다는 사상가의 높은 인식 수준에 감탄해야 하는 것이다. 이 때문에 과거에 존재한 것처럼 과거형의 형태로 말하지만, 이상사회의 실현은 과거가 아닌 미래의 사안이 될 수 있는 것이다.

> 이때 성인이 무리 가운데서 가장 뛰어나, 총명과 지혜로써 그 성품을 온건하게 하니, 억조의 백성들이 자연히 그를 향해 귀의했습니다. 다툼이 있으면 해결해 주기를 구하고, 의문이 있으면 가르쳐 주기를 구하여 받들어 주상(主上, 임금)으로 삼았으니, 민심이 향하는 바가 바로 천명(天命)의 돌아보는 바입니다. 성인은 억조의 백성이 귀의함을 스스로 알고 군사(君師)의 직책을 맡지 않을 수 없었습니다. 그러므로 천시(天時)를 따르고 지리(地理)를 인하여 백성을 기르는 기구를 만들었습니다. 그러자 궁실과 의복과 음식과 기용(器用)이 점차 구비되어 백성들이 필요한 물품을 얻어서 생을 즐기면서 생업에 편안할 수 있게 되었습니다.[171]

율곡의 설명은 대동사회를 말하는 것처럼 보인다. 그러나 가장 중요한 핵심 즉 '천하위공'의 원리에 대한 것은 없다. 선양(禪讓)이나 선출(選出)에 대한 사회적 합의도 없으며, 단지 주상(主上)이며 인주(人主)의 위상을 가진 성인의 교화를 통해 민중들이 낙생안업(樂生安業), 즉 '태어난 삶을 즐거워하고 생업에 편안'한 세상을 건설할 수 있다는 낙관만이 있다. 앞서 『예기』의 대동 문맥에서 신분제와 사유제를 암시하는 부분을 삭제한 의도와 상통해 보인다.

이어서 공의 원리 대신에 예치의 정당성이 등장한다. 이 때문에 『예기』의 대동과 소강의 틀이 변형되어, 소강이 마치 대동과 같은 이상사회로 여겨지게 만들었다.

> 그러자 또 편안하게 지내면서 가르침을 받지 못하면 금수에 가까워짐을 근심하여 인심을 따르고 천리를 근본으로 교화(敎化)의 기구를 만들었습니다. 그러자 부자(父子)・군신(君臣)・부부(夫婦)・장유(長幼)・붕우(朋友)가 각각 그 도리를 얻으니, 하늘의 질서가 밝아지고 또 행해졌습니다. 또 시대가 같지 않기 때문에 제도를 마땅하게 하는 방법을 고려하고, 현명함과 어리석음이 한결같지 않기 때문에 바로잡아 다스리는 방법을 고려하여, 인정을 절제하고 시무(時務)를 헤아려서, 더하고 줄이는 규법을 만들었습니다. 그러자 문질(文質)과 정령(政令)과 작상(爵賞)과 형벌이 각각 마땅하게 되었는데, 그 과한 것은 억제하고 그 미치지 않은 것은 끌어올려서, 착한 이는 일으키고 악한 자는 징계하여 마침내 대동(大同)으로 돌아왔습니다.[172]

예치의 핵심인 강상윤리가 등장하고, 법제가 정비되어 시행된다. 이는 전형적인 소강사회의 내용이다. 그런데 여기서 특이한 것은 율곡은 소강이 아닌 대동을 종국적인 목표로 삼고 있다는 것이다. 이러한 대동은 한편으로는 소강사회의 예치를 극도로 세심하게 적용함으로써, 예컨대 과유불급(過猶不及)이 없는 중용(中庸)적 시행을 통해서, 다른 한편으로는 개인의 내면적 도덕을 통해서 도달할 수 있다. 그러나 이미 이것은 성리학적 도덕정치론을 정당화하는 전형적인 논리이다.

『예기』의 대동과 소강에서 예치는 생래적인 것이 아니다. 오히려 예치는 사(私)의 원리에 입각한 인위적이고 작위적이며, 정치 사회적인 맥락을 가진 것이다. 그러나 성리학에서 예치의 기반이 되는 예는 생래적인 것, 즉 인간의 본질에 해당하는 것으로 이미 그것은 선천적으로 나에게 구비된 것이며, 사(私)가 아닌 공(公)의 범주에 속한 것이다. 그러므로 예라는 내면의 덕성을 온전히 실현하는 것이야말로 자기실현인 것과 함께 공의 실현이 되는 것이다. 따라서 예치가 곧 대동이다. 이는 성리학적 대동론의 정당화이다.

율곡은 예치의 실현이 대동이라고 논리를 전개한다. 그러나 대동과 예치는 대도의 유무(有無)와 은현(隱現)에 따른 것이다. 그것은 공과 사의 대립이다. '대도가 숨자 부득이하게 예가 생겨난 것'에 불과하다. 예 또한 일종의 질서이기 때문이다. 그러나 성리학은 예를 생래적인 선천적 지위로 존재론적 이동을 시켰다. 이 때문에 예치의 실현이 대동이라는 모순된 결론에 도달하게 된다.

이제 통치권의 방향을 살펴보면, 율곡의 대동은 선양이나 선출이 주가 될 수 없다. 그것은 사의 원리에 입각한 신분제와 사유제의 기초 위에 있기 때문이다. 소강사회의 특징인 세습제, 즉 왕위세습제는 간웅(奸雄)이 대통(大統)을 차지하는 것을 막기 위한 사회적 장치이며, 이로부터 반드시 도통이 왕에게 있지 않게 되었다는 논리를 제시한다.[173] 이는 군신공치의 권력 구상을 정당화하기 위한 예비이다.

> 그리하여 반드시 아래에 있는 성현(聖賢)들이 재결(裁決)하고 보필(輔弼)하는 도를 이루어서 사도(斯道)의 전달됨을 잃지 않게 되었습니다. 이것이 삼대(三代) 이상에서 임금이 꼭 성스럽지 않아도 천하가 잘 다스려지고 평화로울 수 있었던 이유입니다.[174]

율곡은 군주세습제이지만, 현인 선출을 통해서 대동의 이상에 도달할 수 있다고 보았다. 즉 이것은 『예기』의 대동과 소강의 이상사회론에서 본다면,

'소강의 최대치'라고 할 수 있다. 율곡의 이상사회는 소강의 최대치이다.

> 시대가 내려가면서 기풍이 혼란해지고 백성들의 거짓이 날로 늘어 교화가
> 이루어지기 어려웠고, 임금은 자기 수양의 덕이 없는 데다 또 현인을 좋아하
> 는 성의도 결핍되어, 천하를 자기의 오락거리로 삼고 천하를 근심하지 않았
> 으며, 사람을 덕을 보고 쓰지 않고 세상을 도로써 다스리지 않았습니다.[175]

대동이 소강으로 전락한 이유는 공의 원리가 사의 원리로 전락한 것에 있
지 않고, 막연한 사회적 에토스의 혼란과 그에 따르는 백성의 내면적인 타락
으로 인해 교화가 이루어질 수 없기 때문이라는 진단을 내리고 있다. 그러
나 이것은 본말이 전도된 것이다. 백성의 거짓은 내면적인 것이 아니라 외
면적인 것, 즉 사회적인 기풍으로 인한 것이다. 기풍의 혼란의 직접적 책임
은 주권자와 통치권자 곧 군주와 사대부들이 사적(私的) 소유에 기반한 신분
제와 사유제를 고착화하여 공(公)을 파괴한 데 있다. 이는 소강사회의 필연
적인 흐름인 "천하를 자기의 오락거리로 삼는다(以天下自娛)" 즉 '천하위가(天
下爲家)'의 타락한 형태를 극적으로 표현한 것이다. 이미 공(公)은 사라지고
없다.

그러나 율곡은 대동이냐 소강이냐의 노선이 분명하지 않기 때문에 논리
가 일관적이지 못하고 부침을 거듭한다.

> 그 사이 간혹 임금이 재주와 지혜로써 소강(少康, 다소 안정)을 이룰 수 있었
> 으나, 대개는 이익을 추구하는 학설에 빠져서 도덕의 실마리를 찾을 수 없었
> 습니다. 비유하면, 이것은 깜깜한 긴 밤에 반짝이는 불빛과 같으니, 어찌 우
> 주를 지탱하고 일월을 밝게 하여 도통의 책임을 맡겠습니까.[176]

여기서 등장하는 소강(少康)은 일부러 『예기』의 소강(小康)과 다른 글자를 쓴 것이다. 대동을 전면에 적극적으로 내세울 수 없기에 그와 짝이 되는 소강을 변형시켜 사용한 것이다. 이는 단순히 통용되는 글자의 사용이 아니다.

율곡은 왕도(王道)를 대동(大同)에 배치하고, 소강(小康)의 자리에 패도(霸道)를 배치했으나, 패도를 소강의 예치에 연결시키는 데 무리를 느끼고, '소강(少康)'이라는 말을 새롭게 만든 것이다. 이는 일관된 사용법이었으나, 대부분 이에 대해서 주의를 기울이지 못했다.[177]

> 도통이 군상(君相)에게 있으면 도가 그 시대에 행해져서 혜택이 후세에 흐르지만, 도통이 필부(匹夫)에게 있으면 도가 그 세상에 행해질 수 없고 다만 후학들에게만 전해질 뿐입니다.[178]

이 때문에 사림(士林)이 더 없이 중요하다. 그들은 도의 대통을 쥔 사람들이기 때문이다.

> 예로부터 국가가 믿고 유지하는 것은 사림(士林)이라 합니다. 사림은 나라의 원기(元氣)라, 사림이 성하고 화합하면 그 나라는 다스려지고, 사림이 과격하고 분열되면 그 나라는 어지러워지며, 사림이 패하여 다 없어지면 나라는 망하는 것입니다.[179]

사림은 공론(公論)의 주체이다.

> 사람의 마음이 함께 옳다 하는 것을 공론(公論)이라 하고, 공론이 있는 곳

은 국시(國是)라고 하니, 국시라는 것은 온 나라 사람이 꾀하지 않고도 함께 옳다 하는 것이니, 이익으로 유혹하는 것도 아니며, 위엄으로 무섭게 하는 것도 아니면서 삼척동자도 그 옳은 것을 아는 것이 국시입니다.[180]

공론이란 이렇듯 대동의 천하위공의 원칙과 유사하다. 그러나 사림이 민중이 아닌 이상, 이미 사림과 민중의 사이는 격절되어 있기 때문에, 이를 민중사상의 연원으로 삼기에는 불충분하다. 물론 율곡의 체계에서 사림은 치국의 주체인 군상(君相)의 조정(朝庭)과 민중의 전답 사이를 오가는 존재이다.

선비는 이 세상에 태어나서 진출하면 조정(朝庭)에서 이름을 드날려 녹(祿)을 먹으며 도를 행하고, 물러나서는 들에서 농사지어 먹고 살며 의리를 지키는 것이지, 하는 일 없이 녹이나 먹어 관(官)의 일을 병들게 해서는 안 되고, 속수무책으로 굶어 죽어서도 안 되는 것이다.[181]

그런데 사(士)에도 등급이 존재한다.

선비 가운데 가장 위에 있는 자는 도덕(道德)에 뜻이 있고, 그다음은 사업(事業)에 뜻이 있고, 그다음은 문장(文章)에 뜻이 있다. 가장 아래에 있는 자는 부귀(富貴)에 뜻이 있을 뿐이니, 과거(科擧)에 뜻을 둔 부류들은 부귀에 뜻이 있는 자들이다.[182]

도학에 뜻을 둔 이는 도덕을 수양하고, 경세(經世)에 뜻을 둔 이는 출사하며, 문학을 통한 작품을 생산하고, 과거를 통해서 식록(食祿)을 받아 부(富)와

귀(貴)를 소유하는 것 등은 모두 선비, 즉 사대부가 원론적으로 누릴 수 있는 고유한 특권이다. 다수의 민중은 이러한 특권에 동참할 수 없다. 최상이든 최하이든 모두 개인적 재능에 근거하고 있는 지위이며, 정신주의적 고고함을 숭상하는 관점이다.

율곡은 군신공치의 입장이나, 군(君)보다는 신(臣), 즉 사(士)에 중심을 두고 있다. 이것은 세습군주론을 인정하나, 치국의 권한은 사대부에게 집중하게 만들어 강력한 신권으로 군주를 제한하는 권력 구상이다. 율곡은 법적인 관점에서 성인의 출현으로 인한 인정(仁政)이 베풀어지기를 바란다는 점에서 소강사회의 패러다임을 고수하지만, 실제로는 소강사회 최상의 수준을 목표로 한다. 소강사회의 최상 수준 자체가 이미 실현하기 어려운 이상사회이다. 율곡은 성인을 성왕이라기보다는 진유(眞儒)로 본다. 진유는 참다운 선비이다. 내성외왕의 성왕이 '내성외사(內聖外士)'의 진유로 변형되었다. 군국체보다는 사대부국체가 예치의 궁극에서 실현되는 율곡의 이상사회 구상이다.

> 이른바 진유란 벼슬자리에 나아가면 한 시대에 도를 행하여 이 백성으로 하여금 태평을 누리게 하고, 관직에서 물러나면 온 세상에 교화를 베풀어 학자로 하여금 큰 잠에서 깨어나게 하는 것이다. 관직에 나아가 도를 행함이 없고 관직에서 물러나 전할 만한 가르침을 베푼 것이 없다면, 다른 사람들이 비록 진유라 할지라도 나는 믿지 않는다.[183]

진유는 세상에 나서서 도를 시행하고, 물러나 도를 가르치는 일에 종사하는 자이다. 그러나 성인이 드문 것처럼 진유 또한 드물고, 궁극적으로 신분제의 질곡에 갇혀 있는 존재는 아니나, 그들이 결국 도통을 가르칠 경우 신분제와 같은 예치를 벗어나 무위지치(無爲之治)를 가르치는 존재가 될 수는 없을 것이다.

성리학의 한계는 공자의 사상 속에 담겨 있는 대동사상, 즉 '무위지치의 경향'을 방기한 것에 있다. 율곡의 신분제 개혁에 따르면 민중의 큰 부분이었던 양인(良人)들도 사림이 될 수 있다. 그러므로 치국에 참여할 자격을 얻는다. 그러나 이는 군국 혹은 사대부지국의 일원이 되는 것이지 민중 스스로의 자치라고는 할 수 없을 것이다. 최고 석학의 사상 속에서 민중(백성)은 방본이지만 국체의 지위는 고려되지 않고 있다.

율곡의 이상사회론은 도학(道學)의 실현, 즉 진유가 되어 나라를 통치하는 것이다. 그러나 이러한 구상은 이미 조광조(趙光祖, 1482~1519)가 시도했으나 처참하게 실패하고 말았다. 사림정치를 통해 조선을 이상국가로 만들고자 한 율곡의 제언이 공허하게 들리는 것은 이러한 역사적 경험도 그렇지만, 내면의 완성이나 영웅의 출현에 기댄 대동의 실현은 국체의 실제적 변경이 없이는 불가능하다는 것이다. 태평성대가 된다는 것은 율곡의 표현처럼 결국 방본이 '낙생(樂生)'하고 '안업(安業)'한다는 것이다. 이를 군국을 보필하는 진유의 인정(仁政)으로 달성시키는 것은 방본인 민중을 사림과 같은 평등한 존재로 인정하기 어렵다는 것을 말한다. 민중이 사림이 될 수는 있으나, 사림은 민중이 될 수 없기 때문이다. 생민(生民)으로부터 성왕이 나오고 진유가 생겨나며 사림이 형성되는 것이나, 성왕은 고사하고라도 사림에서 방본인 민중이 나올 수는 없다는 것이 이들의 생각이었다.

민중의 지도자는 군국체와 사대부국체의 한계를 벗어나는 비전을 가지고 있어야 한다. 사림의 자리에 민중이 도달할 수 있다는 점에서 율곡의 사상은 민중사상의 연원이 되지만, 그것은 매우 미약한 것이었다. 조선 역사에서 소강이라는 차선의 사회개혁을 말하는 이는, 비록 성리학으로 해석된 대동일지라도 대동을 전면에 내세워 논의한 율곡이 유일했다. 그리고 대동의 논의는 이로써 종언을 고한다.[184]

2) 정여립의 변혁적 대동사상

율곡이 대동사상을 편 시기는 실제로는 매우 혼란스럽고 불행했던 시대였다. 정국의 불안이라는 내우(內憂)도 그랬지만, 전운이 감돌기까지 한 왜구(倭寇)의 발호도 큰 외환(外患)이었다.

> 백성은 항심을 잃어버리고, 군사는 장부에만 기재되어 있으며, 안으로는 저축이 바닥났고 밖으로는 변란이 잇따르고 있으며, 사론은 분열되고 기강은 무너졌다.[185]

여기에 율곡 대동사상의 핵심인 성군(聖君)은 오지 않고 혼군(昏君)이 나라의 주인이었다.

> 세상이 쇠하고 풍속이 퇴폐하여 선비 된 사람은 이미 향학(向學)의 정성이 적고, 시군세주(時君世主, 시대의 군주)도 따라 학문의 이름을 미워하니, 유자(儒者)가 기운을 잃고 유속(流俗)의 무리가 뜻을 얻는 것은 말세의 공통된 병인 것이다. … 단지 한스러운 것은 임금의 마음이 속류(俗流)와 깊이 합하여 마침내 선을 좋아하는 싹을 보전할 수 없으니, 어찌 우울하지 않으랴.[186]

율곡의 대동사상은 소강사회의 최대치였지만, 본질적으로 그것은 민중국체를 기본으로 한 사상은 아니다. 우리는 율곡과 같은 시기 또 한 명의, 비범하나 그 실상은 은폐되었고, 과감하나 메아리만 남은 사상가를 만나게 된다. 그는 기축옥사(己丑獄事)[187]의 광풍에 사라져간 인백(仁伯) 정여립(鄭汝立, 1546~1589)이다. 정여립은 단순한 유가의 선비이기에 앞서, 이제까지 탐구했던 민중사상의 연원들이 한데로 모이는 곳에 위치한 사상가였다.

그의 사상은 전모를 알 수 없게 훼손되어 버려서 겨우 단편과 전설로 전해지고 있지만, 그 핵심은 공맹사상의 골수로서 역대로 감춰지고 무시되어 왔던 대동사상이었다. 게다가 정여립은 율곡과 동시대 인물이며, 율곡이 천거한 선비였다. 율곡이 이조판서에 임명된 후에 선조에게 인재를 추천하는 자리였다.

"지금 인재가 적고 문사(文士) 중에는 쓸 만한 인물을 얻기가 더욱 어렵습니다. 정여립(鄭汝立)이 많이 배웠고 재주가 있는데 남을 업신여기는 병통이 비록 있기는 하지만 대현(大賢) 이하로서야 전혀 병통 없는 사람이 어디 있겠습니까. 그가 실로 쓸 만한 인물인데 매번 의망(擬望)을 하여도 낙점(落點)을 않으시니 혹시 무슨 참간(讒間)의 말이라도 있는 것입니까?" 하니, 상이 이르기를, "여립은 그를 칭찬하는 자도 없지만 헐뜯는 자도 없으니 어디 쓸 만한 자라고 하겠는가. 대체로 인재 등용에 있어서는 그 이름만 취하는 것은 옳지 않고 시험 삼아 써본 뒤에야 알 수 있다." 하였다.[188]

정여립은 율곡의 인정을 받았기 때문에 여러 번 천거를 받았으나, 인물의 흠이 문제시되어 요직에 오르지 못했다. 이는 정치적인 이유 때문이기도 했지만, 주로 정여립의 개성에 기인한 것으로 보인다. 교정청(校正廳)에서 함께 일했던 정개청(鄭介淸, 1529~1590)의 평은 단순한 추켜세움만은 아니다.

도를 보는 것이 높고 밝기로는 이 세상에 존형 한 사람뿐이다.[189]

정여립을 역적으로 단죄했던 『실록』에서도 그의 지성과 비범함을 감추지는 못했다.

> 과거에 오르게 되어서는 명사들과 두루 사귀고 파주(坡州)의 성혼(成渾)과 이이(李珥)의 문하에 왕래하였다. 총명하고 논변을 잘하여 오로지 널리 종리(綜理, 종합정리)하는 것을 힘썼으며, 특히 『시경(詩經)』의 훈고(訓詁)와 물명(物名)의 통해(通解)로 자부하였다. 성혼과 이이 두 사람이 불시에 만나고 간혹 그와 함께 평론하고 증명하였다. 그가 박식하게 변증하는 것을 좋아하여 조정에 천거해서 이름이 알려지게 하였는데, 드디어 이발(李潑) 등과 교분을 맺었다. 그런데 성혼의 문인 신응구(申應榘)·오윤겸(吳允謙) 등은 한가할 때 같이 지내면서 정여립이 하는 일을 자세히 보고는 그 마음 씀이 불측함을 논하여 소원하게 대하였으나, 감히 사문(師門)에서 칭찬하거나 헐뜯지는 못하였다. 그런데 이이는 마침내 그의 인품을 깨닫지 못하였다.[190]

이 외로도 정여립은 "일세를 하찮게 보아 안중에 완전한 사람이 없었다. 경전(經傳)을 거짓 꾸미고 의리를 속여 논변이 바람이 날 정도로 잽싸서 당할 수가 없었다"[191]고 하였다. '역적(逆賊)'에 대한 평이므로 객관적일 수 없는 서술을 뒤집어서 말하면, 정여립은 경전에 대해 박식했고 그에 대해 자득한 바가 있었던 것 같다. 그리고 자신이 자득한 것을 확신하여 거침없이 말했기 때문에, 왕조차도 그런 그가 기세가 드높은 인물로 볼 정도였다.

> 정여립의 위인에 대해서는 내가 여러 차례 접견하여 그의 위인을 관찰한 적이 있다. 그런데 큰 기개를 가진 자인 듯 하였으나 실지로 어떤 인물인지는 모른다.[192]

그의 자득은 율곡의 이상사회론과 관련이 있는 것으로 보인다. 그는 율곡에 의해 천거가 되고, 율곡의 문하에 종유(從遊)했지만, 율곡의 비판자이기도 했다. 나는 이 비판이 정파적 맥락에서 기인한 것이기보다는 세상을 바라보는 견해, 특히 경장과 개혁을 말하는 율곡의 노선과 달랐기 때문이라고 해석하는 것이 합당하다고 본다. 그의 사상을 보여주는 단편들이 말해주는 것은 그가 유가의 개혁사상의 회복, 즉 공맹의 대동사상적 노선을 강하게 지지하고 있었음을 말해주기 때문이다. 말하자면 율곡이 성리학으로 대동사상을 해석한 것이 정여립에게는 일종의 수정주의적 해석이며, 덜 개혁적으로 여겨진 것이다. 마치 익지 않은 과일처럼 말이다.

> 어떤 선비가 찾아가 이이의 사람됨에 대하여 논하였는데 정여립이 뜰에 있는 감을 가리키면서 '공자는 푹 익은 감이고 율곡은 반쯤 익은 감이다. 반쯤 익은 것이 다 익게 되지 않겠는가. 율곡은 참으로 성인이다.' 하였습니다.[193]

율곡에 대해서 정여립의 평가는 존경과 비판이 교차하였으며, 뒤로 갈수록 비판적이었다.[194] 경연에서 율곡에 비판적인 모습을 보이기도 했다. 그러자 사람들 가운데는 '그가 이이를 공파하는 말을 듣고 날아갈 듯이 상쾌'하였다고 증언하기도 했다.[195]

정여립이 남긴 어록의 단편을 살펴보자. 주로 『실록』에 기록된 것인데, 이는 이른바 '정여립의 역모'에 대한 전말을 정리하는 과정에서 그의 언행을 기록한 것이다. 정여립의 사상은 경전 해석에 대한 것과 그를 둘러싼 여러 참언(讖言)들에서 엿볼 수 있다.

사마온공(司馬溫公)의 『자치통감(資治通鑑)』은 위(魏)로 기년(紀年)을 삼았으니 이것이 직필(直筆)인데 주자(朱子)가 그것을 그르게 여겼다. 대현(大賢)의 소견이 각기 이렇게 다르니 나는 이해할 수 없는 바이다. 천하는 공물(公物)인데 어찌 정해진 임금이 있겠는가. 요(堯)임금, 순(舜)임금, 우(禹)임금은 서로 전수하였으니 성인이 아닌가.[196]

사마온공은 사마광(司馬光, 1019~1086)이다. 사마광의 『자치통감』은 주(周)나라 위열왕(威烈王, BC 403) 시기부터 5대(五代) 후주(後周)의 세종(世宗, 960) 시기까지 1362년간의 역사를 1년씩 묶어서 편찬한 것이다. 방대한 내용이기 때문에 남송의 강지(江贄)가 50권으로 간추린 『통감절요(通鑑節要)』가 널리 회자되었다. 그런데 이 책이 유명해진 것은 『자치통감』의 가치를 존중한 주자가 『통감강목(通鑑綱目)』을 저술했기 때문이다.

『통감강목』은 『자치통감』과 달리, 촉한(蜀漢)을 정통으로 세우고, 남북조에서는 동진(東晉)을 정통으로 삼는 등 포폄(褒貶)의 의도를 구체적으로 드러내었다. 이는 주자학적 명분론에 따른 것이다. 정여립은 이를 문제 삼고 있으니, 반주자학적 언사를 한 것이다. 여기에는 유비의 촉나라를 중시하는 주자학의 혈연 중심의 정통론에 대한 비판이 담겨 있다. 곧 주자의 언설은 직필이 아니라는 말이 된다. 이는 정통 이념의 근간을 뒤흔드는 이단적 발언이다. 세습제도의 소강사회에 반대에 서 있는 것이 선양제이다. 이어지는 언사 속에서, 정여립은 이를 충분히 의식하고 있었다. '천하는 공물이다[天下公物].' 이는 명백하게 대동사회의 원리인 '천하위공' 사상에 연결되는 것이다.

위의 짧은 발언에서 정여립이 대동사상을 수용하고 있음을 알 수 있다. 율곡도 대동사회를 말하지만, 천하위공의 원리나 선양에 대해서는 함구하였다. 아직 엷은 감인 것이다.

두 임금을 섬기지 않는다는 것은 왕촉(王蠋)이 한때 죽음에 임하여 한 말이
지 성현(聖賢)의 통론(通論)은 아니다. 유하혜(柳下惠)는 '누구를 섬긴들 임금
이 아니겠는가' 하였고, 맹자(孟子)는 제(齊)나라의 선왕(宣王)과 양(梁)나라의
혜왕(惠王)에게 왕도(王道)를 행하도록 권하였는데, 유하혜와 맹자는 성현이
아닌가.[197]

이는 조선시대 권력구조의 중요한 형태인 군신공치에 관련해서, 군신관
계의 에토스를 비판적으로 말한 것이다. 유가의 이념으로 통치하는 조선시
대에 군신관계의 에토스는 3가지의 이념형을 설정해서 이해할 수 있다. 이
는 정여립이 거론하듯이 『맹자』에서 찾을 수 있다. 『맹자』는 다음과 같은 군
신관계를 말한다.

백이(伯夷)와 이윤(伊尹)은 어떠합니까? 말씀하시길, "같지 아니하다. 그 임
금이 아니면 섬기지 않고, 그 백성이 아니면 부리지 않아서, 다스려지면 나아
가고 어지러우면 물러서는 자는 백이이다. 누구를 섬기든 임금이 아니며[何
事非君] 누구를 부리건 백성이 아니냐고 하면서, 다스려져도 나아가고 어지러
워져도 나아가는 이는 이윤이다. 벼슬을 할 만하면 벼슬을 하고 그만 둘 만
하면 그만 두고, 오래 있을 만하면 오래 있고, 빨리 떠날 만하면 떠나는 이는
바로 공자이다."[198]

『실록』에 등장하는 '유하혜(柳下惠)'는 실제 '이윤(伊尹)'의 오기이다. 아마
사관이 착각하여 기재한 것인 듯하다. 그래서 『맹자』에 따라 군신관계의 이
념형은 백이형, 이윤형, 공자형 등이 된다.
'백이형'은 자신이 보아서 섬길만한 군주라는 생각이 들어야 섬기며, 나라

가 잘 다스려지면 출사하고 다스려지지 않으면 물러난다. 이러한 형태는 군주와 신하들이 일종의 의리(義理)로 맺어지는 관계라고 할 수 있다. 따라서 이런 관계는 도리나 의리로서 군주를 섬기는 것이지, 군주 개인의 사사로운 의지나 명령에 그대로 따르지 않는다. 그러므로 의(義)라는 매개체가 없을 경우, 군신 관계는 더 이상 지속되기 어렵다. 그래서 정치에서 은퇴를 선택하게 된다. 그런데 이런 이념형에 속하는 신하들은 현실에 대한 불만이 있다거나 그 사회의 제도적 모순이나 불합리성이 심화될 경우 취하게 될 행동은 자명하다. 즉 '백이형'에게서 사회의 모순과 불만을 현재화시켜 그것을 개혁하거나, 더 나아가 그 정치체제를 전복시킨다거나 하는 적극적인 정치행위를 기대하기란 어려운 것이다.[199]

백이형은 명분을 중시하는 은둔형이다. 이른바 벼슬길과 일정한 거리를 두고 있던 사림의 존재는 이를 잘 보여준다. 사림(士林)은 적극적으로 정치에 참여한다기보다는 오히려 기꺼이 은둔해 있는 쪽을 택했다. 수없는 부름을 물리치고, 출사를 해서도 곧바로 산림(山林)으로 귀향하는 것이 매우 친숙한 조선조 선비들의 정치적 행태였다.

'이윤형'은 하사비군(何事非君, 누구를 섬기든 임금이 아니냐)의 말처럼, 어떤 임금이라 하더라도 충분히 섬길 수 있다. 즉 그 사회가 잘 다스려지고 있어도 나아가고, 어지럽다 하더라도 기꺼이 나간다. 정치 사회 내에 어떤 모순과 불합리성, 변동의 소용돌이가 있다 해도 개의치 않으며, 결코 물러서지 않는다. 오히려 물러서기보다는 적극적으로 정치에 관여하고, 자신이 옳다고 생각하는 바를 힘주어 간언하는 입장에 선다. 가령, 군주가 군주답지 못했을 때, 즉 의(義)가 무너졌을 때 백이형은 은둔하나, 이윤형은 간언하고 적극적으로 사태를 바로 잡으려고 노력한다.

이러한 이윤형의 행태에는 매우 중요한 함의가 들어 있다. 아마도 정여립이 주장하고자 했던 것이기도 할 것이다. 말하자면, 군주가 군주답지 못할 때는 그 군주는 추방될 수 있다는 것, 그리고 다른 사람이 군주의 역할을 대신할 수 있다는 가능성이다. 이는 군신관계가 완전히 뒤바뀔 수 있다는 가능성을 함의하고 있다.

좀 더 자세히 살펴보면, 이윤형에는 두 가지 함의가 존재한다. 첫 번째는 정치 사회 내에 어떤 모순과 불합리성이 있다고 해도 물러서지 않고 적극적으로 관여하고 대처해서 자신이 옳다고 생각하는 것을 간언하는 것이다. 그리고 두 번째는 적극적인 간언이 실효를 거둘 수 없을 때는 마지막 수단으로 부덕한 군주를 추방시키고 자신이 대신 섭정하는 정치변동을 일으키는 측면이다. 요컨대 이윤형의 적극적인 정치참여의 논리 속에는 역성혁명을 정당화할 수 있는 싹이 이미 내재하고 있다. 이는 혁명론의 이론적 기반을 제공해주는 논리로서 활용될 수도 있는 것이다.[200]

'공자형'은 백이형의 명분론적 소극적 정치행태나 이윤형의 적극적 정치행태의 중도를 선택한다. 그래서 군신의 의가 무너졌을 때 백이형처럼 정치를 떠나지만, 은둔하는 것이 아니라 다른 정치사회를 찾아 떠나는 것이다. 이는 일종의 정치적 순례와 같다. 그런데 이는 한 나라 안에서는 그 목표를 달성하기 어렵다. 그래서 공자형은 열국(列國)의 주유(周遊)를 전제해야 가능한 이념형이다.[201]

정여립이 이윤의 정치행위를 성인의 정치행위로 말한 것은 이러한 형태의 정치가 유가의 정통 가운데 하나라고 말하는 것과 같다. 즉 현실의 부조리에 대한 명분론적 정치행위만이 유일한 군신관계라고 하는 것이 아니라, 군주의 통치행위를 비판하고, 급기야는 군주를 방벌(放伐)할 수도 있는 논리가 유가의 도에 포함되어 있다는 것이다.

『실록』의 기록은 정여립이 성리학의 명분론적 정치참여보다는 공맹유학의 적극적이고 진취적인 정치행위를 주장했으며, 그 안에 불온한 요소가 잠재하여 있음을 보여준다. 그런데 『실록』의 정여립 관련 기록을 단순히 『맹자』에 대한 독창적이거나 과감한 주석이라고 해석하여, 그를 독서인의 범주에서만 파악하는 것은 일면적인 이해방식이다.[202] 왜냐하면 정여립은 대동계(大同契)라는 조직을 만들어 현실 정치에 참여했기 때문이다.

선조의 눈 밖에 난 정여립은 고향인 김제(金堤)로 내려가고, 진안(鎭安)의 죽도(竹島)라는 곳으로 거처를 옮겨서 '죽도서당'을 짓고 강학을 시작한다. 여기서 조직한 것이 대동계(大同契)이다. 대동이라는 말을 전면에 내세운 것은 평소 그가 대동사상을 마음에 품고 있었음을 알게 해준다.

정여립은 전주, 금구, 태인 부근의 양반은 물론이고, 승려나 무사를 비롯해서 공사천(公私賤)까지 모아 매월 15일에 회합하여 주식(酒食)과 활쏘기를 즐겼다. 정여립은 "활쏘기란 육예(六藝) 중의 하나이니, 남자로서 마땅히 학습해야 한다."고 했으며, 모여든 문하들은 모두 '우리 동방의 선유(先儒)들은 예학(禮學)만 알 뿐이었는데, 사예(射藝)를 가르치는 것에 이르러서는 오직 우리 선생이 있을 뿐'이라고 하여 환호했다.[203]

그런데 이런 대동계는 국가 주도의 향약과 따로 지방에서 마을 공동체나 친족 간의 결속을 도모하기 위해 활성화되었다. 이런 계에는 대동이라는 명칭이 주로 사용되기도 했다. 예컨대, 전라남도 영광 지방의 구림대동계(鳩林大同契, 1565), 장암대동계(場岩大同契, 1667), 학산은곡대동계(鶴山隱谷大同契, 1650) 등이 있었으며, 충청 지역에서도 찾아볼 수 있었다.[204] 이러한 대동계는 "옛적에 유사(儒士)들은 대동접(大同接)이란 것이 있어 제술한 글을 가지고 서로 이기려고 다투었다."에서 확인되듯이,[205] 선비들이 모여 강학하는 모임이었다.

그러나 정여립의 대동계에는 이런 종류의 계와는 다른 특징이 있었다. 가장 큰 특징은 그 계원들이 신분을 초월하여 다양하게 구성되었다는 점이다. 이는 대동의 의미를 현실로 구현하려는 의지의 표현이다. 그리고 특정 지방에 제한되지 않고 광역적이고 대규모였다는 점도 특이하다. 계원의 출신지가 전주 일대 대다수의 군현을 모두 포함했던 것이다. 또한 무술 연마에 치중했고, 이 때문에 다분히 정치적인 색채를 가지고 있었다. 이는 『실록』에서도 확인된다.

> 정해년(1587, 선조 20년) 왜변에 열읍(列邑)이 군사를 조발(調發)하였는데 전주 부윤(全州府尹) 남언경(南彦經)이 소활하여 조처할 바를 알지 못하였다. 그래서 여립을 청하여 군대를 나누게 하였더니, 여립이 사양하지 않고 담당하여 한 번 호령하는 사이에 군병이 모였는데, 부서를 나누어 조견(調遣)하는 데 있어 하루가 안 되어 마무리 지었다. 그 장령(將領)들은 여립이 모두 대동계(大同稧)에 들어 있는 친밀한 무사를 썼다. 적이 물러가고 군사를 해산하자 여립이 장령에게 말하기를, "훗날 혹시 변고가 있으면 너희들은 각각 부하들을 거느리고 일시에 와서 기다리라." 하고, 그 군부(軍簿) 1건은 여립 자신이 가지고 갔다. 언경이 감탄하여 말하였다. "이 사람은 유술(儒術)뿐만이 아니니, 그 재능을 따를 수 없다."[206]

정해년(1587, 선조 20년)에 왜구들이 왜선 18척을 이끌고 전라도 손죽도(損竹島)를 침범했을 때 정여립의 무장집단이 왜구를 물리친 기록이다. 이로 인해 사방에 정여립의 명성이 진동했다. 이러한 기록들은 비록 대동계의 실상을 알 수 있는 자료가 부재한다고 해도, 그것이 단순한 친목을 위한 계를 넘어서 정치적 성격, 즉 대동사회를 지향하는 조직이라는 것을 보여준다.

정여립은 유술(儒術), 즉 유가적 사상 외에 이른바 민중사상의 원천인 방외지학(方外之學)에도 깊은 이해가 있었다. 그리고 이러한 지식은 평민지식인들, 즉 문자를 습득하고 그에 따른 특정한 기술을 가지고 있었기 때문에 민중의 지도자가 될 수 있는 자들, 그러나 신분제로 인해 벼슬길이 막혀서 경제적으로나 사회적으로 소외될 수밖에 없었던 지식인들과 자연스럽게 연계되는 계기가 되었다.

> 여립은 잡술에 두루 통하여 감여(堪輿)와 성기(星紀) 등에 관한 서적을 중국에서 사다가 무리들과 강설(講說)하였고 국가에 장차 임진왜변(壬辰倭變)이 있을 것을 알고 때를 타고 갑자기 일어나려 하였다.[207]

잡술(雜術)은 기(氣)의 사상에 입각한 의사자연과학적 지식을 일컫는다. 감여(堪輿)란 "탈신공개천명"의 풍수지리학이며, 성기(星紀)는 일월성신을 통해 명운(命運)의 흐름을 읽는 미래예측학이다. 이러한 지식은 과학의 가치중립적인의 특성을 가지고 있는 것처럼 보이지만, 지식은 권력과 분리될 수 없었기 때문에 매우 정치적인 지식이 된다. 감여는 조선왕조 개국에서처럼 고려왕조의 지기(地氣)가 쇠퇴하면서 왕조의 운이 다한다거나, 새로운 나라는 새로운 지기의 토대 위에 건설되어야 한다는 등의 정치적 메시지를 낳는다. 또한 성기의 학이란 본래 미래예측학이기 때문에, 왕조의 수명이나 새로운 시대의 도래 등과 같은 불온한 사상을 표방하기 쉬운 지식이다. 그래서 이들 지식을 통해서 왜란의 조짐을 파악한다. 거꾸로 보자면, 이는 국가사회의 비전을 제시할 수 있는 능력을 가지고 있다는 것이다.

『실록』에 기록된 정여립의 난에 동참한 인물들은 이러한 지식에 정통한 평민 지식인들이었다. 황해도 지역의 지함두(池涵斗)는 정여립의 제자로서 본래 교생(校生)이었는데, 누른 갓과 도복(道服)을 착용하고 호남과 호서를 유랑했다. 처사(處士)를 자처한 것으로 보아 도가 계열에 속하는 도인으로 보인다.[208] 당시 재야에는 이런 이들이 많았다고 전한다.[209] 이들은 참위를 이용해서 여론을 만들어 새로운 질서를 여망했다. 이런 참위정치는 감여나 성기의 학에서 연유하고 있다.

승려 의연(義衍)은 풍수지리 즉 감여에 밝았다. 이 때문에 1백여 년 전 민간에서 "목자(木子)가 망하고 전읍(奠邑)이 일어난다(民間有木子亡, 奠邑興)"는 참언(讖言)을 이용해서, 옥판(玉板)에 이 글귀를 새겨서 지리산 석굴 안에 간직했다. 후일 이러한 옥판의 글이 발견되어서 정여립에게 유리한 여론이 형성되기를 기도한 것이다. 이 같은 참언을 이용한 정치행위는 이뿐만이 아니었다.

의연은 본래 운봉(雲峰) 사람으로서 스스로 요동(遼東)에서 나왔다고 일컫고 명산을 두루 다니다가 사람을 만나면 넌지시 풍자하여 말하기를, "내가 요동에 있을 때에 조선을 바라보니 왕기(王氣)가 있었는데, 조선에 와서 살펴보니 왕기가 전주 동문(東門) 밖에 있었다." 하였다. 이로 말미암아 '전주에 왕기가 있다'는 말이 원근에 전파되었다. 여립이 또 말하기를, "내 아들 옥남(玉男)의 등에 왕(王)자의 무늬가 있는데 피기(避忌)하여 옥(玉)자로 해서 이름을 옥남(玉男)이라 하였다." 하였다. 정옥남은 눈 하나에 겹 동자였으므로 사람들이 또한 이상하게 여겼다.[210]

아들에게 왕기(王氣)가 있다는 것은 정씨(鄭氏) 왕조(王朝)의 등장을 암암리 내보이는 것이다. 이는 『정감록』과 같은 비기의 예언을 활용한 예이다. 또한 의연은 요언(謠言, 동요)을 이용해서, 정여립의 세력을 확장했다.

이때 동요가 있었는데, "뽕나무에 말갈기 나자 집 주인은 왕이 되리" 하였다. 여립이 의연과 몰래 집 동산 뽕나무의 껍질을 크게 벗겨내고 말갈기를 메워 넣었다. 날짜가 오래되어 껍질이 아물어지자 짐짓 인근의 친밀한 사람으로 하여금 보게 하고는 말하지 말도록 경계하고 곧 없애버렸다.[211]

참설(讖說)을 이용한 경우는 이 밖에도 많이 있었다. 아래는 『정감록』과 연관이 깊은데, 『정감록』이 문헌에 등장한 것은 17세기 이후이기 때문에, 이 참설은 오래 전부터 내려온 유서 깊은 것이었다.

"연산현(連山縣) 계룡산(鷄龍山) 개태사(開泰寺) 터는 곧 후대에 정씨(鄭氏)가 도읍할 곳이다"하였다. 여립이 일찍이 중 의연의 무리와 국내의 산천을 두루 유람하다가 폐사(廢寺)의 벽에 시를 쓰기를,

손이 되어 남쪽 지방 노닌 지 오래인데
계룡산이 눈에 더욱 환하여라.
무자, 기축년에 형통한 운수 열리거니
태평성세 이루는 것 무엇이 어려우랴.

하였는데, 그 시가 많이 전파하였다. 또 무명자가(無名子歌)를 지었으니, 모두 백성이 곤궁하여 난을 일으키려는 뜻을 기술한 것인데, 사람들은 어디에서 왔는가를 알지 못하였다.[212]

대동계 일원 중에 가장 특이한 인물이 길삼봉(吉三峰)이다. 길삼봉은 역모의 모주(謀主)로 지목된 자인데, 정체가 모호해서 누군지 알 수 없으며, 가공

의 인물로 간주되기도 한다. 『실록』에는 출신이 사노(私奴)였지만, 지략과 용맹이 남다른 도적으로 그려져 있다.

수십 년 전에 천안(天安)의 사노(私奴) 길삼봉이란 자가 용맹이 뛰어나 하루에 3백~4백 리를 걸어다녔는데 그대로 흉포한 도적이 되었다. 관군이 매양 체포하기 위해 엄습하였으나 그때마다 탈주하였으므로 이름이 국내에 자자하였다. 여립이 지함두(池涵斗) 등으로 하여금 해서 지방에 말을 퍼뜨리기를, "길삼봉, 길삼산(三山) 형제가 신병(神兵)을 거느리고 지리산으로 들어가기도 하고 계룡산으로 들어가기도 한다" 했다.[213]

비록 도적이지만 정삼봉 같은 이인들이 자주 출현하는 어수선한 시기에 정여립은 호남의 성인(聖人)으로 지목되었다. 정여립은 당시 민중들의 염원을 들어줄 구세의 영웅이었다. 이러한 기록들은 후일 『정감록』의 진인(眞人)에 해당한다.

"정팔용(鄭八龍)은 신용(神勇)한 사람으로 마땅히 왕이 되어 계룡산에 도읍을 정할 터인데 머지않아 군사를 일으킬 것이다." 하였다. 팔룡은 곧 여립의 환호(幻號, 가짜 이름)인데, 실정을 모르는 자들은 다른 사람으로 알았다 … 해서(황해도)에 떠도는 말이 자자하였는데, "호남 전주 지방에 성인이 일어나서 우리 백성을 구제할 것이다. 그때에는 수륙(水陸)의 조례(皂隸)와 일족·이웃의 요역(徭役)과 추쇄(推刷) 등의 일을 모두 감면할 것이고 공·사천과 서얼(庶孼)을 금고(禁錮)하는 법을 모두 혁제(革除)할 것이니 이로부터 국가가 태평하고 무사할 것이다."[214]

정여립의 난은 전라도와 황해도 지역을 중심으로 양반, 상민, 천민, 승려 등 모든 신분이 참여한 대동계를 조직하여, 왕권에 도전하는 거사를 준비했으나, 사전에 발각되어 미수에 그친 사건이다.

정여립의 난에 대한 다양한 해석에도 불구하고, 나는 정여립의 거사 계획이 실제로 있었다고 생각한다. 정여립의 거사 계획을 확인할 수 있는 유일한 1차 자료인 민인백(閔仁伯, 1552~1626)의 『토역일기(討逆日記)』의 내용은 이를 증거해 준다. 그리고 정여립의 거사계획은 선조 28년(1595) 이성남(李成南)의 옥사에서 다시 거론되었다. 이성남은 정여립 난의 잔당이었으며, 도술을 잘 부리는 자로 알려졌다.[215] 그리고 임진왜란이 발발한 뒤 선조 29년(1596) 이몽학(李夢鶴, ?~1596) 등이 홍산(鴻山, 지금의 부여군)에서 신분해방을 요구하며 일으킨 난에 거의 같은 방법이 적용되었다. 이 난의 주동자인 이몽학과 한현(韓絢)은 부여 도천사(道泉寺)의 승려들을 이용하였고, 만인동갑계(萬人同甲契)를 조직하였으며, 거사의 명분이 백성을 편안하게 하는 것이었다. 이들 거사는 정여립의 거사계획이 기본 바탕에 깔려 있었다.[216]

거사가 수포로 돌아가자 정여립은 자결했다고 하고, 이 사건을 계기로 약 3년간에 걸쳐 수많은 사람들이 희생되는 조선시대 가장 규모가 큰 탄압이 이루어졌다. 이른바 역모의 계획과 사건은 당쟁의 관점에 따라 조작과 은폐가 진행되어, 『선조실록』 이후에 『선조수정실록』이 다시 찬술되는 미증유의 사태가 벌여졌다.[217]

정치사상의 측면에서 정여립의 사상은 대동사상에 기원을 두고 있는 것으로 보인다. 그것은 유가의 급진적이며 이상적인 정치사상으로써, 대동과 소강의 두 사상적 패러다임이 혼합되어 있는 공맹사상의 성격과 소강의 패러다임이 부각되는 후대의 사상사적 경향으로 인해서 은닉되어 있었던 것이었다. 정여립은 유가의 이상사회론을 재발견하여, 대동사회가 지향하는 선양제에 기초한 권력 구도, 군주세습제 비판, 신분제 타파 등을 구현한 대동계를 구축하였다. 그러나 이는 성리학적 이데올로기에 대한 대항이며, 체제전복적인 불온한 사상이었다. 여기에 정치적 상황이 맞물리면서, 유례없는 대대적인 탄압으로 이러한 사상은 멸절되게 된다.

정여립의 사상은 유가의 대동사상과 민중사상의 연원을 이루는 역술 및 미륵사상(『정감록』 류의 참서)이 기본을 이루고 있었다. 대동사상의 제기는 혼란한 시대상을 개혁하려는 당대 율곡과 같은 인식에서 시작된 것이나, 율곡의 성리학적 해석을 거친 보수적인 형식이 아니라, 공맹의 이상주의적 정치사상을 재해석한 급진적 성격을 가지고 있었다.

미륵사상은 그의 정치적 근거지가 삼국시대부터 미륵사상이 활발하게 진행되었고, 유교가 국시인 시대에조차도 잠재적으로 암약하고 있던 호남 지역이었기 때문에 가능했다. 후삼국시대 견훤이 백제의 미륵사상을 기반으로 했고, 정여립을 거쳐 조선 후기의 동학, 다양한 신종교(증산교, 원불교 등), 모악산(母岳山) 중심의 풍수지리 사상 등이 이 지역의 유서 깊은 무의식적 사상에 기반을 두고 있다. 그가 다양한 참설을 이용하여 민심을 얻으려 했다는 것이 이를 뒷받침한다.

민중의 오래된 염원은 신분제의 질곡과 지배자의 학정과 탐욕에서 벗어나는 세상(대동, 용화세계, 후천세계)에서 사는 것이다. 정여립은 이러한 민중의 오래된 사상을 통해서, 당시 누적된 사회적 모순을 변혁하는 시대의 임무를 자임했다. 그러나 민중은 또 한 번 좌절했고, 다시 또 오랜 시간 탄압 속에서 새 세상에 대한 염원만 깊어갔다.

이러한 염원은 시간이 흐르면서 민란의 실력행사로 이어지고, 개벽의 변혁 사상으로 오랜 시간 동안 제련되고 응축되어 갔다.

3. 비판적 지식인들의 민중론

1) 허균의 민중론

정여립의 난으로 인해 사림이 피폐되고 무고한 사람들이 죽은 것은 정적(政敵)을 제거하여 권력을 독점하려는 정치적 음모에 의한 것이라 볼 수 있다. 그러나 이러한 사건은 또 한편으로 사상을 통제하고 민중의 불만을 탄압하여 사회적 모순을 은폐하려는 의도가 있는 것이었다. 율곡의 경장(更張) 시도도 도로(徒勞)였고 정여립의 이상사회 추구도 수포로 돌아간 조선은 국가의 기강을 상실했고, 임진왜란을 맞이하여 거의 망국의 위기에까지 몰렸으나 기사회생(起死回生)하게 된다. 그러나 국가사회는 여전히 혼란스러웠다.

선조와 광해군(光海君)이 치세하던 시기, '천지간에 괴물'이라고 사갈시되어 역적의 이름으로 능지처참된 허균이 살다 갔다. 허균(許筠, 1569~1618)은 글재주가 비상하고 강상(綱常)의 윤리를 자주 벗어났어도 세상에서 문명(文名)을 얻은 문사(文士)였으며, 민중사상의 또 하나의 연원이 된다. 이렇게 말할 수 있는 것은 그의 글을 통해서 민중의 봉기 또는 혁명에 대한 단서가 후세에 전해졌기 때문이다. 그중에서 가장 중요한 것으로는 그의 사상과 삶의 행적이 반영된 한글 소설인『홍길동전』을 후세에 남겼기 때문이다.

민중들은 서자인 홍길동이 신분 질서의 세계를 뛰쳐나와 도적의 수령이 되고, 활빈당(活貧黨)을 조직해서 모순적인 사회를 폭력으로 응징하고, 율도국이라는 이상사회를 건설한다는, 자신들이 오래전부터 가지고 있던 염원을 실현한 이야기에 환호했다. 이처럼 허균이 민중사상의 연원이 된다는 것은 그의 사상 안에는 대동사상의 패러다임의 흔적이 존재한다는 의미이다.

1900년 초 외세의 침탈이 거세지고 일본의 병탄(併吞) 야욕이 노골적으로 드러나는 시기에, 농토를 빼앗기고 도적으로 변한 민중들은 활빈당을 조직한다. 활빈당은 단순히 굶주린 도적으로 시작했으나, 점차 의적(義賊)으로 변화하게 되었다. 이들에게는 허균의 홍길동이 가슴 속에 있었던 것이다. 이들이 의적인 것은 1900년 전후로 해서 이들에 의한 행인이나 행상을 상대로 한 약탈행위가 단 한 건도 발견되지 않았다는 사실 때문이다.[218] 이들은 소설에서처럼 신출귀몰했다.

> 우리들은 나라도 잡을 수 없고 관청도 막을 수 없다.[219]

이들이 빈민들에게 곡식을 나누어 주면서 한 말은 홍길동의 활빈당의 그것이었다.

> 아등(我等)은 여등(汝等)을 위하여 자연평등의 권리를 주어 사회 빈부의 현격을 타파하며 각기 있을 곳을 얻게 하며, 방가(邦家)의 혁신을 나타나게 함에 있음이라.[220]

'자연평등의 권리'는 신분제의 철폐를 가리키며, 이를 시작으로 해서 억압과 차별에 기초한 기존 국가 체제를 변혁하려는 의도를 충분히 드러내고 있다. 허균의 홍길동이 태어난 지 300여 년이 지났어도, 소강사회의 타락한 형태인 신분제와 정치경제적 차별은 변함이 없었다. 활빈당은 15개조에 이르는 '격문'을 만들었는데, 이들의 주장 속에는 대동의 패러다임이 명료하게 노출되어 있다.

> 요순(堯舜)의 법(法)을 행할 것
> 사치하지 않은 선왕의 복제(服制)를 본받을 것

백성이 소원하는 문권(文券)을 임금에게 올려 일국(一國)의 홍인(興仁)을 꾀할 것

무익(無益)한 개화(開化) 대신 민간(民間) 화목하고 상하(上下) 원(怨)없는 정법(正法)을 행(行)할 것을 간언(諫言)할 것[221]

1조부터 4조는 대동사회를 목표로 하고 있는 것을 알 수 있다. 비록 세상은 개화되어 갔으나, 민중은 여전히 왕조의 유습을 버리지 못한 것 같았어도, 요순의 법 즉 대도(大道)가 유행하는 억압과 차별이 없는 자유와 평등의 세상을 바라고 있었다. 그 세상의 주인은 민중이다.

활빈당은 러일전쟁 이후 일제의 치안이 강화되면서부터 일부는 체포되어 감옥으로 일부는 한말 의병에 합류하면서 소멸된다. 19세기 중엽 무렵부터 방각본 『홍길동전』이 발간되기 시작해 그 전에 비해 폭발적으로 많은 수의 독자가 생기게 되었다. 이러한 사상의 유포가 활빈당 운동에 영향을 준 것이다.[222] 활빈당의 '수괴'는 홍길동과 같은 이들이었으며, 이는 허균의 사상에서 영감을 얻었다.

허균은 유가적 소양을 지닌 선비였으나, 도가와 불가, 양명학(陽明學)이나 방외지학 등에도 넓은 안목을 가진 '이단적' 사상가였다. 유가의 강상을 비웃은 기행과 일탈로 인해 지탄을 받기도 했으며, 서얼들과 친교를 하는 파격의 삶을 살았다. 이러한 그의 사상과 실천은 성리학보다는 도가나 불교, 나아가 양명학, 그 가운데서도 양명좌파의 영향을 입은 것으로 보인다.[223] 그러나 말년 그의 사상은 도가와 불교를 벗어나고 양명학을 떠나면서, '유가의 대도'를 희구하는 것으로 귀결한다. 그런데 그 유가란 도학(성리학)의 유가였다. 한평생 기행과 반항으로 일관한 삶을 돌이켜보며, 다다른 경지는 의아스럽지만 도학(道學)이었다.

『성소부부고(惺所覆瓿藁)』(1611) 편집 이후 별도로 편찬되어 전하는 허균의 유일한 문집인『을병조천록(乙丙朝天錄)』(1615~1616)에서 자신의 평생을 돌아보며 술회한 시가 있다.[224]

금단 한 알 먹고 평생을 그르쳐 金丹一粒誤平生
구름 타고 옥경에 오르려는 허튼 생각 했지 妄意乘雲上玉京
뒤늦게『참동계』의 오묘한 법 깨달아 晚悟伯陽微妙法
삼보(三寶)를 닫고 정기를 단련했네 塞吾三寶固吾精

『능가경(楞伽經)』네 권 탐독하니 貪讀楞伽四卷經
마음이 날로 깨어났네 便教方寸日惺惺
우리 유가에 마음 안정하는 법 있거늘 吾家自有安心法
망령되이 고타마 부처 향해 기도했네 枉向瞿曇苦乞靈[225]
노자와 불교에 빠진 30년 세월 三十年來老佛耽
마음과 본성을 논한 것이 모두 공담(空談)이었네 說心論性摠空談
대도(大道)에 방책이 있음을 누가 알았으리 誰知大道存方策
부자 가르침의 연원을 마음껏 탐색하네 洙泗淵源得縱探
지극한 도는 태극에 앞서 생기나니 至道生於太極先
선유가 성인이 되기 바란 것처럼 나는 현인이 되길 바라네 先儒希聖我希賢
어지러운 희로애락 알맞게 제어하여 紛然喜怒安排得
인심이 아직 피어나기 전을 몸소 깨달을 뿐이네 只體人心未發前

도산(陶山)은 멀고 월천(月川)은 몰했나니 陶山人遠月川亡
누가 스승되어 주자를 이을 것인가? 師統誰能繼紫陽

온 세상이 공리 쫓아 어그러졌으니 擧世盡爲功利誤

어디에서 주자(周子)와 장자(張子) 만나 뵐까? 更從何地見周張

사상적 편력을 거치면서 하나의 사상을 지양하고 또 다른 사상으로 나아가는 것은 이전 것을 버린다기보다는 오히려 서로 다른 철학(근본유가, 도가, 불가, 도학)을 한데로 포용하는 것이다. 이 때문에 그의 시적 언설은 모순되어 보인다. 포용을 통한 통합은 이질적인 성분들이 아직 숙성하기 전이기 때문에 의례 그 외양이 일관되게 보이지 않기 마련이다. 하지만 이러한 시적 영감으로 다가온 대오(大悟)를 구체적인 언설로 드러내기에는 시간이 너무 없었다.[226] 이 해 그는 모함을 받고 참혹한 죽음을 맞이하게 된다.

운문(韻文)이지만, 허균이 말년에 도학에 기울고 있다는 것을 잘 보여준다. 어떤 의미에서 자기부정의 결과, 자득이 없이 문자로 배우던 도학의 가치를 새롭게 음미하면서 사상적 전회(轉回)를 한 것이다. 그래서 허균의 사상 전체가 민중사상의 연원이 되는 것은 아니다. 도학은 소강의 패러다임에 속하는 사상이기 때문이다. 그렇다고 해서 자신의 민중사상을 부정했다는 증거는 없다.

그의 민중사상은 독특하다. 민중의 개념에는 낮은 인식 수준의 민(民)에서부터 신분적으로는 사대부에 속하나 생민(生民)의 일원으로서 대동의 패러다임을 수용하고, 이로부터 창조적인 언론을 펴는 지식인까지 포함되어 있다. 그러나 생민으로서의 민중이 원론적인 것이라면, 현실적인 민중은 낮은 신분에 처하고 있는 것이 사실이다.

조선시대 초기부터 말기까지 관통하는 방본(邦本)으로서의 민중은 실제로 어떠한 계층으로 구성되어 있었는가? 방본은 국가의 주력 생산자이기 때문에, 당시 조선의 경제 상황을 보자면 농민(農民)이 주류가 된다는 것을 쉽게 짐작할 수 있다. 그런데 농민은 단일한 집단 혹은 신분이 아니고 복합적인 집단으로서 크게 양인(良人)과 노비(奴婢)라는 두 가지 계급으로 구성되어 있다. 그 사이에 양인이면서 천인의 역을 담당한 중간층이 있었다. 다시 말해 양인과 노비를 두 원점으로 하는 넓은 원 안에는 우선 수공업자(手工業者)들과 같은 장인(匠人)들이 포함된다.[227] 그리고 이 원 안에는 땅에 속박, 즉 경제적 생산에 예속된 자들이 모두 포함된다. 천민(賤民)에 속한 무격(巫覡), 점복인(占卜人), 남사당(男寺黨), 유기(柳器)를 제조하거나 도살에 종사하던 백정(白丁)집단, 승려 등이 그들이다.[228]

이러한 민중의 구성 속에 사대부의 혈맥(血脈)을 가지고 있으나, 신분제로 인해 사대부에 속하지 못하는 서얼이 포함될 수도 있다. 이들도 신분 상승이나 출사가 원칙적으로 제약되었기 때문에 민중의 원한을 똑같이 가지고 있다. 허균은 신분의 차별이 하늘을 거스르는 역천(逆天)의 행위이기 때문에, 신분차별이 없어야 국가를 부흥시킬 수 있다고 본다.

국가를 다스리는 사람과 함께 하늘이 맡겨 준 직분을 다스릴 사람은 인재(人才)가 아니고서는 되지 않는다. 하늘이 인재를 태어나게 함은 본래 한 시대의 쓰임을 위해서이다.

그래서 인재를 태어나게 함에는 고귀한 집안의 태생이라 하여 그 성품을 풍부하게 해 주지 않고, 미천한 집안의 태생이라고 하여 그 품성을 인색하게 주지만은 않는다. 그런 때문에 옛날의 선철(先哲)들은 명확히 그런 줄을 알아서, 더러는 초야(草野)에서도 인재를 구했으며, 더러는 병사(兵士)의 대열에서 뽑아냈고, 더러는 패전하여 항복한 적장을 발탁하기도 하였다. 더러는 도둑 무리에서 고르며, 더러는 창고지기를 등용했었다. 그렇게 하여 임용한 사람마다 모두 임무를 맡기기에 적당하였고, 임용당한 사람들도 각자가 지닌 재능을 펼쳤었다. 나라는 복(福)을 받았고 다스림이 날로 융성하였음은 이러한 도(道)를 써서였다. …

조선에 들어와서는 인재 등용하는 길이 더욱 좁아져, 대대로 벼슬하던 명망 높은 집안이 아니면 높은 벼슬에는 오를 수 없었고, 암혈(巖穴)이나 띳집에 사는 선비라면 비록 기재(奇才)가 있더라도 억울하게 쓰이지 못했다. 과거 출신(科擧出身)이 아니면 높은 지위에 오를 수 없어, 비록 덕업(德業)이 매우 훌륭한 사람도 끝내 경상(卿相, 판서나 정승)에 오르지 못한다. 하늘이 재능을 부여함은 균등한데, 대대로 벼슬하던 집안과 과거 출신으로만 한정하고 있으니 항상 인재가 모자람을 애태움은 당연하리라.

예부터 지금까지 시대가 멀고 오래이며, 세상이 넓기는 하더라도 서얼(庶孼) 출신이어서 어진 인재를 버려두고, 어머니가 개가(改嫁)했으니 그의 재능을 쓰지 않는다는 것은 듣지 못했다. 우리나라는 그렇지 않으니, 어머니가 천하거나 개가했으면 그 자손은 모두 벼슬길의 차례에 끼지 못한다. … 옛날의 어진 인재는 대부분 미천한 데서 나왔다. … 하늘이 낳아주셨는데 사람이 그걸 버리니, 이건 하늘을 거역하는 짓이다. 하늘을 거역하고 하늘에 빌어 영명(永命)할 수 있던 사람은 없었다.[229]

이는 기본적으로 군신공치에 기반을 둔 사고방식이다. 그러므로 천하는 공물(公物)이 아니라, 군주세습제의 소강사회이다. 신분을 가리지 않고 인재를 등용해서 통치를 실행하는 것은 하나의 개혁이지만, 신분제 자체를 비판한 것은 아니다. 다시 말해 이러한 주장은 군주국체와 사대부국체를 유지하는 것을 전제로 하며, 민중국체로 바꾸려는 것은 아니다. 허균의 인재론은 재주 있는 자를 소외시키지 않고 국정에 참여시키는 방식, 율곡의 말처럼 궁극적으로 진유를 요청하는 사대부국체 중심의 정치사상에 속한다. 허균은 당대의 율곡과 유성룡을 거명했다. 이를 보면 허균은 대동의 패러다임이 아닌 소강의 패러다임을 추구하고 있다. 율곡이 대동사회로 변형한 소강의 최대치 사회가 그것이다.

> 예부터 제왕(帝王)이 나라를 다스림에 혼자서 정치하지는 않았다. 반드시 보상(輔相)하는 신하가 그를 도와주었다. 보상해 주는 사람으로 적합한 사람만 얻으면 천하 국가의 일을 적의하게 다스릴 수 있었다. … 당시에 보좌했던 신하들이야 많기도 했지만 애호하며 서로 믿었던 사람은 이이(李珥)였으며, 전권(專權)을 맡기고 일하도록 책임 준 사람은 유성룡(柳成龍)이었다. 두 분 신하는 역시 유자(儒者)이자 재능 있는 신하였다고 말할 만하였다. 그들에게 임무를 맡기고 일의 성취를 독책하던 뜻이 지극하지 않음이 없었으나, 끝내 그들의 포부를 펴지 못했던 것은 그들의 재능이 미치지 못함이 아니었고 방해하는 것들이 있었기 때문이었다.[230]

허균의 민중론은 흥미롭지만, 엄밀하게 말하자면 방본으로서의 민중을 국체로 하는 것이 아니라, 민란이나 혁명을 방지하기 위해 민중을 분노하게 만들지 말라는 치자에 대한 경고에 바탕을 두고 있다. 민중 혁명을 통해서 국체를 바꾸어야 한다는 경천동지의 사상이 아니다.[231] 사대부 중심의 국체에 대한 회의는 찾을 수 없다.

> 천하에 두려워해야 할 바는 오직 백성일 뿐이다. 홍수나 화재, 호랑이, 표범보다도 훨씬 더 백성을 두려워해야 하는데, 윗자리에 있는 사람이 항상 업신여기며 모질게 부려먹음은 도대체 어떤 이유인가?
> 대저 이루어진 것만을 함께 즐거워하느라, 항상 눈앞의 일들에 얽매이고,

그냥 따라서 법이나 지키면서 윗사람에게 부림을 당하는 사람들이란 항민(恒民)이다. 항민이란 두렵지 않다. 모질게 빼앗겨서, 살이 벗겨지고 뼛골이 부서지며, 집안의 수입과 땅의 소출을 다 바쳐서, 한없는 요구에 제공하느라 시름하고 탄식하면서 그들의 윗사람을 탓하는 사람들이란 원민(怨民)이다. 원민도 결코 두렵지 않다. 자취를 푸줏간 속에 숨기고 몰래 딴 마음을 품고서, 천지간(天地間)을 흘겨보다가 혹시 시대적인 변고라도 있다면 자기의 소원을 실현하고 싶어 하는 사람들이란 호민(豪民)이다. 대저 호민이란 몹시 두려워해야 할 사람이다.

호민은 나라의 허술한 틈을 엿보고 일의 형세가 편승할 만한가를 노리다가, 팔을 휘두르며 밭두렁 위에서 한 차례 소리 지르면, 저들 원민이란 자들이 소리만 듣고도 모여들어 모의하지 않고도 함께 외쳐대기 마련이다. 저들 항민이란 자들도 역시 살아갈 길을 찾느라 호미·고무래·창자루를 들고 따라와서 무도한 놈들을 쳐 죽이지 않을 수 없는 것이다.

진(秦) 나라의 멸망은 진승(陳勝)·오광(吳廣) 때문이었고, 한(漢) 나라가 어지러워진 것도 역시 황건적(黃巾賊)이 원인이었다. 당(唐) 나라가 쇠퇴하자 왕선지(王仙芝)와 황소(黃巢)가 틈을 타고 일어섰는데, 마침내 그것 때문에 인민과 나라가 멸망하고야 말았다. 이런 것은 모두 백성을 괴롭혀서 자기 배만 채우던 죄과이며, 호민들이 그러한 틈을 편승할 수 있어서였다.[232]

허균은 민중을 항민(恒民), 원민(怨民), 호민(豪民)의 세 부류로 구분한다.[233] 호민은 『수호지』의 양산박(梁山泊)이나 『홍길동전』의 활빈당에서처럼 기존 체제에 저항하고 새로운 세상을 건설하려는 호걸(豪傑)들을 가리킨다. 이들은 다수의 민중을 이끄는 지도자의 모습을 하고 있다. 이들은 현실의 모순을 자각하고, 실력으로 기존 왕조를 부수고 역성혁명을 도모하는 '반역자'들이다.

진승(陳勝, 기원전 미상~208)은 1천 5백년 뒤 고려의 만적이 "황후 장상의 씨가 따로 있다더냐"라는 일갈의 기원이 되는 인물이다. 빈농 출신인 진승이 그의 동료인 오광(吳廣, 기원전 미상~208)과 진(秦)의 학정에 저항했을 때, 이들은 호민이었다. 결국 원민과 항민을 규합해서 농민이 주축이 된 농민반란으로 장초(張楚)라는 나라를 세우게 되지만, 1년이 채 안 되어 진압 당한다. 그러나 이로 인해 진은 멸망하고, 천하는 다시 항우(項羽, 기원전 232~202)와 유방(劉邦, 기원전 256~195)이 다투는 전란의 시대로 접어든다.

황건적(黃巾賊)은 누런 두건을 두른 농민반란군을 가리키며, 적(賊)이라는 인식은 이들이 토벌로 소멸되었기 때문이다. 한고조 유방으로부터 수세기가 흐른 후한(後漢) 말의 혼란기에 태평도(太平道)가 일어났다. 이는 도가와 민간신앙이 혼합된 종교로서 도교의 기원 가운데 하나인데, 태평(太平)이란 일종의 대동사상의 한 갈래라고 할 수 있다. 태평교의 교주 장각(張角, ?~184)이 바로 호민이다. 그러나 황건을 두른 농민반란군은 진압되고, 후한은 멸망하며 삼국시대가 열린다.[234]

당나라 말기 천하가 어지러워 백성은 도탄에 빠졌다. 이때 호민이 나타나서 농민반란을 일으키는데, 이를 '황소의 난'이라고 한다. 소금장수 왕선지(王仙芝, 미상~878)가 먼저 반란을 주도했고, 또 다른 호민인 황소(黃巢, 미상~884)가 세력을 합쳤다. 왕선지가 뜻을 이루지 못하고 죽자, 황소가 반란군을 이끌고 세력을 키워나간다. 이윽고 국호를 대제(大齊)라 부르고 황제에 올랐으나, 얼마 지나지 않아 진압되었다. 황소의 부하 주전충(朱全忠, 852~912)은 사세부득을 감지하고 황소의 난에 참여한 반란군을 진압한 뒤, 당을 멸망시키고 후량(後梁)을 세웠으나, 즉위 후 6년 만에 자식에게 살해된다.[235]

우리 역사에서 견훤이나 궁예가 이랬다. 중국이나 우리의 역사에서 이들 호민은 반란을 일으켜서 혹은 죽거나, 혹은 황제에 이르기도 했다. 그러나 그들은 모두 단명하였다. 그리고 이들이 농민반란군을 이끌었지만 민중국체의 나라를 세운 것은 아니다. 요순의 나라를 세운 것도, 대동 세상을 만든 것도 아니다. 허균은 다만 왕조를 무너뜨린 농민반란의 선도자로서, 반역자가 되거나 황제가 되는 호걸들을 호민이라 부른 것이다.

> 대저 하늘이 사목(司牧, 임금)을 세운 것은 양민(養民)하기 위함이고, 한 사람이 위에서 방자하게 눈을 부릅뜨고, 메워도 차지 않는 구렁 같은 욕심을 채우게 하려던 것이 아니었다. 그러므로 저들 진(秦)·한(漢) 이래의 화란은 당연한 결과이지 불행한 일이 아니었다.[236]

허균은 왕조의 멸망이 왕의 욕심에서 기인한 당연한 일로 본다. 공보다 사에 입각한 통치는 화란을 부르는 역사의 법칙과 같은 것이다. 그러나 이는 세습군주의 국가체제를 조금도 의심하지 않는 발언이다.

> 지금의 우리나라는 그렇지 않다. 땅이 좁고 험준하여 인민도 적고, 백성은 또 나약하고 좀 착하여 기절(奇節)이나 협기(俠氣)가 없다. 그런 까닭에 평상시에도 큰 인물이나 뛰어나게 재능 있는 사람이 나와서 세상에 쓰여지는 수도 없었지만, 난리를 당해도 호민·한졸(悍卒)들이 창란(倡亂)하여, 앞장서서 나라의 걱정거리가 되게 하던 자들도 역시 없었으니 그런 것은 다행이었다. … 백성들의 시름과 원망은 고려 말엽보다 훨씬 심하다. 그러나 위에 있는 사람은 태평스러운 듯 두려워할 줄을 모르니 우리나라에는 호민(豪民)이 없기 때문이다. 불행스럽게 견훤(甄萱)·궁예(弓裔) 같은 사람이 나와서 몽둥

이를 휘두른다면, 시름하고 원망하던 백성들이 가서 따르지 않으리라고 어떻게 보장하며, 기주(蘄州)·양주(梁州)·6합(合)의 변란은 발을 제겨 딛고서 기다릴 수 있으리라. 백성 다스리는 일을 하는 사람이 두려워할 만한 형세를 명확히 알아서 전철(前轍)을 고친다면 그런 대로 유지할 수 있으리라.[237]

허균은 차라리 우리 역사에서도 견훤과 궁예 같은 호민이 존재해야 치자들이 정신을 차리고 각성할 것이라 경고한다. 그러나 이는 호민 편이기보다는 치자의 각성을 촉구하는 신하의 발언이다.

허균에게서 많은 것을 기대할 수는 없다. 허균이 만든 이상사회인 율도국은 민중의 생존을 위협하는 관권의 압제, 부정부패, 빈곤과 차별이 없는 사회이다. 그러나 이는 소강의 최대치에 해당하는 사회였다. 성군이 있고 진유가 있어야 가능한 군주국체와 사대부국체의 사회였다. 공의 원리가 아닌 사의 원리가 지배하는 사회는 결국 민중이 주인인 세상이 될 수 없을 것이다.

그러나 민중은 허균이 만들어낸 『홍길동전』의 활빈당을 창조적으로 곡해했다. 활빈당으로 구현된 의적집단이 민중의 마음속에 선택적으로 고의적인 왜곡을 일으켜서 대동 세상의 단서로 옮겨간 것이라고 할 수 있을 것이다. 이러한 계기를 만들어 준 것은 만세를 지나도 변함이 없는 허균의 위대한 공이다. 허균의 의식 속에서 이러한 일이 일어났다고 볼 수 있는 단서는 없으나, 그의 사상과 작품이 역사 속에서 그러한 공을 낳았다. 그런 의미에서 허균의 사상은 민중사상의 연원이 되었다고 할 수 있을 것이다.

2) 민중에 대한 인식의 전환

조선왕조는 소강의 패러다임으로 수립되었다. 이 패러다임은 주로 방본으로서의 민중을 사회의 주력 생산자로 규정하고, 군주세습제에 기반을 둔 군신공치의 권력구조로 국가를 운영하는 것이었다. 그러나 군신공치의 이념 또한 불완전해서 군주와 신하의 권력 균형은 자주 무너졌고, 왕권강화에 따른 신권의 축소와 신권강화에 따른 왕권의 위축과 같은 권력의 변동은 국정의 혼란을 야기했다. 이러한 상황에서 민중의 처지는 공고한 신분제의 질곡에 따른 권리의 제약과 양반 지배층의 사유화 경향에 따라 수탈이 강화되었다. 더욱이 홍수와 가뭄 등의 자연재해와 역병의 잦은 출현은 생존을 끊임없이 위협했다.

조선 초기의 참신한 사상적 분위기는 여말선초의 군위민천(君爲民天), 즉 '임금은 백성(민중)의 하늘'이라는 사상에서부터, 민위군천(民爲君天) 곧 '백성은 임금의 하늘'이라는 인식의 전환에서 찾을 수 있다. 정도전의 잘 알려진 다음과 같은 언급은 이러한 인식을 보여준다.

> 대개 임금은 국가에 의존하고 국가의 백성(민중)에 의존한다. 백성은 국가의 근본이면서 임금의 하늘이다.[238]

이는 적어도 원론적으로는 임금과 백성의 관계가 일방적인 지배와 피지배의 관계가 아닌 상호의존적인 관계라는 것을 천명한 것이며, 더 나아가서 민본과 민귀군경의 중민(重民)사상을 강조한 것이다. 여기에 조선왕조의 성리학적 이념은 인간의 보편성을 강조하는 것처럼 보였다. 하지만 만유불성론(萬有佛性論)을 표방한 불교의 이념이 정치의 영역에 도입되지 않은 고려시대처럼, 성리학의 이념도 기만적 수사학에 불과했다. 말하자면, 성리학은 임금이나 사대부는 물론이고 천한 노비를 포함한 민중조차, 사람이기 때문에 본질적으로 공통적인 본성을 가지고 있다는 성즉리(性卽理)의 철학을 공식적으로 표방했다. 이는 성리학이 불교의 만유불성론을 유가의 이념으로 환골탈태시킨 삼교합일(三敎合一)의 실체이기도 하다.

그러나 성리학의 창시자이며 조선사상에서 공자와 반열에 오를 정도로 불가침의 신성을 부여받은 주자는 임금과 백성의 관계에 대해서 다소 명료하지 않은 답변을 내놓았다. 아래는 『맹자』의 민귀군경에 대한 주자의 주석이다.

> 이치로써 말하면 백성이 귀하지만, 나누어짐(명분)으로써 말하면 임금이
> 귀하다. 이는 실로 함께 행해야 어그러지지 않는 것이니, 각기 그 시대에 따
> 라 경중의 소재를 살필 뿐이다.[239]

'이치로써 말하는 것(以理言之)'은 원론적인 관점을 제시한 것이며 유가의 경전이 표방하는 공식적인 입론이다. 그러나 이러한 원론은 공허하기 쉽다. '나누어짐'이란 '군군, 신신, 부부, 자자(君君, 臣臣, 父父, 子子)'처럼 이름과 실제, 즉 명실(名實)이 상부(相符)하는 인사의 질서를 가리키며, 명실의 상부는 분화의 원리에 입각하고 있다. 이는 예(禮)의 기본적 전제이다. 그래서 명분론적 관점은 예의 관점이며, 이 예는 상하의 신분으로 구체화된다. 백성은 귀하지만, 백성은 임금보다 낮은 신분이며 이는 변할 수 없는 것이라는 인식이다. 소강의 전형적인 패러다임인 예치의 옹호이다. 그러나 주자는 순전한 예치의 논리만을 강조하는 것은 경전의 원론적 근거와 배치되므로, 겸행(兼行, 함께 행함)이라는 모순적인 논리로 대치한다. 배치되는 논리를 한데 할 수는 없다. 그래서 역사상대적인 입장으로 귀결될 수밖에 없는 군색한 논리가 된다.

귀한 신분의 임금이지만 민심을 얻지 못하면 임금의 지위를 유지할 수 없

고 군주국체의 국가 존립기반은 상실된다. 그러므로 임금은 왕도(王道), 즉 인정(仁政)을 구현해야 한다. 과거로부터 천인상감(天人相感)의 고유한 논리는 인정의 실패가 자연의 이상현상, 즉 재이로 드러나는 과정을 정당화한다. 조선 초기의 군주는 이러한 인식을 가지고 있었다.

영의정(領議政)은 일찍이 말하기를, '탕(湯) 임금이 7년 동안 가뭄이 있었을 때 어찌 비를 빌지 않았겠습니까? 곧 천수(天數)일 뿐입니다'라고 하였는데, 이 말은 이치(理致)가 있다. 그러나 인군(人君)에게 맡겨진 기수(氣數)는 그렇지 않다.[240]

가뭄이 들자 영의정은 가뭄이란 기수(氣數), 즉 인위가 개입할 수 없는 자연의 필연적 과정에 따른 것이니 왕께서는 직접적인 책임이 없다는 견해를 제시한다. 그러나 천인상감의 논리에 따르면 자연의 필연적 과정은 인사와 서로 부합하기 때문에 가뭄의 책임은 군주가 인사를 잘 못한 정치적 행위가 원인이 된 것이다. 그래서 군주는 천지(天地)의 교구(交媾)로 인해 비가 오듯이 남녀의 교합(交合)으로 기우(祈雨)하는 '정치적' 행위를 한다.

세자(世子)가 임금에게 말하기를, "이제 가뭄이 심하니, 이것이 궁녀들의 원한의 소치(所致)인가 합니다. 원컨대, 궁녀로 하여금 윤번(輪番)으로 입시(入侍)하게 하여 남녀의 정(情)을 다하게 하면 거의 화기(和氣)에 이르러서, 가뭄의 재해(災害)를 그치게 할 수 있을 것입니다." 하니, 임금이 그 말을 받아들여서, 곧 명하여 번(番)을 나누어 입시(入侍)하게 하고, 세자가 전(殿)으로 돌아가서, 또한 3번(番)으로 나누어 입시하게 하였다.[241]

비록 주술적인 인사의 대처이지만, 이뿐만이 아니라 국정 전반의 정비라는 더 구체적인 정치적 행위들이 이어진다. 태종(14년)은 억울한 옥사로 인한 백성(민중)의 원한이 하늘에 감동할 수 있다고 해서, 유지(宥旨, 임금이 죄인을 용서하기 위하여 특별히 내리던 명령)를 반포한다.

정치(政治)를 하는 도(道)는 덕(德)을 닦는 것보다 절실한 것이 없고, 재화(災禍)를 그치게 하는 요결(要訣)은 백성을 구휼(救恤)하는 것이 더욱 절실하다. … 지금 날이 가물어 재화가 이와 같은 지경에 이르렀으니, 실로 과인(寡人)에게 연유한 것이다. 덕(德)을 밝히고 벌(罰)을 신중히 하여 천심(天心)을 누리지 못하여 백성들의 생리(生理)가 심히 염려된다. 무지(無知)한 사람이 형옥(刑獄)에 빠져 모두 원한을 일으켜 화기(和氣)를 상하게 하였는가 염려된다. … 모반(謀反)·대역(大逆)·조부모(祖父母)와 부모를 모살(謀殺)한 것, 처첩(妻妾)으로서 남편을 죽인 것, 노비(奴婢)로서 주인을 죽인 것, 고독(蠱毒, 독살), 염매(魘魅, 저주를 거는 주술행위) 한 것, 고의로 살인을 꾀한 것과 다만 강도(强盜)을 범한 것을 제외하고, 이미 발각되었거나 발각되지 않았거나 이미 결정하였거나 결정하지 않았거나 모두 용서하여 면제한다. … 너희 신민(臣民)들은 나의 지극한 뜻을 몸받도록 하라.[242]

그러자 감로(甘露)가 내렸다. 민심은 천심이기 때문에 군주가 인정(仁政)을 베풀지 않으면, 하늘로부터 재앙을 얻게 된다. 그러므로 실제로 민중은 교화와 양민의 대상이었지만, 방본의 지위를 가지고 있기 때문에 인정을 회복하기 위한 일련의 조치가 시행되어야 한다.

그런데 이러한 논리는 성리학이 점차 치국의 논리에 핵심적인 역할을 하면서부터 변화한다. 말하자면, 천인상감이 구체에서 추상으로 이동하게 되는 것이다. 자연의 질서라는 기수(氣數)가 인사의 정치 현상에 개입하는 것은 인극(人極)인 군주의 심중(心中)이 어지러울 때 등장하게 된다. 이는 정기정물(正己正物)의 유가적 논리를 계승하면서,[243] 군주의 심중(心中)을 바르게하는 정심(正心)의 달성과 이를 강하게 요청하면서 군주를 보필(輔弼)하는 보상지도(輔相之道)를 추구해야 하는 신하의 임무를 강조하는 결과를 낳았다. 곧 군주의 정심(正心)은 군주 자신의 문제일 뿐만 아니라, 신하의 임무이며, 오히려 신하 쪽으로 무게 중심이 옮겨져 가고 있다.

홍문관 부제학 조광조(趙光祖) 등이 상소(上疏)하였는데, 대략 이러하다.
생각건대 임금이란, 한 몸은 작을지라도 사해(四海)의 표준이 되며, 한 마음은 미미할지라도 만화(萬化)의 묘(妙)를 운행(運行)하는 것입니다. … 엎드려 보건대 전하께서는 즉위하신 이래로, 공경하고 두려워하며 치세(治世)를 이룩하기에 온 뜻을 기울이시었습니다. 그러나 안으로 이상스런 변괴와 놀라운 재이가 끊임없이 해마다 일어나더니, 지금에 와서는 더욱 심하여 경사로부터 외방에 이르기까지 같은 날에 지진이 마치 우레같이 일어나서, 산천(山川)이 흔들려 뒤집히고 인축(人畜)이 놀라 자빠지며, 땅은 터지기도 하고 밀리기도 하여 구덩이를 만들어 놓았습니다. … 치세(治世)를 이룩하는 책임은 오직 전하에게 달려 있는 것입니다. 전하께서는 몸을 바르게 하여 아랫사람을 거느리시고 예(禮)를 밝혀 일을 처리하시면, 은의(恩義)가 반드시 미더워질 것이며 기미(幾微)가 반드시 막아질 것입니다. 정심수신(正心修身)하시는 공효를 궁궐에서부터 근본하여 온 나라에 미치게 하소서. … 대저 임금이 훌륭한 신하를 얻는 것이 어려운 일이지만 신하가 착한 임금을 만나는 것 또한 어려운 것입니다. … 원컨대 전하께서는, 성의(誠意)로써 감동시키고 융숭한 예로 대접하며, 믿고 맡기어서 공효(功效)가 기어이 이루어지도록 하소서.[244]

치세의 책임은 오직 군주의 정심에 있다는 것은 지나치게 추상적인 원리에 따른 것이다. 그러나 이것은 신권의 강화 논리에 다름 아니다. 성리학의 이념에 투철한 신하들은 매질하듯 군주에게 성인이 되기를 촉구했다. 하지만 신권을 강화한다고 해서 민생이 더 나아지지는 못했다.

예컨대 16세기 조선은 자연재해의 극성과 역질의 만연이 다른 시대보다 더 기승을 부렸고, 국가의 대처 또한 매우 미흡했다. 국가의 조직이 미비하여 민생을 구제할 경제적 물리적 수단이 결핍되어 있었고, 지배층의 부패와 매관매직의 성행은 국가를 무력하게 만들었다.[245]

이런 의미에서 왕권과 신권의 국가권력 구도는 큰 문제가 아니었다. 문제는 사(私)의 원리에 따른 권력구도가 공(公)의 원리를 핍박하여, 전체 사회가 특수 집단에 의해 사유화(私有化)되는 경향이 공고하게 되었다는 것에 있다. 사림의 정의(正義)로도 이러한 사유화된 사회 구조는 변화시킬 수 없었다. 성리학 자체가 이미 군주세습제를 옹호하고, 사대부와 군주의 국체를 존속시키는 한에서 국가의 개혁은 미봉책에 불과하며, 민중의 힘이 결집되지 못하는 이념적 원망(願望)에 그치고 말았다. 그러나 그 원망은 생민 전체의 원망이 아니라, 성리학적 이상주의에 불과한 일부 사림들의 원망이었다.

다만 성리학의 사대부 중심적인 정치사상은 민중과 통치자들 간의 새로운 관계를 만들게 되었다. 이는 명분론보다는 원론에 대한 강조 즉 인주(人主)와 민중이 한 몸이라는 상호의존적 관계의 회복을 촉구하는 것이다.

"임금과 백성은 본래 일체(一體)로서 마음과 몸은 어느 하나도 없을 수 없는 것이니 임금은 마땅히 백성을 어린애처럼 보호하여 그들의 마음으로 마음을 삼고 그들의 몸을 자신의 몸처럼 여겨야 할 것입니다." 하니, 임금이 이르기를, "임금과 신하는 백성을 위해 있는 것이니, 마땅히 교화로 인도하여 따르지 않는 사람으로 하여금 교화를 따르도록 해야 한다."[246]

그런데 이러한 논리가 다만 군왕과 사대부에게만 통용되지 않고, 민중에게 자각적인 형태로 인지되어야 할 것이다. 그렇지 않다면 민중과 무관한 치자의 논리로만 머물러 있을 것이다. 그런데 당시는 민중의 구성 가운데 가장 낮은 지위에 속하는 노비도 이러한 정치사상을 인지하고 있던 시대에 접어들고 있었다는 사실이 중요하다. 곧 민중은 민생이 어려울 때 그 책임이 군신(君臣)의 통치 행위에 있다는 정치의식을 가지고 있었다. 이 같은 인식은 통치자들에게 책임을 물을 수 있는 근거가 된다. 아래의 기록은 이러한 민중의 정치의식이 문자를 통해서 전달되든 구전을 통해서 전달되든 모종의 연결을 가지고 점차 축적되어 민중의 상식이 되었다는 증거이다.

> 직산(稷山) 사는 사노(寺奴) 막동(莫同)이 정원(政院)에 와서 고하기를, "이웃에 사는 6촌 여매(女妹)의 사위인 사노(寺奴) 김말손(金末孫)이 이달 초3일 내 집에 와서 나에게 말하기를 '사문(赦文, 죄인을 풀어주면서 임금이 내린 글)이 두 번이나 내렸지만 백성을 구휼하는 데 대한 하교는 한마디도 없다. 이같이 복 없는 임금이 왜 빨리 죽지 않을까.' 하기에, 내가 답하기를 '우리 임금처럼 백성을 사랑하시는 분이 없다. 어느 한 도가 흉년이 들면 다른 도의 곡식을 옮겨다 구제해 주시니 그 은혜 망극하므로 우리들은 항시 억만 년의 수(壽)를 누리시기 원하는데 너는 어떤 사람이기에 이 같은 말을 하는가.' 하니, 말손이 빙긋이 웃으며 '당신 같은 노숙(老叔)과는 잡담 않는 것이 좋겠다.' 하므로 나는 매우 통탄스러워 와서 고하는 바입니다." 하였다.[247]

직산에 사는 노비 막동이가 같은 노비 처지에 있던 김말손이라는 자가 저지른 불충한 말을 관에 고해바치는 상황이다. 죄인을 사면하는 '전시적' 정책보다 민생을 직접적으로 해결하는 정책을 펴지 않는 왕을 욕하는 노비의 발언은 위민정책의 허구와 더불어 우민(愚民)의 맹목적인 국가 두둔을 비웃는 것으로 끝난다. 지금 임금이 죽어버리고 민생을 책임지는 새로운 임금이 서기를 바라는 것은 임금을 교체하고픈 일종의 역심(逆心)이다.

노비의 정치의식은 이미 군주국체와 사대부국체의 체제 속에서는 민중의 삶이 불리하다는 것을 자각하고 있다. 이러한 자각은 군주와 신하의 임무에 대해서 정확하게 인식하고 있어야 가능한 것이다. 만일 소강의 패러다임이 유일한 사회체제가 아니라는 사실을 알게 될 때 민중의 행동은 어떠할 것인가?

민중들은 체직되어 돌아가는 이른바 목민관(牧民官)을 막아서고 "백성은 장차 굶어 죽으려 하는데 진대는 지급하지 않고 이 관물을 훔쳐서 어디로 가려느냐?"고 따지며, 명종(明宗)의 태봉(胎峯) 돌난간과 향교(鄕校)의 위판(位版)을 부수는 식의 폭동을 자주 벌였다. 이는 향촌사회에서 확립된 사대부 지배 체제에 대한 민중의 반발을 보여주는 행위들이다.[248] 방본으로서 국가의 주력 생산자인 민중들의 삶을 돌보는 책임이 있는 군왕과 신하들에 대한 질타는 지배층의 정치적 책임과 민중의 정치적 위상을 자각했다는 의미에서, 민중의 정치의식이 성장했다는 증거이다.

민중은 생산하는 존재로서 생산물의 전부를 바치고도 생존을 보장받을 수 없었을 때, 지배층의 임무를 상기시키면서 양자의 관계가 전복될 수도 있다는 신호를 보냈던 것이다. 군주의 존재와 사대부의 명분을 상징하는 기물들에 대한 파손은 단순한 폭력이 아니라, 통치자와 피통치자 간에 구분된 임무가 어그러졌을 때, 그 임무를 상기시키는 정치행위였다. 한 발짝 더 나가면 민중의 봉기로 이어지는 최후통첩 같은 것이었다.

미구에 다가올 국가적 재앙인 임진왜란을 앞두고 생겨난 이러한 변화는 이미 크고 작은 민중의 봉기에 반영되었고, 전란을 극복한 후에는 더욱 구체적으로 드러나게 된다. 사대부들 사이에서도 유가의 이념을 다시금 돌아보며 성리학에 비판적인 학문적 경향이 대두하게 된다. 이것이 이른바 실학(實學)이다. 실학의 다기한 개념적 규정에도 불구하고, 그 바탕에는 기존 학문 체계에 대한 비판과 성찰의 정신이라는 공유 지점이 있다. 이는 국가존망의 위기에 맞서 꺼져가는 시대의 이념을 근저에서부터 반성하는 철학적인 행위이며, 민생의 실제적 향상을 도모하는 구체적 정책 입안과 제시라는 실질적인 모색이라고 할 수 있을 것이다.

3) 실학의 민중론

16세기를 거치고 양난의 국가적 위기를 지나면서 17세기와 18세기에 이르도록 유가의 민본주의는 지속되었으나, 그것은 수사학에 불과한 기만적 민중론이었다. 그런데 양난을 겪고 난 조선사회는 이러한 수사적 민중론이 다른 차원, 즉 제도의 변화를 동반하는 변화 속에서 새로운 의미로 자리매김을 하게 된다.

조선 초기부터 진행되어 온 지배층의 권력변동과 당파적 분화 등의 관점을 따르면 조선은 변화가 극심한 것처럼 보였으나, 민중의 입장에서 진행되는 시간의 흐름은 여전히 아무런 본질적 변화가 없었다.

국가를 이루기 시작하면서 민중은 생산하고, 생산물의 일정한 양을 지배층에 세금으로 납부해 왔다. 또한 국가 수호의 임무를 수행하기 위해 군역(軍役)을 제공해야 했다. 이러한 제도는 유가의 철학에서 연역된 것이다. 말하자면, 민중은 국가를 위해 힘써 일하는 역할을 하게 하고, 왕과 사대부들이 주를 이루는 지배층은 손발의 노고 대신 마음을 써서 일하는 역할을 자처했다. 이른바 노심자와 노력자의 패러다임이 부세(賦稅)의 철학적 근거가 된다.

　국가 존립을 위한 두 축에서 민중은 주력생산자로서 한 축을 담당하고, 군주와 사대부의 지배층은 이러한 생산물로 삶을 영위하면서 또 한 축을 담당하면서 국가를 경영한다. 그런데 이 두 축은 가치론적 차이가 있었기 때문에, 노심자의 축이 노력자의 축보다 더 귀하고 숭고한 것으로 생각되었다. 그러나 국가 존립을 위해서는 실제로 주력생산자가 더 본질적인 역할을 한다. 이 때문에 맹자는 민중이 제일 귀하고, 사직이 그 다음이며, 종묘사직(宗廟社稷)의 계승자 즉 왕이 가장 가볍다고 한 것이다.

　맹자의 민귀군경론에 함의된 대동의 패러다임에도 불구하고, 노력자와 노심자의 담론은 노심자를 지배적인 위치에 놓고 노력자 즉 민중을 종속적인 존재로 만드는 것을 정당화하고, 이는 다수의 조선 유자들이 지지하는 신성불가침의 입론으로 성문화되었다. 이것은 전형적인 소강의 패러다임이며, 이 패러다임 속에서 민중은 예속의 상태를 벗어날 길이 없었다.

　앞서 살펴보았듯이 노심자와 노력자의 구분은 『맹자』에 기원을 둔다.

> 노심자는 남을 다스리고 노력자는 남에 의해 다스려지고, 사람들에 의해 다스려지는 자는 사람들을 먹이고 사람들을 다스리는 자는 사람들에 의해 먹여지는 것이 천하의 통의인 것이다.[249]

　맹자의 위와 같은 말에서 논란이 되는 것은 노심자 : 노력자 = 대인 : 소인 = 다스림 : 다스려짐 등과 같은 대립항이다. 이 대립항에서 노심과 노력의 분업이 세습적이거나 종신토록 불변하다고 생각하는 것이 소강의 패러다임이다. 더불어 이 패러다임은 전자의 항이 후자의 항보다 우월하고 존귀하다고 생각한다.

그러나 실제 이러한 해석은 맹자의 본의가 아니다. 맹자는 두 항의 차이가 세습적이거나 종신토록 불변하다고 하지 않았다. '천하의 통의'라는 것은 불가피한 분업의 현실을 지적한 것일 뿐이다. 노심자의 정신노동은 귀한 직업이고 노력자의 육체노동은 비천한 직업이다. 귀천의 구분은 일의 기능과 역할에 의한 구별이다. 노심은 대인(大人)의 영역에 있으며, 노력은 소인(小人)의 영역에 있다는 것을 나타내는 것이다. 이는 마치 천존지비(天尊地卑)를 인식하는 데 천지를 하나의 짝으로 이해하는 것처럼, 가치론적 우열(愚劣)의 차이를 전제하지 않는 것이다. 만일 하늘은 존귀하고 땅은 비천하다고 한다면, 이는 천지에 대한 올바른 이해가 아닐 것이다.

공맹사상에서는 불가피하게 인간은 현우(賢愚) 또는 지우(智愚, 지혜로운 자와 어리석은 자)의 차이가 있지만, 귀천(貴賤)의 차이는 없다고 본다. 공자는 "천하에 나면서부터 귀한 자는 없다."고 했다. 지우(智愚) 즉 인지적 능력의 차이로 인해 귀천의 신분론적 정당화, 더 나가 세습적 신분제를 정초하는 것은 소강의 패러다임 즉 대도(大道)를 상실한 시대의 기만적인 논법이다. 말하자면 소강의 패러다임에 따르면 백성(민중)은 어리석기 때문에 나라를 운영할 수 없다. 대신 지혜로운 이들이 그들을 돌보고[養民] 문명으로 교화하며[化民], 더욱 미련한 자들은 개나 소를 치듯이 쳐서[牧民], 그들의 삶을 영위시켜준다. 이것이 백성을 위한 것이고 치자의 길이며 하늘이 내리신 임무이다. 그러나 이러한 논법은 노심자에 의해 고안된 치자의 선천적 지위를 정당화하는 이데올로기에 불과하다.

맹자의 저 논변에는 공자의 언설이 전제되어 있다. 공자는 농사짓는 노력자가 나라를 다스리는 노심자로 상승하는 역사적 사례들을 당연하게 여겼다. 우(禹)와 후직(后稷)은 몸소 농사를 지었지만 천하를 영유했기 때문이다(『논어』「헌문」5장). 그리고 공자 자신이 미천하고 비루한 일에 다능(多能)했던 노력자 출신의 인물이다(『논어』 「자한」 6장). 공자에 따르면 노력자는 노심자가 될 수 있으며, 직분을 전환시킬 수 있다.

이를 허균의 민중론에서 제시한 구분에 따르면, 비록 항민은 노심의 일을 할 수 없을 정도로 어리석고, 원민은 실제적인 일을 기획하고 추진하는 지도력이 떨어지지만, 이들은 호민의 지도에 따라서 역성혁명의 주체가 될 수 있는 존재들이다. 따라서 항민조차도 지우(智愚)의 틀 속에 완전히 갇혀 있는 존재는 아니다. 그는 소민(小民)으로서 치국의 노심은 아닐지라도 직업의 기술과 기예에 능통한 소가(小家)에 속한다.

맹자는 대체(大體)와 소체(小體)를 말했다. 대체는 사유능력이고 소체는 감각기관을 통한 능력을 가리킨다. 대체를 사용하는 것이 노심이고 소체를 사용하는 것이 노력이다. 이를 따르면, 대덕(大德, 고차적 사유능력과 도덕이성)에 비해 소덕(小德, 작은 능력)을 보유하고, 통재(通才)가 아닌 일곡(一曲)의 전문가로 자처하는 존재가 소인이라고 볼 수 있는 것이다. 이는 도덕정치적 의미의 군자와 소인으로, 대인과 소인을 대치할 수 있는 것이 아니다. 공자와 같은 성인도 '노련한 채소밭 일꾼만 못하다'고 했다.[250] 이윤을 내는 일에는 군자는 소인을 따라잡을 수 없다. '소인은 이에서 군자보다 밝기'[251] 때문이다.

이러한 심층 논의를 조선의 유자들은 왜곡했다. 특히 세제의 개혁에서 그들이 내세운 논리는 조선이 어떤 논리 위에서 창건된 나라인지를 말해 주고, 유자들이 민중을 단지 생산을 위한 가금(家禽)처럼 생각하고 있었다는 것을 보여주고 있다.

이 법(호포제)을 시행하고자 했던 사람은 말합니다. '위로는 공경(公卿)으로부터 아래는 서민과 천민에 이르기까지 모두 포(布)를 내지 않는 자가 없을 것이며, 이는 군역을 균등이 하자는 의견이니 누가 감히 원망하겠으며 이로써 군역의 각종 폐단을 가히 제거할 수 있다.' 이는 사리에 합당한 듯 합니다만, 깊이 생각하지 못한 바가 있습니다. 만물이 고르지 못한 것은 만물의 법칙입니다. 천하에는 귀천(貴賤), 후박(厚薄), 대소(大小), 경중(輕重)이 있어 모든 만물이 같지 않습니다. 이러므로 성왕(聖王)이 천하 국가를 다스리실 때 그 법칙이 같지 않기 때문에 귀한 자는 귀하게, 천한 자는 천하게, 두터운 것은 두텁게, 엷은 것은 엷게 하였으며 대소와 경중을 다 이렇게 하지 않는 것이 없습니다. 이렇게 각자 모두 그 쓰일 바를 얻어 감히 그 분수를 넘지 못하게 했습니다. 그런데 요즈음 들어 귀천을 막론하고 모두 다 호포를 내게 하자 하니 저희들 조신들이야 국가의 위망한 상태를 구하기 위해 포를 낸다 하더라도 꺼릴 것이 없지만, 사대부들의 입장에서 말한다면 평생 동안 고생하며 부지런히 독서(讀書)만 하는 자가 글자 한 자도 안 읽은 '일자무식의 상놈들'과 같이 취급되어 함께 포를 내게 하게 되니 어찌 원망함이 없겠습니까.[252]

사대부 양반들은 독서를 한다는 이유로 병역이 면제되었지만, 양인들은 군포(軍布)를 바쳤다. 그러나 숙종 이후로는 양반을 사고 팔 수 있었던 탓에 면제 대상인 양반은 늘고 양인은 줄어들었다. 이 때문에 양반에게 세금을 부과할 수밖에 없었다. 당시 실시하려 한 세제 개혁(호포론)에 대한 대사헌 이단하(李端夏, 1625~1689)의 반대논리는 노심(정신노동) 우위의 가치가 민중, 즉 '일자무식의 상놈들'을 얼마나 무시하는지를 보여주는 전형적인 지배층의 오만을 대변하고 있다.

그러나 대동과 소강의 패러다임에서 보자면, 세제 개혁은 민생을 나아지게 하기 위한 치자의 정책이지만, 이것이 민중의 삶을 근원적으로 보장하지 못한다. 말하자면, 민중의 삶을 바꾸려는 개혁은 정책과 제도를 바꾸는 것이 아니라, 근본을 바꾸는 것에 해당하기 때문이다. 세습에 기초한 신분제를 바꾸고, 사유화에 근거한 정치경제의 제도를 바꾸는 것이 근본을 바꾸는 것이다.

근본적인 개혁은 방본인 민중의 위상을 자각해야 가능한 것이다. 그러나 노심자와 노력자의 차별이 지속되는 한에 있어서 개혁은 미봉책에 불과한 것이다. 거꾸로 노심자와 노력자의 담론이 부서질 때 의미 있는 개혁이 이루어질 수 있다. 하지만 이것은 혁명적 상황이 될 것이다. 성리학의 철학적 틀을 가지고는 이를 감당할 수 없었다.

성리학에 비판적인 실학의 비조(鼻祖)로 여기지는 반계(磻溪) 유형원(柳馨遠, 1622~1673)은 노심자와 노력자의 패러다임을 이렇게 이해하고 있다.

> 무릇 국가가 사족을 키우는 것은 백성을 위하지 않는 것이 없고, 그러므로 노심과 노력은 귀천의 직분이 구분되는 까닭인 것이다.[253]

귀한 자와 천한 자의 신분적 구분은 노심과 노력의 구분에 의한 것이다. 그러나 이러한 구분은 불가피한 천하의 통의이다.

> 그러므로 그 임금을 세우고 경사로써 받들게 하고 백성의 터전을 안치케 하여 살도록 하고 삶을 영위케 하니 경작자는 쌀을 내고 벼슬하는 자는 녹을 받은 것이다.[254]

유형원의 논리는 노심과 노력의 구분과 관계 양상이 부세의 철학적 근거가 된다는 것을 입증하고 있다. 군신(君臣)은 민중을 보호해 주고, 그 대가로 민중은 식록(食祿)을 군신에게 제공한다. 그런데 신분론에 이르러서는 이단하의 보수적인 유자의 논리와 차이가 없다.

> 신분이라고 하는 것은 본래 귀천의 등급이 있는 것으로부터 나왔고, 다시 귀천은 본래 현자와 우자의 구분에서 나왔을 따름이다.[255]

유형원은 귀천의 대립항을 현우(지우)의 대립항과 연관시키고 있다. 곧 민중은 본래 '일자무식한 상놈'들이다. 이는 후천적인 교육의 혜택을 입지 못해서 그런 것도 있지만, 일차적으로는 독서를 통해 경전을 이해할 수 있는 인지 능력이 결여되었음을 암암리 가정하고 있다. 그러나 공자는 태생적 신분론을 말하지 않았고, 차별이 아닌 구별, 불변이 아닌 변화를 말하고, 소강이 아닌 대동을 말한 사상가였다. 그래서 태생적 인지 능력의 차이에 근거한 인간관은 공자의 인간관과는 거리가 멀다. 따라서 유형원이 가정한 지우(智愚)라는 인지능력의 차이는 그것이 개념적 지식의 습득 능력 차이만이 아니라, 덕행(德行)의 인식과 그에 대한 실천을 포괄하는 능력의 차이를 고려한다고 할지라도, 여기에는 세습적 신분의 전제가 함의되어 있다. 귀한 신분은 귀한 가문에서 생겨나고, 천한 신분은 천한 무리 속에서 생겨난다. 간혹 인재는 천한 신분에서 생겨나는 경우도 있다. 그러나 그 기조는 태생적 신분론이다.[256]

이는 성리학에 비판적인 실학의 인식이 아직도 기원전 맹자의 민귀군경론에도 이르지 못하고 있다는 것을 보여준다. 이단하와 같은 수구적 유자(儒者)의 인식과 개혁적 유자인 유형원의 인식이 근본에서 동일하다는 것은 매우 충격이라고 하지 않을 수 없다. 그래서 조선은 군주와 사대부를 국체로 하며, 이 국체를 부조하기 위한 존재가 민중이다. 독서를 위한 기회도 사대부는 전면 허용하고, 서민(민중)에게는 우연하게 뛰어난 자들에게만 허용되며, 뛰어나지 못한 일반 서민과 그 이하의 천인들(무격잡류, 공사천인, 공상인, 백정 등)은 배제한다.[257]

이어, 많은 실학자를 배양한 성호(星湖) 이익(李瀷, 1681~1763)의 신분제에 대한 비판적 인식을 더 살펴본다.

> 노비가 세습되는 것은 또한 고금에 사해를 통틀어 있어 본 적이 없는 것이다.[258]

이익은 노비제도의 허구성이 역사적으로도 지역적으로도 정당화될 수 없을 정도로 이치가 없는 제도라고 인식할 수 있는 견문이 개방된 실학자이다.[259] 그런데 신분차별은 하층보다 상층의 문제가 더 심했다. 지배층의 세습인 조선의 양반제도는 오직 조선만이 고착시킨 악습으로 보았다.

> 오직 우리나라만이 문벌을 숭상하는 풍습이 이미 고질이 되어 비록 관작이 없을지라도, 반드시 그 선조의 관직의 고하를 따져 연루관계를 미세하게 따지고 견주어 헤아리고 한미한 가문과 더불어 동렬하지 않는다. 이는 오로지 귀인을 귀히 여기기만 하고 존현을 제쳐 놓는 것이니, 백성의 풍속이 어찌 쇠퇴하지 않겠는가?[260]

존현(尊賢)이란 천하 국가의 경영 원칙인 구경(九經) 가운데 가장 큰 원칙에 속한다.[261] 이익은 문벌 숭배나 신분차별이 생겨난 것은 존현의 원칙을 위반했기 때문이라고 본다. 그러면 이것은 귀천이 지우(현우)의 구분에서 생겨난 것이라는 관점과 어떤 차이가 있는가?

천민은 귀족이 없더라도 오히려 간혹 자활(自活, 스스로 살아감)하지만, 귀족은 천민이 없으면 다시 살지 못하니, 생각건대 근본 또는 권력은 아래에 있는 것 같다. 그러나 노심자는 아래를 다스리고, 다스리는 일은 지위를 갖지 않으면 할 수 없다. 지위가 있으면 체신이 높고, 체신이 높으면 권위가 무거우니 낮은 자는 이에 굴복한다.[262]

노심자는 귀족(貴族)이고 노력자는 천족(賤族)이다. 그러나 이러한 귀천의 구분이 생겨난 근거가 노심과 노력의 구분으로부터가 아니라, 통치행위(다스림의 행위)의 본질로부터 노심자의 존귀한 권위가 도출되고 있다. 그래서 이익은 통치행위를 하는 치자가 아니면, 벼슬이 없는 선비들조차도 천인(賤人)이라고 본다.[263] 이는 귀천의 구분이 지우(현우)에서 비롯된 노심과 노력에서 기인한다고 보는 것보다는 통치의 권력 자체가 이루어 놓은 권력구조에서 비롯된다고 보는 점에서 태생적 신분론이라고 보기는 어렵다.

그러나 이익조차도 평민(민중, 백성, 서민)의 국체를 보는 비전을 제시하지 못했다. 유성원보다 이익은 세습적 신분제를 인정하지 않았지만, 결국 방본으로서의 민중에 대해 깊은 인식에 도달하지 못했다. 결국 둘 다 민유방본론의 소극적 해석, 즉 백성은 근본이고 주인일지라도 어리석어서 자치의 능력이 없거나, 육체적 정신적 노동의 분업구조상 자치가 불가능하므로, 충심으로 백성을 위하는 현군과 사대부 현자들이 통치를 해주어야 한다는 식의 소극적 해석을 천하의 통의로 받아들인 것이다.[264]

성호학파의 분위기에서 사숙하고 서학(西學)으로부터 큰 영향을 받았던 다산(茶山) 정약용(丁若鏞, 1762~1836)은 종전의 성리학과는 다른 인간관을 수립했다. 그에 따르면 인간은 보편적으로 자주권(自主權)을 부여받았다.

하늘이 인간에게 자주권을 부여하여, 선을 하고자 하면 선을 하게 되고, 악을 하고자 하면 악을 하게 된다 … 그러므로 선을 행하면 실로 자기의 공이 되는 것이며, 악을 행하면 실로 자기의 죄가 되는 것이다.[265]

이러한 자주권은 인간에게 천부적으로 주어진 것이며, 이는 자신의 자유의지에 의해 현실을 타개할 수 있다는 인간관을 보여준 것이다. 이러한 사상이 정약용의 민권에 대한 철학적 해명이기도 하다. 아울러 정약용은 세습적 신분제가 아닌 추대론(推戴論)을 제시한다.[266]

천자라는 것은 대중이 추대하여 이루어진 것이다.[267]

더 나가 대중의 추대가 없다면 천자의 지위라도 바꿀 수 있다.

천자라는 것은 … 대중이 추대하면 이루어지고 또한 대중이 추대하지 않으면 이루어지지 않는다. 그러므로 다섯 집이 화협(和協)하지 않으면 다섯 집이 상의하여 인장(隣長)을 바꾸고, 다섯 인(隣)이 화협하지 않으면 스물다섯 가구가 상의하여 이장(里長)을 바꾸고, 구후팔백(九侯八伯)이 화협하지 않으면 구후팔백이 상의하여 천자(天子)를 바꾼다. … 이를 누가 신하가 임금을 방벌한 것이라고 할 수 있는가.[268]

이처럼 정약용은 백성(민중)이, 추대를 통한 국가 조직의 구성권만이 아니라 지존의 지위도 박탈할 수 있는 소환권도 가지고 있다는, 재래 유학의 민본(民本)을 넘어선 민권(民權)을 주장하였다.[269]

다산과 동시대를 살았던 혜강(惠岡) 최한기(崔漢綺, 1803~1877)도 새로운 인간관을 정초하면서 민권사상을 전개했다.

> 국가의 큰 정사는 마땅히 위로는 운화에 순응해야 하고 아래로는 백성이
> 바라는 것에 협력해야만 천하를 치평할 수 있다.[270]

치국의 근거는 운화(運化)이다. 운화란 천지자연의 운화이며, 이는 자연의
법칙을 가리킨다. 또한 치국의 근거는 백성이 바라는 것에 협조(協調) 즉 힘
을 합해 서로 조화를 이루는 것에 있다. 그런데 백성이 바라는 것은 백성의
자연스러운 성정에서 우러나오는 인간의 기본권, 즉 자신의 생명과 기본적
인 욕구를 충족시키는 것에 있다.[271] 이는 천지자연의 운화에 바탕을 둔 정
당한 민심이다.

> 민심을 거스르는 것은 바로 운화를 거스르는 것이다 … 국가의 명맥은 백
> 성에게 있으며 국가의 사력(事力)도 백성에게 있으므로 동정과 시위(施爲)에
> 있어서 의뢰할 바는 백성들일 뿐이다. 그러므로 조정에서 백성에게 보답해
> 줄 것은 현준을 선거하여, 그들로 하여금 운화하는 천칙을 순응하게 하는 것
> 에 있을 뿐이다. 그 실제로는 백성에게 얻어 백성을 다스리는 것이지, 전혀
> 근거 없이 일을 행하는 것은 아니다.[272]

최한기는 추대론에 이어서 현인선출론을 강조하며, '민심을 천심'으로 여
기는 종전의 대동사상을 천지운화의 보편적 법칙인 천칙(天則)의 합리적 원
리에 의거한 정치사상의 수립이라는 입론으로 대체하여 계승하였다.

정약용과 최한기의 민중론은 세습제에 반대하고 선출론과 추대론을 제시
하며, 여기에 소환권을 민중에게 돌려주는 혁신적인 논의이다. 그러므로 정

치의 주체는 군왕과 사대부에서 민중까지 확장되고 있다. 이로써 민중국체의 입장에 좀 더 가깝게 되었다. 이는 유가의 고유한 민본사상이 기만적인 수사를 벗어나 실제적인 힘을 얻으면서, 민권(民權)으로 이행하는 시기의 사상이라고 할 수 있을 것이다. 그러나 이들은 대동의 패러다임에 동조하는 창조적 지식인들로서 민중의 편에 가깝게 다가서고 있지만, 민중의 입장에서 본격적으로 국체를 구상한 것은 아니다.

이들은 재래의 민유방본론이나 민귀군경론 및 민심천심론을 계승하면서 이를 국가통치의 실제적 원리로 구현하는 논의를 시작했다. 기만적 수사를 버리고 유가 원리의 실제 구현을 천명한 것이다. 그러나 이는 이 원리들이 평민(민중) 지식인들의 언어 속으로 들어가면서, 평민과 천민의 참정(參政)을 진작하고 정당화하는 적극적 실천 개념으로 변화한 것만 못하다. 평민들은 사대부 관리들의 학정에 시달리면서 '성인이 민유방본이라고 했는데 왜 너희들만 정치를 주무르며 가렴주구로 나라를 망치느냐?'고 반문하며 양반들에게 대들며 참정을 요구했다.[273] 평민지식인으로서 혁명을 도모한 전봉준(全琫準, 1855~1895)의 발언은 기원전 성립한 유가의 본원적 사상이 수십 세기의 핍박을 거쳐 비로소 현실적으로 구현되는 명실상부한 실재였다.

> 우리들은 비록 시골에 사는 버려진 백성들이지만 … 지금 의기(義旗)를 높이 치켜들고 보국안민(輔國安民)을 죽음의 맹서로 삼았다.[274]

이제 나라는 군왕의 나라나 사대부의 나라도 아니다. 민중의 나라이다. 내 나라이기 때문에 목숨을 걸고 보국안민하고자 한 것이다. 비록 현실 역사에서는 참혹하게 실패했지만, 수십 세기 동안 은닉되어 있었던 대동의 대도(大道)가 회복되기 시작했다.

4장

민중사상과
민란의 전개

조선시대 민중의 정치적 행위는 기본적으로 참정(參政)의 기회가 없었기 때문에, 그 자신이 뛰어난 재능을 인정받아 상위 신분으로 편입되지 않고는 표출할 수 있는 기회가 거의 없었다. 그런데 이미 치자의 세계에 편입한 민중은 민중의 지위를 가지고 있다고 볼 수 없다. 특히 공(公)의 대의에 뜻을 두고 대동 세상을 추구하려는 의식이 없다면 말이다.

민중의 정치적 행위는 난(亂)이나 도적(盜賊)의 형태를 띨 수밖에 없다. 이러한 민중의 정치적 행위는 난의 발생이나 도적의 소요 사건 또는 난의 진압이나 도적의 체포에 따른 치자들의 공초(供招) 문서를 통해서만 잔존하고 있다. 그러므로 민중들의 구체적인 사상 자체를 직접적으로 알 길이 없다. 문서를 통해 전해지는 불온한 사상이 바로 민중의 생각일 것인데, 이러한 생각은 민중의 자연스러운 심정의 발로가 아닌 치자의 폭력에 의해 왜곡된 패배자의 무의미한 항복 선언이기 십상이다. 더욱이 민중들은 그들을 이끄는 호민들과 같은 지식인이 아니고는 문맹이 대부분이었다. 그들은 생존의 기술을 가진 자들이었지만, 문자지식을 갖지 못한 경우가 많았다.

이 장에서는 조선왕조의 창건부터 망국의 시점까지 민중들의 정치적 행위, 주로 '민란(民亂)'으로 표출한 정치적 행위를 통해서 그들의 사상을 짚어보려고 한다.[275] 민중 사상의 염원을 이루는 큰 줄기는 탐색할 수 있었지만, 이러한 사상들이 착종(錯綜)하여 구체적인 삶 속에서 민중의 정치적 행위를 추동했던 생생한 모습들은 살펴보지를 못했다.

시기적으로 발생했던 민중들의 정치적 행위를 쫓아가면서 그 사상을 살피고, 어떤 경우에는 특정한 사상을 중심으로 해서 표출한 정치적 행위를 추적해 볼 것이다. 앞서 조선왕조를 3분했던 관점을 유지해서, 개국부터 성종까지를 전기라 하고, 연산군부터 정조까지를 중기, 순조부터 순종까지를 후기로 구분하면서, 민중의 정치적 행위를 살펴보기로 하겠다.

1. 조선전기(태조~성종) : 군도(群盜)의 활동

1) 지배층의 정치적 변동

조선은 한시도 평화롭지 못한 소강의 말류에 속하는 시대였다. 권력부문에 속하는 지배층에서 발생한 정치음모와 이에 따른 정변(政變)을 거치지 않은 왕이 없을 정도로 혼란스러웠다. 더욱이 국가존망을 위협하는 미증유의 외세 침략을 당했으며, 아래로부터 농민을 중심으로 한 민중들의 난이 그치질 않았고, 후기로 갈수록 민란의 시대가 되어 갔다.

조선전기는 군주국체와 사대부국체를 유지하는 왕과 귀족들의 나라였다. 민중은 이 나라의 기본적 생산을 담당하며 왕과 귀족의 삶을 향유하게 해주는 생산의 도구였으며, 가르치고 길러야 하며 문명의 교화를 시혜 받아야 하는 존재들이었다. 이러한 생각은 거의 모든 조선의 유자들이 가진 생각이었다. 민중은 왕이나 귀족양반들과는 엄연히 다른 존재였다. 비록 기원전부터 유가의 본래적 가르침은 보편적 존재로서의 인간에 대한 차별을 인정하지 않았지만, 역사는 대대로 그러한 생각을 의도적으로 망각했다. 오히려 인간의 차별적 이해가 바로 유가의 본래적 사상이라는 견해가 지배적이게 되었다. 대동사상의 망각이나 폄하를 통해서 유가의 본래적 사상이라는 자격을 박탈하고 유가로부터 축출되기에 이르렀다. 그 대신 예치의 위계질서를 불가역적이며 태생적인 것으로 규정하고, 그것을 선천적인 불변의 자연 질서로 정당화했다.

조선시대 지배층에서 일어난 정치적 변동은 정난(靖難), 사화(士禍), 반정(反正) 등으로 구분할 수 있을 것이다. '정난'은 '나라의 변란을 평정한다'는 말이지만, 그 실상은 성공한 쿠데타라고 할 수 있다. 왕실의 직계 존비속들이 기습공격이나 살해를 통해 왕권 약화나 왕권 찬탈을 도모하는 거사에 성공한 것이다. 대표적으로 무인정난(戊寅靖難, 1398), 계유정난(癸酉靖難, 1458) 등이 있는데, 전자는 태종(太宗)이 된 이방원(李芳遠, 1367~1422)을 주역으로 하는 이른바 '왕자의 난'이었으며, 후자는 단종애사(端宗哀史)로 알려진 세조(世祖)의 왕위 찬탈이었다.

'사화'는 개혁적인 사대부가 군신공치라는 유가의 정치이념을 실현하기 위해, 급진적으로 왕권에 도전하다가 왕과 왕권에 추수하는 권신들에 의해서 집단 살해당한 정치적 화란(禍亂)을 가리킨다. 대표적인 4대 사화가 있다. 연산군의 향락을 비판하면서 왕권의 전제화를 반대하였던 사림들을 척결하기 위해, 김종직(金宗直, 1431~1492)의 조의제문(弔義帝文)을 빌미로 선비들을 죽이고 귀양 보내 탄압한 것이 무오사화(戊午士禍, 1498)이다.[276]

무오사화의 여파가 채 가시지 않은 6년 뒤에 갑자사화(甲子士禍, 1504)가 일어난다. 이는 연산군이 생모 폐비(廢妃) 윤씨(尹氏)의 복위(復位)를 문제 삼은 선비들을 무참하게 살해하고 귀양 보낸 탄압이다. 기묘사화(己卯士禍, 1519)는 조광조로 대표되는 신진 사류들의 개혁정치에 불만을 가진 훈구파와 중종(中宗)의 동조로 일어난 선비들의 숙청과 탄압이다.

을사사화(乙巳士禍, 1545)는 왕위 계승을 둘러싼 갈등이 기본을 이룬다. 중종이 죽고 인종(仁宗)이 왕위를 계승하였지만, 인종은 9개월 만에 병사한다. 이에 인종의 권력에 줄을 댄 세력은 실각하게 되는데, 이 세력은 명종을 중심으로 한 문정왕후 일파를 정적으로 삼아 탄압한 전력이 있었기 때문에 그 정치적 대가를 치르게 된다. 곧 나이 어린 명종의 수렴청정을 한 문정왕후는 정치적 보복을 시작하고, 2년 뒤 정미사화(丁未士禍)까지 정치 투쟁이 이어졌다.

'반정'은 폭군의 실정과 도덕성 상실을 문제 삼아 종묘사직의 재건이라는 당위성을 내걸고, 현 집권 세력을 추방하고 새로운 군주를 옹립하는 일종의 쿠데타를 뜻한다. 병인년(丙寅年, 1623)에는 광해군의 실정과 폐륜(廢倫)적 행위를 문제 삼아 폐위시키고 인조(仁祖)를 세운 인조반정(仁祖反正)이 있었다.

조선 초기 지배층의 최대 정란은 두 차례에 걸친 이방원의 형제 살인이다. 이른바 왕자의 난은 2번 발생한다. 제1차 왕자의 난은 이방원이 1398년(무인년) 8월 25일 사병을 동원하여 정도전과 남은(南誾, 1354~1398) 등 반대세력을 제거하고, 세자 방석(芳碩)과 그의 형 방번(芳蕃)을 살해하였다. 이후 정종(正宗)이 왕위를 계승한 뒤인 1400년 1월 방원과 방간(芳幹) 사이에 무력충돌이 일어났고, 이방원이 승리한다. 이것이 제2차 왕자의 난이다. 이후 1400년(정종 2) 11월 정종으로부터 왕위를 물려받아 태종이 권좌에 오른다. 현대적 관점에서 이러한 정난은 성공한 쿠데타에 불과하다. 그러나 태종의 왕권에 도전하는 반란은 6차례 지속되고 그때마다 극형으로 처단했다.[277]

조선 초기의 지배층은 정국의 불안을 명분론의 강화로 대처해 나갔다. 이는 왕권의 강화와 더불어 민중들의 저항을 극도로 억제하는 결과를 낳았다. 상대적으로 안정된 치세로 알려진 세종조는 실제 그 이면에 하층민(노비)의 저항이 분명히 드러난 시기이기도 했다.

1398년(태조 7)에는 방번 피살에 대한 복수로 방번의 종이었던 방두언이 난을 일으키고, 1418년(세종 원년)에는 이맹종이 국가변란을 기도했으며, 1426년(세종 8)에는 김철이 국가변란을 기도하고, 1427년(세종 9)에는 기을

비, 금음, 김도라, 대중이 등의 노비가 상전 타살(打殺) 기도를 했다. 1429년 (세종 11)에는 노비 삼언의 상전 타살 기도, 1431년(세종 13)에는 노비 부자(父子)가 상전을 타살했고, 1444년(세종 26)에는 조득수 외 노비 7명이 반란 음모를 꾸몄다.[278]

위와 같은 노비 반란에 대한 지배층의 반응은 단호했다.

> 형조에서 주인이 종을 죽인 것을 아뢴 일이 있으므로 해서, 임금이 그것을 금하는 법을 더욱 엄하게 하려 하니, 변계량이 아뢰기를, "정치를 하는 체통은 명분(名分)보다 더 큰 것이 없사온데, 주인과 종의 존비(尊卑)에도 거기에 또한 명분(名分)이 들어 있는 것입니다. 무릇 법을 세우는 데는 마땅히 윗사람을 높이고 아랫사람을 억눌러야 합니다."[279]

그러나 노비의 반란이나 하극상의 실제 원인은 자연재해에 따른 민생의 피폐를 구제하지 못하는 관리의 무능과 학정에 있었다. 더욱이 집권층은 양민(養民) 정책을 효과적으로 펴지 못하고 권력의 사유화에 몰두하고 있었다. 수양대군(세조)은 정난(1467년)을 일으켜 왕위를 찬탈했고, 이에 대한 반기는 이징옥(李澄玉, 미상~1453)의 난(1453)으로 이어지고, 단종 복위에 실패한 사육신(死六臣)의 변고(1456)를 만들게 된다. 이러한 지배층의 권력변동은 민생을 더 피폐하게 만들고, 민생의 동요는 유민(流民)을 낳고, 급기야 도적의 무리를 양산하게 된다.

15세기 전반에는 건국 초기의 농민안정 정책에도 불구하고 자연재해와 신분 차별, 사민(徙民)정책의 강행으로 도적의 활동이 촉발되었다. 도적의 유형으로는 불을 지르고 그 틈을 타 약탈을 하는 화적(火賊)이 대표적이다. 1426년(세종 8) 서울에서 일어난 큰 방화사건이 대표적이다. 함경도에서 흘러 들어온 유민들이 도성 보수공사로 인한 불만에 차 있던 일부 서울 지역 사람들과 결합해서 저지른 것이다.[280] 이 밖에도 해안 지역의 수적(水賊), 소나 말을 훔치는 우마적(牛馬賊), 공물을 노리는 산적(山賊) 등이 있었다.

여기에 특기할 것은 국가 정책에 반하여 형성된 도적 활동이다. 사민정책은 국토의 개발을 위한 것이었으나, 민중의 고통이 심해서 국가의 강제로부터 도망하는 경우가 빈번했다. 그러나 국가는 이들을 추쇄(推刷)하여 다시 사민처로 되돌리는 등 도망을 막았다.[281] 이에 1446년(세종 28)에 사민들은 평안도 대성산(大城山)에서 모여 봉기하였다. 이를 진압하기 위해 관군이 파견되자 흩어져 도적 활동을 하게 된다. 이들은 대성산을 중심으로 평안도, 황해도, 경기도에까지 활동 범위를 넓혔다. 봉기가 진압된 후에도 일부 무리들은 군도(群盜)를 이루어 약탈을 했다.[282]

2) 군도의 출현과 지배층의 인식

15세기 신분제를 개편하는 가운데 고려시대의 천민인 재인(才人)과, 화척(禾尺)의 후예로서 주로 유목업으로 생계를 유지하던 이들을 '신백정(新白丁)'으로 고쳐 부르고, 일반 양인과 다를 바 없다는 것을 재확인하였다.[283] 그러나 이들은 전통적인 사회적 차별과 과중한 공납 부담 등 경제적 여건이 안정되지 않았기 때문에 약탈로 생계를 이어갈 수밖에 없었다. 따라서 이들은 군도가 되기 쉬웠으며, 실제로 도적 활동의 의심을 가장 크게 받은 층이었다.

이러한 군도들의 움직임 가운데 기록에 남아 있는 비교적 큰 규모의 활동을 살펴보자.

처음에 무안(務安) 사람 장영기(張永己)라는 자가 무뢰(無賴)한 도당 1백여

인을 불러 모아, 경상도와 전라도에서 도둑질을 하니, 그의 의물(儀物)이 재상(宰相)과 비등하였다. 길 가는 사람을 만나면 즉석에서 죽이고 재물을 탈취하였으며, 일찍이 초옥(草屋) 20여 간을 지리산(智異山)에 지어, 낮에는 집에 모이게 하고 밤이면 모든 도적을 여러 곳으로 나누어 보내어, 불을 지르고 재물을 겁탈하였다. 이후로는 백주에도 거리낌 없이 활동하여 반항하는 자가 있으면 즉각 죽이니, 사람들이 그의 도당이 오는 것을 보면 집안 재물을 모두 주어서라도 죽음을 모면하기를 바랐다. 수령(守令)이 관군을 거느리고 여러 차례 그들과 싸웠으나, 번번이 불리하였으므로 여행하는 사람들이 길에서 끊어졌다. 장영기는 장건(壯健)하기가 보통 사람보다 뛰어났으며, 또 꾀가 많았다. 행동이 하도 재빨라 어디서 와서 어디로 가는지를 알 수가 없었으며, 대군(大軍)이 뒤를 쫓아도 또한 잡지 못하였다. 이로 말미암아 장영기는 더욱 날뛰어 감히 누가 어찌할 수가 없었다. 절도사(節度使) 허종(許琮)이 한 도의 병마(兵馬)를 전제(專制)하면서도 겁을 먹고 능히 제압하지 못하고, 장영기를 범과 같이 두려워하여 도둑으로 하여금 세력이 커져 경군(京軍)을 괴롭히기에 이른 것이다. 뒤에 장영기는 장흥 부사(長興府使) 김순신(金舜臣)에게 잡혔다.[284]

군도의 두목인 장영기는 지리산에 산채를 짓고 근거지로 삼아서, 양민을 죽이고 재물을 탈취하는 말 그대로의 도적으로 그려지고 있다. 그러나 이들이 군도를 이룬 이유는 치자에게도 인정되고 있는 것처럼 간명하다. 즉 "적도들이 도둑질의 이익을 보고 산과 들에 몰래 모이니, 우매한 백성이 혹은 기한(飢寒)으로 인하여 혹은 역(役)을 피하기 위하여, 서로 모여서 무리를 이루어 백성의 집을 분탕(焚蕩)하고 자녀(子女)를 노략질하며, 안 가는 곳 없이 설치고 다니면서 마침내 관군을 맞아서 대적하기에 이르렀다고 한다."[285]

조정은 자연재해와 이를 방비하지 못하는 국가, 여기에 역(役)과 같은 사회적 모순으로 인한 것이 군도를 기른 것이라 시인하고 있다. 그런데 이들이 도적으로 취급받은 이유는 양민을 대상으로 한 약탈 행위라기보다는 양반에 대한 도전이 더 큰 이유가 되었다. 조정에서 진압군을 파견한 까닭이 여기에 있었다.

> 신이 듣건대, 전라도 지방에서 도적들이 저희끼리 불러 모아 재물을 약탈한다고 합니다. 보성 군수(寶城郡守)가 내금위(內禁衛) 선상근(宣尙謹)을 포도감고(捕盜監考)로 삼았는데, 선상근이 도적을 쫓아다니다가 지붕이 달린 가마를 탄 자를 만났더니 진주 목사의 부인이라고 칭하나, 선상근 등이 그가 도적인 것을 알고서 체포하려고 하자, 도적들이 선상근 등 3인을 죽이고 머리를 잘라 가지고 갔다고 합니다. 또 함평현(咸平縣)에 사는 좌랑(佐郞) 송씨가 사위를 맞고자 하였는데, 결혼식을 올리기 며칠 전에 적도들이 쳐들어와서 여자를 잡아 갔다고 합니다. 요사이 도적의 무리들이 경상도의 진주·화개·살천 등지로 이둔(移屯)하였는데, 구례 현감이 뒤를 쫓았으나, 체포하지 못하였다고 합니다.[286]

군도가 공격한 것은 관원이었고, 그 내막은 검문을 피하기 위한 자기방어, 이유를 알 수 없는 부녀자 납치 등이었다. 이들은 한반도 남부의 최대 고원이 형성된 지리산 일대를 근거지로 하여 활동했음을 알 수 있다. 그들은 도적이지만 국가의 입장에서는 역도로 규정되고 있다. 곧 "강도들이 관군에게 맞선 것은 곧 반역과 같다(强盜等拒官兵, 卽同反逆)."[287]
이 역도들이 군도를 이룬 사정은 어렵지 않게 이해할 수 있으나, 그들이 세를 이루고 관군을 격파하면서 조직을 유지한 내적 규율, 즉 두목 장영기의 명령에 실린 사상적 내용은 알 길이 없다. 다만 관군을 대표하는 국가폭력 앞에 '황후장상의 씨가 어디 있냐'는 인간 본연의 생래적 자유와 권리에 대한 외침을 고려할 수 있을 뿐이다. 다소나마 저항의 힘이 있는 민중은 이렇게 항거하다 결국은 몰살당했다.

조정은 이러한 군도 행위의 책임이 스스로에게 있음에도 본질적인 처방을 내리지 못하고 역도로 규정하여 강력한 진압에만 치중하였다. 황해도 지역은 산적의 활동이 활발했는데, 특히 신백정의 도적 활동이 활발했던 곳이다. 도적 김일동(金一同)은 관군의 진압을 비웃고, 사로잡힌 동료와 가족을 구출하고 관가를 습격하였다. 그러나 결국 관군에 진압되어 도적뿐 아니라, 양민들까지 연루되어 처벌받게 된다.[288]

황해도뿐 아니라 이시애(李施愛, 미상~1467)의 난 이후 북도(北道, 함경도)는 민심이 흉흉하고 군도가 자주 출몰하는 지역이었다. 이 때문에 이 지역에 대한 정치적 편견은 여전했다. 유언비어가 난무했고, 이런 조짐에 조정은 경각심을 보이곤 했다. 민심의 이반을 걱정했기 때문이다.[289]

지배층은 도적의 활동이 단지 호구(糊口)를 위한 약탈만이 아니라, 신분적인 불만과 사회경제적인 문제가 더 본질적이라는 인식이 있었다. 그래서 도적으로 변하기 쉬운 천민들을 대상으로 한 정책을 논의했다.

대사간(大司諫) 이평(李枰)이 아뢰기를, "지금 도적이 일어나서 중외(中外)가 소요(騷擾)한데 모두 재인(才人)과 백정(白丁)의 무리입니다. 이 무리들은 본래 항산(恒産)이 없고 사역(使役)이 몹시 괴로우므로, 도둑이 되는 것은 진실로 그럴 만합니다. 그러니 국가에서 살길을 열어 준 뒤에야 도적을 막을 수 있습니다. 양민과 혼인하는 것을 허락한 것은 참으로 아름다운 법이나, 고을에서 다른 종류로 취급하여 이웃 사람으로 하여금 감시하게 하고 별패(別牌)를 만들어 부리면서 양민에 끼이지 못하게 하기 때문에 재인·백정이 산업(産業)을 일삼지 아니하고 모여서 도적이 되니, 그 폐단을 구제하기 어렵습니다. 신은 원하건대 재인·백정이라는 이름을 모두 없애고 일체의 부역을 모두 양민과 같게 하면 수십 년 후에는 모두 양민으로 변하여 도적을 막을 수 있을 것입니다."[290]

그러나 이러한 정책에도 불구하고 신백정의 도적 행위는 줄지 않았다. 더욱이 유민을 방지하기 위한 단속의 강화, 노비를 찾아내는 추쇄, 유민을 돕는 행위에 대한 연좌제적 형벌 실시 등과 같은 강력한 정책을 실시했으나, 본질적인 문제 해결은 요원했다. 이는 농민의 몰락이 자연재해와 이를 통제하지 못하는 국가의 무능, 토지 소유관계의 모순과 신분적 억압 등에 기인한다는 것을 알고도 해결하지 못하는 이념의 경직성 때문이었다.

민중의 저항을 추동한 사상은 민중 쪽에서 문자로 남긴 기록이 없기 때문에 온전히 파악하기 어렵지만, 그 반대로 왕과 사대부의 강력한 이념적 억압이 가리키는 반대 측면은 선명하게 존재하고 있다. 그것은 신분제의 공고화를 통해 민중을 영속적으로 지배하려는 야욕에 반발하는 민중의 생각이 어떤 식으로든 잠복해 있다는 것이다.

다음은 신분제의 강화를 주장하여 치국의 안녕을 도모하려는 전형적인 지배층의 인식을 보여주는 세조 시기 대사헌(大司憲) 양성지(梁誠之, 1415~1482)의 말이다.

대저 대가(大家) 세족(世族)이 다시 대가 세족이 되는 것은 그 노비를 소유하였기 때문입니다. … 근일에 함길도(咸吉道)의 여러 고을에 세신(世臣) 수십 가(家)가 다른 도(道)와 같이 있었다면, 길주(吉州)의 적(賊)이 어찌 경내(境內)

의 조신(朝臣)을 모두 죽였는데도 한 사람도 이를 위하여 근왕(勤王)하는 자가 능히 없었겠습니까? 이는 다름이 아니라, 노비가 없어서 세신이 없었기 때문입니다. 또 천례(賤隸)가 오랫동안 남에게 역사(役使) 당하여 항상 불령(不逞)의 마음을 가지고 있으므로, 만약 하루아침에 뜻을 얻으면 도리어 그 주인을 짓씹으려는 사람이 많으며, 또 평시에도 면천(免賤)하여 양인(良人)되기가 쉬워서 분수가 본래 정해지지 못하였으니, 위급한 때에 임하여 누가 즐겨 죽을 힘을 내어 그 주인을 구원하겠습니까? 이도 또한 염려하지 아니할 수 없는 것입니다. 빌건대 금후로는 공사 천구(公私賤口)로서 재예(才藝)를 이루어 시험에 입격(入格)하여 장용대(壯勇隊)에 속하는 자 이외에는 양인(良人)이 되는 길을 자주 열어 주지 말고, 노주(奴主)의 분수(分數)를 백세토록 바꾸어지지 않도록 하소서. 고려 때 김준(金俊)처럼 국명(國命)을 잡는 자가 없고, 고려 때 노복(奴僕)처럼 본주(本主)를 도모(圖謀)하는 일이 없을 것입니다.[291]

이러한 인식에는 민유방본에 대한 일고의 여지도 찾아볼 수 없다. 호민들이 주동하여 국가를 멸망시키는 것은 아닌가 하는 두려움에 가득 찬 지배층은 정치경제적인 측면뿐 아니라, 사상 또한 지배자 위주로 통제하려 들 것이 명약관화했다.

민중의 나라로 가는 길은 멀고, 민중의 사상은 아직 여물지 않았다. 그것은 고경(古經, 옛 경전들) 속에 갇혀 있었지만, 그 단서조차 사라진 것은 아니었다. 지배층의 권력에 지식이 예속되어 있는 상황에서 민중의 사상은 민간에 전승되어 온 기(氣)의 자연학, 불교사상 등에 잠재하고 있었다.

2. 조선중기(연산군~정조) : 민중사상의 착종과 변란(變亂)

조선의 중기는 격동의 시기였다. 조선은 이 시기에 왜(倭)에 의해서 멸망할 뻔했으나, 충신과 민중들의 생명을 희생으로 해서 연명할 수 있었다.

이 시기에 연이은 사화와 반정은 민중들의 입장에서 보자면, 권귀(權貴)들이 벌인 권력투쟁에 다름 아니었다. 치자들의 안정만이 민생의 평화를 보장하는 유일한 수단이었기 때문에, 지배층의 혼란은 민생의 파탄으로 직결될 수밖에 없었다. 민중이 주인인 나라가 아니었기 때문이다.

이때 등장한 대표적인 민중의 저항은 호민(豪民) 임꺽정(林巨正, ?~1562)을 통해서 살펴볼 수 있다. 이른바 '임꺽정의 난'은 당시까지 진행된 사회적 모순이 총집결되어 나타난 것이기 때문이다. 조선 초기부터 도적들은 늘 등장했다. 그들은 본래 농민이었으나, 가렴주구(苛斂誅求)의 현실로 인해서 땅을 빼앗기고 삶의 터전을 떠나 유랑민이 되고, 생존을 위해 거지가 되든지 도적이 되었다.

1) 극적(劇賊) : 홍길동과 임꺽정

허균의 『홍길동전』에 등장하는 주인공 홍길동과 같은 이름의 도적 홍길동이 서울에서 무리를 이끌고 활동하다가 관에 붙잡혔다.[292] 이와 같은 군도(群盜)들 가운데 '순돌이[順石]' 일당이 있었다. 순석을 중심으로 한 군도는 그 규모가 전국적이었다.

도둑 순석(順石) 등 39명을 용인현(龍仁縣)에 잡아 가두고 현령 성임(成霖)과 양지 현감(陽智縣監) 권겸(權珠)에게 함께 추문하라고 하였더니 사건의 진상이 환히 드러났는데, 그 무리들로 전라도 · 충청도 · 경기 및 서울에 흩어져 있

는 숫자가 거의 1백여 인이나 된다고 하였습니다.[293]

그런데 조정은 그 규모의 크기가 심상치 않아서 더 크게 확산되지나 않을까 긴장하며 두려워하고 있었다.

이 도둑들이 만약 무리를 이룬다면 앞으로 금지할 수 없게 된다. 그리고 중종조의 일로 비추어 보면 도둑의 형세가 극성하여 확장될 경우 군사를 출동시킬 마음을 품은 적도 있었다. … 서울의 도둑을 먼저 체포하고, 경기 등 각 지방의 도둑은 차차 잡아오게 해야 된다. 그러나 만약 비밀히 하지 않고 시끄럽게 떠들어대면 도둑들이 도망해 숨는 폐단이 있을 것이니, 모름지기 비밀리에 조처하여야 한다.[294]

이들 군도들의 활동은 중종 시기에 전국적으로 발견된다. 홍길동과 순석 같은 크고 작은 군도들이 활동한 지 60여 년이 지나자, 임꺽정의 본거지인 황해도와 강원도 일대는 군도들이 활발하게 활동하였다. 관은 이들 도적의 무리가 세력을 확장하는 데 속수무책이었다.

지금 황해 감사의 계본을 보니 사나운 무리들이 백주에 횡행하면서 관군에 대항하여 인마를 사살한다 하니 매우 놀라운 일입니다. … 지금은 적당들이 치성해서 서흥(瑞興)·우봉(牛峯)·토산(兔山)·신계(新溪)·이천(伊川)이 더욱 심하여 이 여러 고을의 백성들은 도적에게 노략질을 당하여 흩어져 떠도는 자들이 매우 많습니다. … 경관(京官)이 내려가더라도 체포하기가 어려울 것 같습니다. 또 수령들이 모두 서생(書生)이라서 끝내 계책을 세워 포획할 수가 없다고 합니다.[295]

바야흐로 '도적의 괴수' 임꺽정이 활약할 시기가 도래하고 있었다. 그런데 이처럼 전국에 도적이 치성하게 된 이유를 지배층은 분명하게 인식하고 있었다. 그러나 이는 구조적인 문제였기 때문에 해결을 하기 어려웠다. 구조적인 문제란 양민(養民)을 표방하는 유교국가의 지배체제가 권력의 지나친 사유화로 인해 제대로 작동하지 못한다는 것에서 연유한다.

지배층의 과도한 권력 사유화는 이미 국가의 주체로부터 소외시킨 민중을 지배층에게 필요한 재화(財貨)를 생산하는 마소처럼 여기면서 수탈과 억압을 강요하는 체제를 지속시켰다. 그런데 지배층은 어리석게도 재화의 생산자인 민중의 삶을 피폐하게 하여 생산 동력을 허약하게 만드는 길로 나아가고 있었다. 국가와 지배층의 재화의 풍요는 민생의 풍요로부터 시작되는데, 지배층의 사유화에 따른 과도한 착취가 민생을 도탄에 빠지게 만들자, 민중들은 더 이상의 풍요로운 생산을 해 낼 수 없게 되고, 이를 빌미로 해서 지배층은 착취의 강도를 강화하는 악순환의 구조에 빠지게 되었다. 이는 왕과 사대부 국체가 과도한 사유화로 나갈 때 생기는 필연적이고 구조적인 상황이었다.

사신은 논한다. 국가에 선정(善政)이 없고 교화가 밝혀지지 않아 재상들의 횡포와 수령들의 포학이 백성들의 살과 뼈를 깎고 기름과 피를 말려 손발을 둘 곳이 없고 호소할 곳도 없으며 기한(飢寒)이 절박하여 하루도 살기가 어려워 잠시라도 연명하려고 도적이 되었다면, 도적이 된 원인은 정치를 잘못하였기 때문이요 그들의 죄가 아니다. … 황해도의 도적이 비록 방자하다고 하지만 그들의 무리는 8~9명에 지나지 않으며, 모이면 도적이고 흩어지면 백성이다. … 흉년과 세금으로 백성들이 지쳐 스스로 무너지려고 하는 형편인데, 또 군대를 일으켜 변방에 오래 머무르게 하여 재물을 많이 허비해서 공사

(公私)의 재정이 모두 고갈되게 하고 거기다가 주장(主將)의 횡포와 군졸(軍卒)의 침탈을 더한다면, 백성이 어떻게 살겠는가. 이는 네 도의 백성을 모두 도적으로 만드는 것이다. 임꺽정을 비록 잡더라도 종기가 안에서 곪아 혼란이 생길 것인데, 더구나 임꺽정을 꼭 잡는다고 단정할 수도 있지 않은가. … 나랏일이 날마다 그르게 되어 가는데도 구원하는 자가 없으니, 탄식하며 눈물을 흘릴 뿐이다.[296]

유가의 도를 배운 사관(史官)의 탄식과 절규가 생생하다. 도적은 본래 남의 재화를 무력으로 탈취하고, 이 과정에서 살인도 서슴지 않는 반인륜적이며 반사회적인 존재이다. 그러나 '모이면 도적이고 흩어지면 백성'이라고 했을 때, 이는 통상의 도적 범주를 벗어난다. 비록 남의 재화를 탈취하나, 그 행위는 국가사회의 구조적 문제에서 비롯된 것이다. 그래서 백성 각각에게 죄를 물을 수 없다. '백성의 죄가 아니'기 때문이다. 그런데 설상가상으로 도적을 무조건 잡아들이는 방식으로 민생을 안정시키려고 하는 국가의 대책 그 자체가 선량한 백성을 도적으로 만드는 행위이며, 사태의 본질을 외면한 피상적인 미봉책에 불과한 것이다. 더욱이 이러한 미봉책 외에는 대안이 없는 속수무책의 상황이라는 것이 바로 위기의 또 다른 본질이었다.

사관의 춘추필법(春秋筆法)은 준엄하다. "조선에는 참다운 정치가 없다." 유가의 이념은 사라지고 없으니, "백성의 교화는 방향을 상실했다." 군왕을 보필하는 재상들은 사적 이해에 탐닉하고 있다. 여기에 민생을 담당하는 관리들은 '살갗을 벗겨내고 뼈를 바르며,' '피를 말리고 기름을 짜'듯이 백성을 학대하고 있다. 이러한 묘사에 상응하는 곳은 인간의 세상이 아니라 지옥도이다. 결국 이는 왕정(王政)의 실종에서 기인한 것이었다.

사관은 당대의 정치를 총제적인 실패로 규정한다. 이러한 필법이야 말로 오히려 왕조의 기틀을 부정하는 불온한 것이다. 그러나 이를 처벌하거나 반박할 수 없는 것은 사실을 말하고 있기 때문이다. 호민 임꺽정은 이 사태가 만인의 공론이 된 시대에 태어났다. 그는 도살(屠殺)을 업으로 하는 백정(白丁) 출신이었다.[297]

황해도 지역은 역사적으로 도축(屠畜)과 식육(食肉)의 관습이 형성된 곳이다. 이는 과거 몽고군이 1세기에 걸쳐 주둔하면서 생겨난 습속인데, 황해도 사람들도 몽고의 전통을 따라 우육(牛肉)을 상식하면서 성행하게 되었다. 이 때문에 도살을 생업으로 하는 백정이 나타나게 된 것이다. 황해도 봉산(鳳山)은 도살업의 발생지였기 때문에 군도들이 이를 근거지로 한 것은 우연이 아니었다.

임꺽정 무리에는 두령(頭領)인 임꺽정 외에 책사로 서림(徐林)이라는 자가 있었다. 그는 무리의 활동을 원활하게 하는 지략을 내는 자이기 때문에 지식인이었을 것으로 보이나, 그 정체는 알려진 바가 없다. 군도에 참여한 이들은 대부분 백정이지만, 여기에 하층민(상인, 장인, 노비)이 가세하고 있다. 백정은 고려시대 천민의 후예들로서, 일반 백성들과 차별적인 독특한 집단 생활과 나름의 문화를 가지고 있었다. 그래서 민생의 고통이 극한으로 치달을 때 무리를 지어 군도로 변하기 쉬운 조건을 가지고 있었다.

임꺽정의 무리에 속한 이들은 백정과 몰락 농민들이 대부분이었으나, 상인과 대장장이와 같은 수공업자, 임꺽정과 내통하는 아전들과 교통로를 장악한 역리(驛吏), 군대를 일탈한 병사들도 가세하였다. 이들은 군도를 이루어 교통의 요충지였던 봉산을 중심으로 황해도 인근의 주요 지역, 경기도 북부, 평안도와 강원도 지역에까지 영향력을 미치고 있었다.

이들은 약탈, 살인, 방화를 일삼았기 때문에 명화적(明火賊)이라고 할 수 있다. 그러나 임꺽정을 두령으로 한 도적 무리의 활동은 단순한 도적떼로 보기에는 어려움이 있다. 이는 임꺽정으로 인해 주로 피해를 본 대상이 일반 백성이 아니라, 국가였기 때문이다. 그러나 이 국가는 이미 사유화가 진행되어 공적 기물로 볼 수 없는 특수집단의 이익 기구라는 성격을 전제하고 있다.

권귀들이 국가를 사유화하고, 권력을 독점하여 민중과 관련이 없는 사적 이해를 위해 정적을 모략과 무력으로 굴복시키는 정난이나 반정과 달리, 군도들은 절체절명의 상태에서 생존을 위협하는 주범인 국가에 대해 무력으로 저항하는 길을 선택했다. "나라가 이들을 도적으로 만들었다." 그래서 권귀의 이익과 권위를 수호하는 '사병'에 불과한 관리들은 모두 살해될 수밖에 없다. 그리고 권력을 사유화한 권귀의 이익을 지키기 위해서 출동한 군사들과 대적했다. 말하자면 이들은 국가를 상대로 무장항쟁을 한 것이다. 치자의 입장에서는 역도(逆徒)이지만, 공(公)을 상실한 치자에 대한 저항은 공(公)의 회복을 요구한 것이기 때문에 우리는 이들을 의적(義賊)으로 분류한다.

명종 14년(1559)부터 3년간 진행된 임꺽정의 난은 황해도, 경기도, 강원도, 평안도 등을 무대로 하여 관군을 농락하면서 오히려 민심을 획득하자 국가의 권위는 여지없이 추락했다. 이어지는 임꺽정의 활약, 군도를 잡아서 공을 세우려는 관리들의 추악한 행태 등이 속출하다가, 국가의 대대적인 토벌에 의해서 황해도 서홍(瑞興)에서 임꺽정이 체포됨으로써 난이 진압된다. 토포사(討捕使)들은 임꺽정을 토벌한 뒤에도 이미 도망친 임꺽정의 식구들을 끝까지 쫓아가서 체포하여 서너 살 먹은 아이들까지 모조리 죽였다.[298]

우리는 임꺽정을 국가에 대항하게 만든 생각의 내용이 무엇인지 알 수 없다. 전하는 기록은 임꺽정이 "민가를 불사르고 소와 말을 닥치는 대로 약탈했으며, 반항하는 자들은 살을 도려내고 사지를 찢어 죽이는"[299] 잔인한 도적이라고 묘사하고 있다. 그러나 다음과 같은 기록은 그가 국왕의 권력을 부정하고 왕조 전복을 목적으로 한 혁명적 인물이 아니라는 인상을 보여준다.

> 개성에서 종실(宗室)의 단천(端川) 군수 이주경(李周卿)을 붙잡았으나 금지옥엽의 몸임을 인정하고 평소 피리로 유명한 그에게 피리 연주를 청하기까지 했다. 임꺽정은 종실의 사람이 여기에 머물 수가 없다고 하고 차고 있던 칼을 주면서, 길 막는 사람이 있으면 보이라고 했다. 다음날 장단(長湍)에 오니 말 탄 자들이 잡으려 하기에 그 칼을 보였더니 말다툼을 한 뒤에 흩어졌다.[300]

임꺽정의 무리들은 조정의 중심부를 강타할 정도로 기세가 커져 갔으나, 견훤이나 궁예처럼 왕권 교체나 국가 전복을 적극적으로 지향한 것은 아니다. 그들이 주력한 것은 복수였다. 그들의 목표는 탐학(貪虐)한 관리들과 그들에게 부역한 자들을 처단하고, 생존을 위해 배를 채우고 비를 피할 곳을 찾아 가족과 함께 사는 것이었다. 그러나 이미 그러한 자치공동체는 불변의 신분제 토대 위에서 창건된 국가의 입장에서는 세탁해야 할 오점에 불과했다. 그래서 국가는 잔인하게 천한 자들의 저항을 부수고 그 흔적을 지웠다. 하지만 임꺽정의 난에서 확인할 수 있는 사상은 이러한 복수에 담겨 있는 함의이다.

그들의 복수 행위는 초보적인 수준이나마 혁명적 항거를 했고, 제한적인 의미에서 왕조의 타파를 의식한 것으로 해석된다. 그리고 중앙정부의 군대와도 대적할 힘을 갖추고, 무엇보다도 민중을 동원할 수 있는 '공적' 정당성을 가지고 있었다.[301] 중과부적(衆寡不敵)이 패배의 원인이라면 인적·물적 자원이 구비되었을 때, 이들은 구조적인 차원으로까지 변혁을 시도할 수 있었을 것이다.

이러한 해석은 뒤이은 정여립의 난의 사례에서 더욱 설득력을 얻는다. 왜냐하면 선조 시기 정치적 반항의 주체들은 일조일석(一朝一夕)에 나타난 것이 아니라, 저항의 역사적 연속성을 가지고 있기 때문이다. 말하자면, 정여립(지함두, 길삼봉, 길삼산)의 난은 명종 시기에 진행된 사회사적 변화와 16세기 조선사회가 당면한 각종 위기, 특히 민생의 경제적 난제 해결에 대한 민중의 강력한 요구를 배경으로 하고 있기 때문이다. 즉 정여립의 난은 "반항 주체의 지도자상으로나 추종 세력들의 사회적 구성 면에서, 더욱이 반란 발원지의 선정에서 모두 임꺽정의 그것을 모형으로 삼고 있었다."[302]

정여립의 난을 알아챈 이는 황해 감사이며, 모반의 조짐은 황해도 안악(安岳)과 재령(載寧) 땅에서 감지되었다. 공모자는 황해도의 이기와 이광수, 안악의 수군 황언륜과 방의신 등이다. 여기에 모반 공모 세력은 황해도에서 전라도 전주에까지 분포해 있었다. 정여립은 낙향하여 전주에 거처했었고, 거사가 수포로 돌아가자 진안의 죽도로 은신했다가 관군이 닥치자 그곳에서 자결한 것으로 공식 기록되어 있다.[303]

이러한 일련의 과정에서 형성된 무식한 백정의 사상을 유식한 유자의 단편 속에서 발견하게 된다. 그것은 대동사상이다. 정여립의 이름으로 남겨진 말들을 통해서, 비록 문자로 표출되지 않았지만 임꺽정과 같은 호민들의 역심(逆心)을 공감해서 읽어낼 수가 있다.

> 황해도민에게 전해졌던 정여립의 모반의 목적이란 공사천민제도(公私賤民制度)나 서얼차대제도(庶孽差待制度)로 말미암아 받아 왔던 신분(身分)상의 차별대우에서 구제하고 수륙천민(水陸賤民)에게 부과되어 왔던 참혹한 신역(身役)을 모면(謀免)하는 것으로 알려졌다. … 따라서 수백 명을 헤아렸다는 황

해도의 동조자(同調者)층은 천민(賤民)층으로 구성되었다. … 황해도의 천민층이 지향했던 모반(謀反) 목적은 천민층의 경제적 구제에 있음을 말하고 있다. 선조가 정여립의 모반사건을 보는 시각은 현상적인 측면에 따른 것이었다. 모주(謀主)인 정여립이 유림(儒林)층과 관원(官員)층에 속하는 신분을 지녔기 때문에 유림 및 관원의 모반으로 보았던 것이다. 그러나 동조자 층이 지니고 있었던 주체적 조건에서 본다면 천민층의 모반사건으로 볼 수밖에 없다. … 모반의 동조자 층을 집결함에 있어 정여립이 적용하였던 조직방식은 노부(老父)의 지위를 이용하는 것이 아니었다. 오히려 천민층을 중핵으로 하는 군사조직의 결성이었다. … 정여립의 모반에 길삼봉이 차지하는 비중은 2인자 격으로 매우 높은 것이었다. … 그런데 정여립은 사노의 신분을 지닌 길삼봉과 동격인 주도자의 지위를 차지하고 있다[304]

정여립은 임꺽정의 사상을 구현한 민중지식인의 위치에 있다. 위의 기록이 모두 믿을 수 없다고 해도, 정여립의 난은 축적된 사회적 의식이 겉으로 드러난 것이다. 천민 즉 민중의 구성 가운데 가장 하위에 속하는 집단이 신분의 차별, 적서의 차별, 부세와 부역의 착취와 억압 등과 같은 소강의 말류 사회제도에서 벗어나서 도달하고자 한 세상이 무엇인가? 그것은 대동의 세상이다.

대동사상은 정여립에 의해서 표면으로 드러난 것이며, 그 이면의 도도한 흐름은 때로는 도적이라는 약탈자의 모습에서, 군도의 집단 저항의 내면에서 지속되고 있었던 것이다. 글을 남기지 못했던 민중의 염원은 정여립의 이름으로 전해지는 글을 통해 드러났다. 그런데 그 내용은 공자가 제시했던 대동사상이었다. 이는 기원전부터 이미 인류가 도달하고자 했던 자연스러운 이상이자 인간의 보편적 염원이었다. 현실은 이러한 자연스럽고 보편적인 염원과 생각을 전혀 실현하지 못한 채로 지속되고 있었다. 하지만 대동세상을 지향하는 민중의 염원은 한시도 중단된 적이 없었다. 이러한 염원은 왜국(倭國)과의 처참한 전쟁 속에서 민란을 통해 계속 등장한다.

2) 임진왜란과 민란

1592년 임진년(壬辰年) 4월 13일에 왜란이 시작된 지 보름만에 국왕은 도읍을 버리고 줄행랑을 친다. 분노한 민중은 궁궐을 불태웠다.

> 임진년 4월 30일, 돈의문(敦義門)을 나와 사현(沙峴)에 이르자 동이 텄다. 뒤돌아 성을 바라보니 검은 연기가 하늘로 뭉게뭉게 피어오르고 있었다. 난민(亂民)들은 먼저 공사 노비의 문서와 장부가 있는 장예원(掌隸院)과 형조(刑曹)를 불태우고 또 내탕고(內帑庫) 안까지 뛰어 들어가서는 비단을 약탈하고 경복궁(景福宮), 창덕궁(昌德宮), 창경궁(昌慶宮)을 하나도 빠짐없이 불태워 버렸다. 역대의 보완(寶玩), 문무루(文武樓)와 문관에서 소장하고 있던 서적, 춘추관에 있던 선왕조의 실록, 그 밖의 창고에 쌓여 있던 선대의 사초와 승정원일기 등이 모두 잿더미가 되어 버렸다. 또 왕자 임해군(臨海君)의 집을 불태우고 병조판서 홍여순(洪汝諄)의 집까지 불태웠다.[305]

국가의 통치 구심점이 사라지자 민중이 한 일은 치자의 무책임에 대한 분노와 더불어 매우 정치적인 행위를 동반한 소요, 즉 난을 일으키는 것이었다. 이들은 가장 먼저 노비와 관련된 문서가 저장되어 있는 장예원(掌隸院)과 형법(刑法)을 집행하는 형조(刑曹)를 불태웠다. 방화의 주체가 천민으로 추정되는 소요사태였다. 궁궐의 주요 장소를 방화한 것은 그 자체로 조선의 망국을 상징한다.

왕실의 재물을 보관하던 어고(御庫)인 내탕고(內帑庫)를 약탈한 것은 임자 없는 재물을 차지하려는 인심의 발로였다. 특이한 것은 왕실의 임해군(臨海君)과 관리인 홍여순(洪汝諄)의 집을 방화한 것이다. 이들이 민중들의 분노의 대상이 되었을 것이라는 점은 어렵지 않게 추정할 수 있다. 『선조수정실록』의 설명에 따르면, 임해군은 '평상시 많은 재물을 모았다고 소문이 났'었다. 또한 병조판서 홍여순은 권세를 믿고 백성을 착취한 일이 있었고, 형장(刑杖)을 남용하여 백성들의 목숨을 생각하지 않아 사람들이 그를 시호(豺虎, 승냥이와 범)로 보고 있다는 사간원의 보고도 있었다.[306] 말하자면 이들은 민중의 적이며, 왜란을 부른 장본인들이라고 생각한 것이다.

치자들의 권위는 여지없이 추락했다. 무엇보다 중요한 것은 나라의 주인을 자처하던 이들이 제일 먼저 나라를 버린 사실이었다. 나라의 주인은 왕과 사대부로 정해져 있었기 때문에 엄밀하게 민중(백성)은 나라의 주인이 아니다. 그러나 민중은 비록 명분이 그렇다고 해도 이씨 왕조의 종묘사직이 아닌 산하(山河)를 생각하면서 백성 스스로가 주인이라고 생각하며 목숨을 걸고 산하를 지켰다. 그러나 한편 주인이 아니므로 민중들은 목숨을 걸고 나라를 지키는 활동 이외로 다른 길을 선택하기도 했다.

첫 번째는 주인이 없는 집의 곳간을 터는 도적이 되는 토적(土賊)의 길이었고, 두 번째는 주인이 없기 때문에 주인의 자리를 차지하는 반란(反亂)의 길이었으며, 세 번째는 강자인 왜놈에 붙어서 목숨을 이어가는 부역(附逆)의 길을 가는 것이었다. 그리고 이러한 길은 나라의 주인이 제 자리를 지키지 못할 때 생기는 민중들의 흔한 생존 방식이었다.

'도적의 길'은 오직 약탈에만 골몰하는 것으로 이를 의적(義賊)과 구분해서 토적의 길로 본다. 비록 유민의 처지에서 생겨난 것이지만, 토적들은 크고 작은 무리를 지어 난리를 틈타 재물을 모으며 같은 처지의 민중들을 약탈하여 사적인 이익을 구했다. 경기도 인근과 지리산 인근의 토적들이 세가 컸는데, 이들로 인해서 외부의 적을 격퇴하는 데 동원되어야 할 국력이 내부의 적을 진압하는 데 소모되었다.[307]

지리산의 도적들은 신상을 알기 어려운데, 몰락농민이나 도망노비, 군역을 피해 도망해서 승려가 된 자들이 대부분이었다. 이들은 민중의 아래층에 속하는 집단이나, 이들을 민중사상의 전개 속에 포함하지 않을 것이다. 이들은 단지 도적이다. 비록 생존의 극한에서 선택한 방식이며, 이를 큰 의미에서 보자면 민중의 저항 방식이라고 할 수 있지만, 같은 처지의 민중을 약탈했기 때문에 공(公)의 자격을 가질 수 없고, 따라서 민중의 대동사상에 포함시킬 수 없다.

'반란의 길'은 무주공산(無主空山)이 된 지존의 자리를 차지하려는 역심(逆心)을 가진 자들이 택한 길이다. 이 길은 단순히 왕좌를 차지하려는 의도와, 새로운 세상을 만들고자 하는 의도가 혼재되어 있다. 이러한 길은 외부의 적으로 인해서 나라가 풍전등화의 위기 속에 있는 상황에서 나라를 구하려는 방향으로 나아가지지 않고, 내부의 정권 쟁취로 귀착된다는 점에서 그 의도의 순수성을 살펴야할 것이다.

세 번째 '부역의 길'은 배반의 길이라고 부를 수 있을 것이다. 이들은 주인이 바뀌었을 뿐, 그 주인이 외세라고 해도 순순하게 주인을 섬기는 길을 따르는 자들이다. 명예나 자존감 같은 고상한 인간의 가치와 다른 오직 생존을 위해서 수치와 모멸을 달게 여기는 자들이다. 이는 미천한 민중 부문만이 아닌 지배층에서도 볼 수 있는, 인간세의 추한 이면을 반영한 것이다. 더욱이 지배층에 있던 사대부의 부역 행위는 더욱더 추한 것이었다. 당시 국가에서도 사대부들의 부역은 전란 후에도 연좌제를 적용해서 엄하게 다스렸다.[308] 그런데 상당수의 부역 행위는 노비층에서 이루어졌다. 말단 관리의 부역과 달리 노비의 부역은 기존 체제에 대한 불만에서 연유하는 경우가 많았다.

우리의 관심은 반란의 길이다. 왜란 중에도 반란이 여럿 있었고, 대동계(大同契)와 관련되어 있는 듯한 황해도 지역의 반란, 호서 중심의 이른바 송유진(宋儒眞)의 난과 이몽학(李夢鶴)의 난 등이 대표적인 사례다. 전자들은 거사에 성공하지 못했고, 후자는 성공했으나 힘에 부쳤다. 이러한 난에서 민중 사상의 요소를 찾아보자.

(1) 황해도 변란

임진왜란 전 1589년 기축옥사(己丑獄事), 즉 정여립의 난에서 피해를 입었던 자들은 여전히 불만에 차 있었다. 이런 상황에서, 왜란을 당해 국가의 통치력이 약해진 틈을 타서 거사를 일으키려던 계획이 발각된다. 이 사건에는 황해도 지역의 수백 명이 연루되었다. 사건의 전모가 분명하게 밝혀지지 않았으나, 민심을 고려해서 신속히 수습되었다.[309]

기축옥사가 일어나기 전 정여립은 황해도 지역의 인재를 얻었는데 그중에 안악 사람 변숭복(邊崇福)과 박연령(朴延齡), 해주 사람 지함두(池涵斗)가 있었다. 변숭복은 정여립의 거사가 발각되자 황해도에서 전라북도까지 3일 만에 달려갔을 정도로 대동계에 충성스러운 자였지만, 정여립의 난에 연루되어 죽었다. 이 변숭복의 동생이 변하복(邊遐福)이다. 임진왜란 직후 이 변하복이 역모를 꾸미다 사전에 발각된 사건이 있었다.

> 추국청(推鞫廳)이 아뢰기를, "임진년 왜변 이후 변하복이 김응천과 공모하였다. 변사(邊泗, 변숭복)가 죽지 않고 왜적의 진중에 들어가 좌위장(左衛將)이 되어 임진(臨津) 싸움에 왔을 때 변하복이 찾아갔더니, 변사가 '우리나라 사람

들이 왜적을 끌어들여 나라를 배반하였다. 김옥겸이 본도의 도순찰사(都巡察使)로 임명될 것이다'라고 한 것을 득정이 낱낱이 다 들었다. 금년 정월에는 변하복이 경상도를 갔다 왔는데, 변사가 좌위장으로서 정팔용과 우두머리로서 모의를 하고 있다는 말이 항간에 공공연히 나돌았다'고 하였습니다.[310]

그런데 이 내용은 진위가 의심스럽다. 변숭복은 이미 죽었고, 정팔용(鄭八龍)은 정여립의 꾸며진 이름이기 때문이다. 또한 왜란의 원인을 왜국이 일으킨 침략에서 기인한 것이 아니라, 정여립의 일당이 왜국과 결탁하여 일으킨 것으로 보고 있다. 이를 구체적으로 말하자면, 정여립과 황해도에 연고를 둔 변하복이 난리를 틈타 왕조를 갈고 궁극적으로 난리를 평정한다는 것이다. 이것은 아마도 역모를 정당화하기 위해 왕조에서 조작한 말이 아니라면, 오직 국가의 전복만을 목표로 하는 일종의 불온한 참언(讖言)이다. 이러한 참언을 통해서 황해도 지역에서 반란을 꾀한 것이라 볼 수 있을 것이다.

백정이나 무뢰무사(無賴武士) 신분인 변하복이 주동이 되어서 미수에 그친 이 반란을 통해서 민중 사상의 어떤 단서를 발견할 수 있을까? 정여립은 공식적인 기록에서 제외되고 함부로 입에 올릴 수 없는 금단의 인물이었으나, 민중의 역사에서는 이미 지울 수 없는 인물로 자리 잡고 있었다는 것을 볼 수 있다. 이는 정여립이 대동을 상징하는 인물이기 때문이다. 대동의 세상을 만들었다면 왜의 침입도 없었을 것이고, 민중들도 전란의 소용돌이에 빠져 죽지 않았을 것이라는 믿음이 이러한 참언에 드러난 것이라 볼 수 있을 것이다. 대동을 향한 민중의 거사는 문자화된 역사의 수면 아래를 중단 없이 흐르고 있었던 것이다.

(2) 송유진의 난

송유진의 난으로 알려진 호서(湖西)의 아산과 평택을 중심으로 1593년
~1594년 사이에 모의된 반란이었으나 미수에 그쳤다. 난의 근거가 된 지역
은 경기와 전라를 잇는 길목에 위치한 교통로이고, 인근에 아산만이 있어서
해상교통의 요충지이기도 하였다. 그리고 더욱 중요한 것은 당시 왜군의 침
입을 받지 않은 지역이라는 점이다. 그래서 피난민들이 모여들었고, 조선군
의 병참기지 역할을 했다. 이 때문에 징발과 군사 모집으로 인한 수탈이 엄
혹해져서 반란의 압력이 높아지고 있었다.[311] 이러한 상황은 왜 민중이 송유
진의 난에 호응했나를 잘 알려주는 표시였다.

기록에 따르면 송유진은 본래 한양에 살던 서출 출신의 무뢰배였는데, 난
리를 피해 천안으로 내려와 친구인 공근(洪瑾)을 만난다. 이들과 어울리면서
이미 계획되고 있었던 거사에 동참하게 되는데, 이 과정에서 한때 참여를 거
부하고 다시 복귀하는 갈등을 일으키기도 했다. 송유진의 거사 계획에는 천
안에 근거를 둔 홍씨(洪氏) 가문과 송씨(宋氏) 가문이 크게 관여하고 있었다.
이들 가문이 힘을 합해서 무기와 군사를 모아서 한양에 진격하여 새로운 왕
을 옹립하는 대담한 계획을 세웠다. 수천 명의 호응이 있었고, 군량과 무기
도 수급하고 있었다. 그런데 결과적으로 반란에 큰 역할을 했던 홍씨 가문
이 거사의 전모를 고변하는 배신행위를 했다. 덕분에 홍씨 집안은 건재하게
되었으나, 반란의 괴수인 송유진과 그 세력은 죽고, 천안의 송씨 가문은 일
족이 멸하였다.

이 송유진의 난은 왜란을 틈타 국가 통치력의 공백이 생긴 틈을 타서, 향
촌사회에서 반란을 도모해 권력을 획득하려했던 변란 기도라고 할 수 있다.
야욕을 가진 가문들은 송유진의 지도력과 민중들의 호응을 내세워 세력을
키웠으나, 내부 불화로 인해 민란 기도가 와해된 것이다. 이러한 송유진의

난에서 민중사상의 요소를 찾아보자.

기록에 따르면 송유진이 이끄는 반란군들은 작은 종이에 고유문(諭告書)을 만들어 백성들에게 두루 보였다. 그 내용은 "백성들이 고통을 견디기 어려운 처지이므로 우리가 그대들을 위해서 나왔다."라는 것이다.[312] 또한 조경남(趙慶男, 1570~1641)의 『난중잡록(亂中雜錄)』1594년 1월 2일자 기록에 따르면 송유진이 반란을 일으켜 밀서(密書)를 전주에 보냈는데, 그 글에는 "임금의 죄악은 고쳐지지 않고 조정의 당쟁은 풀리지 않았다. 부역이 번거롭고 무거워 민생이 불안하다."는 내용이 포함되어 있었다.[313] 이러한 기록들은 조정에서 이반된 민심을 자기 쪽으로 규합하려는 반란군의 시도들이다.

그런데 송유진은 새로운 왕을 옹립할 계획을 세웠다. 『난중잡록』에서 송유진이 새로운 왕으로 추대할 분조(分朝, 광해군이 이끄는 임시 조정)에게 보냈다는 분실된 서신에서 남겨진 한 대목이 단서가 된다.

> 목야(牧野)에서 매처럼 드날리니 비록 이제(夷齊)에게 부끄러움은 있으나 백성을 불쌍히 여기고 죄인에 벌주니 실로 탕무(湯武)에 빛이 되리로다(鷹揚牧野, 雖有愧於夷齊, 弔民罰罪, 實有光於湯武云云).

'매처럼 드날리다'는 응양(鷹揚)은 『시경(詩經)』「대아(大雅)」편의 〈대명(大明)〉 부분에 나오는 말이다. 이는 무왕(武王)을 보필하여 은(殷)의 주왕(紂王)을 방벌하는 태공망(太公望)의 용맹을 비유한 것이다. 그리고 목야(牧野)는 은나라를 멸망시킨 결정적인 전쟁이 일어난 장소이다.

'이제'는 백이(伯夷)와 숙제(叔齊)를 가리키는데, 신하였던 무왕이 학정을 편 주왕을 방벌하러 갈 때, 백이와 숙제는 신하가 천자를 죽일 수 없다는 강상(綱常)을 들어서 말렸으나, 무왕은 천명을 따르고 백이와 숙제의 간언을 듣지 않았다. 그리고 '탕무'란 성탕혁명(成湯革命)을 말한다. 즉 탕(湯)은 하(夏)나라의 걸왕(桀王)을 방벌하고 은나라를 만든 역성혁명의 장본인이고, 무왕은 그 은의 주왕을 방벌하여 주를 개창한 역성혁명의 장본인이다.

이 시를 보면 송유진은 명분으로는 지금의 선조를 대신하여 분조의 광해군을 옹립한다고 했지만, 속마음은 선조를 걸(桀)이나 주(紂) 같은 혼군(昏君)으로 규정하고, 조선 왕조 또한 운이 다했으니 이를 방벌하여 새로운 왕조를 개창하겠다는 의지를 보여준 것이다. 송유진의 역심은 역성혁명에 있었다. 이런 의미에서 그는 서얼이었으나 호민에 속한다. 천안의 토착양반 세력과 별개로 민중의 호응을 얻어서 혁명을 꿈꾼 자였다.

그의 사상 속에서 대동의 세상을 기획했는가는 알 수 없으나, 적어도 민중과 친화를 이루는 왕조를 개창하려는 의도는 충분했다. 그에게 호응한 민중들은 전란에도 지속되는 착취와 억압으로 고통 받고 있었기 때문에 대동의 여망은 불문가지(不問可知)였다. 대동은 무식자일수록 소원하는 세상이었기 때문이다. 그러나 이 사건은 또 한 명의 호민과 그에 호응한 수많은 원민이 죽는 것으로 마무리되었다.

(3) 이몽학의 난

왜군이 조선을 침략하자 각 지방에서 의병이 일어났다. 그런데 왜란이 장기화되자 의병의 존재는 여러 폐단이 일어나는 진원지가 되기 시작했다. 관군의 모병과 충돌한다든지, 군량의 부족으로 의병 활동을 지속하지 못하고 해산하는 경우 등이다. 왜란이 끝난 후에는 목숨을 걸고 나라를 지킨 의병들에 대한 국가의 보상은 거의 없었고, 이 때문에 의병들은 불만 세력이 되었다.

이몽학(李夢鶴, ?~1596)의 난에는 이러한 잔존 의병 세력들이 개입해 있다.

이들의 거사가 몇몇 군읍(郡邑)들을 손에 넣는 역량을 보여줄 수 있었던 것은 난에 참여한 세력 가운데 의병 활동을 통해 군사적 경험을 쌓은 이들이 많았기 때문이다.[314] 또한 이몽학의 세력에 승려들이 참여한 것도 특징이다.

민란의 주체 세력으로 승려가 다수 참여하는 것은 비단 이몽학의 난뿐 아니라, 이전 임꺽정, 정여립 등의 난에서도 찾아 볼 수 있다. 이들 승려가 민란에 주요 세력으로 참여하는 배경은 불교의 억압에 따른 반작용뿐 아니라 임란 이후 조직화된 승군(僧軍)의 사회적 잠재력에서 비롯된 것으로 추정해 볼수 있다.[315] 불교는 본래 자비의 종교로서 인간의 절대적 각성을 통한 자기완성을 가르친다. 이러한 자기완성에는 사회적 신분의 구별이나 선천적 지우(智愚)의 차별을 전혀 고려하지 않는 인간 평등의 이념과 오히려 이러한 사회적인 차별이 인간성을 억압하기 때문에 해방과 해탈을 적극적으로 추구하는 가르침이 함축되어 있다. 이 때문에 현대 세계의 가장 중요한 이념 가운데 하나인 평등(平等)의 개념이 불교에서 기인한 것은 우연이 아닐 것이다.

전해지는 기록에 따르면, 이몽학의 난에서 민중사상의 요소가 발견되지 않는 것처럼 보인다. 그러나 당시 민란에 참여한 민중들은 이몽학을 성불(聖佛)이라고 불렀다. 성불은 '성스러운 부처님'이라는 뜻이 있지만, 이는 유가의 성인과 불가의 부처를 합한 개념으로 보인다. 말하자면, 성인이나 부처는 모두 민중을 구제하는 신(神)과 같은 존재이다. 이는 유가의 대동사상과 불가의 미륵사상이 결합된 개념으로 볼 수 있다. 비록 전해지는 기록의 제한 때문에 구체적인 내용을 볼 수 없지만, 민중사상의 특성으로 인해 이러한 불온한 내용은 감추어지거나 은폐되기 쉽다. 그러나 민중이 이몽학을 성불로 본 것은 유가나 불가의 대동이나 용화의 이상사회에 대한 여망이 투영된 것으로 보아야 할 것이다.

이몽학의 난은 이몽학과 한현(韓絢) 두 사람을 축으로 해서 전개된다. 이몽학은 지금의 충청남도 부여 지역인 홍산(鴻山)의 서출 신분이었다. 임진란 중에 호서(湖西)에서 종군하면서 조련 장관(操練將官)의 임무를 맡았다.[316]

한현은 이몽학의 난에서 참모 역할을 했다. 서얼 출신으로 한성에 있을 때에는 겸사복(兼司僕, 정예 기병 중심의 친위병)을 맡았던 자이다. 이후 의병이 되어 이몽학처럼 군사조련을 관할하였다. 이들은 홍산 무량사(無量寺)를 근거지로 삼아서 교유했다. 기록을 보면, 이몽학은 어리석고 미친놈 같으며 무뢰했다고 하니 아마도 무인기질이 다분했던 것 같다. 반면 한현은 치밀하고 사무 처리에 능한 자였다고 한다.[317] 죄인을 다루던 이러한 기록에 무슨 의미가 있을 것 같지는 않지만, 이몽학은 카리스마가 넘치는 인물로 보인다. 이 밖에 이몽학의 난에서 찾아 볼 수 있는 특징은 동갑계(同甲契)의 존재이다.

동갑계는 갑계(甲契)로도 불리는데, 본래 불가에서 상호부조를 목적으로 조직된 것이나, 조선시대로 오면 갑계의 형성과 성행에 유가의 문화가 일정한 영향력을 미쳤다.[318] 이몽학과 한현이 관련한 동갑계는 불교를 중심으로 유가의 문화가 결합된 것으로 보인다. 이를 이용하여 왜란으로 더욱 증폭된 좌절감을 가지게 된 원민(怨民)과 항민(恒民)들을 결집했다.

몽학은 절에서 출병(出兵)하여 마을 안으로 들어왔다. 깃발을 세우고 걸상에 앉아 각(角)을 불고 북을 치면서 큰소리로 사람들을 불러 모았다. 동갑 모임 중에서 공모한 장정이 먼저 나와 칼을 뽑아 들고 무리를 데리고 달려 나갔다. 몽학은 그들에게 속임수로 꾀기를 '이번에 일으킨 의거는 백성을 편안히 하고 나라를 안정시키기 위한 일이다. 거역하는 자는 죽음을 당할 것이고 순종하는 자는 상을 받으리라'고 하니 모두들 좋다고 떠들면서 그를 따랐으며, 사람마다 스스로 고관대작이 될 것으로 여기고 성불(聖佛)이 세상에 나왔다고 하였다. 그리하여 승려와 속인을 장군으로 나누어 배치하고 문관과 무관 등의 청현직(淸顯職, 중요한 요직)으로 가칭하니 사족 자제와 무뢰배들이 많이 그들에게 붙었다.[319]

보이는 정황은 '어리석고 미친' 이몽학이 차후에 건설되는 새로운 왕조의 요직을 나누어주고 혁명의 승리를 장담하는 들뜬 모습이다. 이러한 그를 사람들은 성불(聖佛)로 숭배했다. 무량사(無量寺)가 위치한 부여 지역은 삼국시대 이래로 미륵신앙의 근거지이다. 이러한 반골(反骨)의 문화는 앞서 역심을 품은 자들이 혁명의 동력으로 삼았던 배경이 되었다. 명시적인 표현이 없을 뿐이지, 이들은 이미 역성혁명의 기치를 들고 있다.

> (한현은) 군사들의 예리한 세력을 타고 곧장 서울로 가는 것이 상책이요, 곁으로 성곽 없는 고을을 공격하는 것이 중책이요, 홍주로 진격하는 것이 하책이라고 하였는데, 한현이 초상을 당하고 홍주로 간 이후로 몽학은 그 계책을 쓰지 않고 곧장 홍주를 공격한 것이다.[320]

한현은 부친상을 당해 처음부터 거사에 참여하지 못했고, 세 겹의 계책은 어리석은 이몽학이 하책을 쓰면서부터 일이 틀어져서 기회를 놓치게 되었다. 거사한 지 1주일을 넘기지 못하고, 수하들은 사세부득(事勢不得)의 위기를 견디어 내지 못했다. 결국 본래 무뢰배였던 그들은 관군이 내건 상금을 노리고 성불의 목을 잘라 바쳤다.

이몽학이라는 호민은 행간을 더듬어 가면 대동의 이념을 가지고 있는 것으로 추정된다. 그가 민중을 선동하여 호응을 얻은 것은 오래전부터 이미 민중사상의 연원으로 굳게 자리한 미륵불교의 구세 사상과 대동 세상이라는 민중의 여망이 존재하고 있었기에 가능했다. 비록 치자들의 기록에서 명시적으로 드러나지는 않지만 단편적인 기록 속에는 부지불식간에 이런 이면의 사실이 남겨져 있다는 것을 확인할 수 있다.

(4) 제주도 변란

임진년의 왜란과 정유년(丁酉年)의 왜란이 잇따르면서, 전란의 와중에 도적이 기승을 부렸고, 외딴 제주의 섬에서 반란이 다시 모의되었다. 길운절(吉雲節)과 소덕유(蘇德裕)의 변란 음모는 사전에 길운절이 배신하여 고변함으로써 미수로 그친 것이다. 실제 이 반란은 매우 싱겁게 끝이 난다. 이 미수에 그친 반란에서 민중사상이 어떤 식으로 변란을 추동시키는 동력이 되는지를 살펴보자.[321]

이미 역도이기 때문에 부정적으로 그려졌지만, 길운절은 경상도 선산사람이며, '어려서부터 흉패(兇悖)하였는데 속으로 엉뚱한 마음을 품고 있으면서 항상 지략(智略)이 있다고 자부'하던 자였다. 그는 불효한 인물로서 유가의 적이었다. 아비를 장사지내지 않고, 어미를 돌보지 않아 왜놈들에게 죽임을 당하게 했기 때문이다.[322] 불효자이기 때문에 불충한 역적이 될 수밖에 없다.

길운절은 역심을 가진 이였다. 그는 전라도 익산(益山) 사람 소덕유를 만나게 된다. 소덕유는 역적 정여립의 첩의 사촌(四寸)이었다. 정여립의 난 때 연루되어 화를 당하지 않기 위해 그는 중이 되는 길을 택하였다. 중의 신분으로 왜란 중에 승장(僧將)이 되어 선산(善山) 지역에서 산성(山城)을 쌓을 때에 길운절과 만난 것이다. 선산이 태생이었기에 길운절은 외지인인 소덕유를 대접하고, 은밀하게 역심을 나눈다. 그런데 소덕유는 정여립의 난을 계승하고 있는 자였다. 즉 대동을 꿈꾸던 역도의 무리였다. 소덕유는 정여립의 난이 불발했던 이유를 분석했다.

> 기축년에 정여립의 일이 이루어지지 않았던 이유는 그가 있던 곳이 넓고
> 트인 곳이어서 그 일이 미리 발각되었기 때문이다. 그러니 만약 벽지(僻地)나
> 절역(絶域) 등지에 있으면서 도모한다면 어찌 일을 성공시키지 못하겠는가.
> 내가 그대를 위하여 제주(濟州)로 가서 몰래 이 일을 도모할 터이니, 만약 일
> 이 성공하면 사람을 시켜 그대를 부르겠다. 그곳은 인심이 완악(頑惡)하니 쉽
> 게 유치(誘致)할 수 있을 것이다.[323]

소덕유는 궁벽한 곳에서 역모를 꾀하려고 했기 때문에 제주도를 선택한
것이다. 그런데 당시 제주에는 목사(牧使) 성윤문(成允文)이 마침 형장(刑杖)
을 엄혹하게 다뤄 크게 민심을 잃었다. 기회를 잡게 되자 소덕유는 제주도
의 원민들을 포섭하고, 같은 역심을 지닌 승려 혜수(惠修) 및 해남(海南)에 사
는 권룡(權龍)이라는 사람을 보내서 길운절을 부르고, 길운절은 조카 최구익
(崔九翼)을 대동하고 제주로 들어가 난리를 꾸미게 된다. 그런데 이러한 거
사 계획이 사전에 들키자, 길운절은 혼자 살길을 찾아 전모를 고변함으로써,
연루자들은 모두 붙잡혀 죽게 되고, 그도 결국 죽음을 맞이했다.[324]

그런데 미수에 그친 사건이나마 그 속에서 민중사상의 잔영을 엿볼 수 있
다. 먼저 길운절은 불효한 자라고 기록되었지만, 길재(吉再, 1353~1419)의 후
손이며 명문가 출신으로 알려져 있다. 게다가 아비와 어미를 돌보지 않은
이유는 실제로 '아비가 나로 하여금 나랏일로 죽으라 했으니 어찌 한가하게
어미를 돌보겠는가'라고 하며 할머니와 어미를 버려두고 나랏일에 종사했
기 때문이다.

또한 국문(鞫問)의 내용에 따르면, 제주민들은 길운절을 '글에 능하며 사람

됨이 변화가 많아 헤아리기가 어렵고 또 기백이 있으니, 매우 우려'되는 인물로 보거나, '안색이 조금도 변하지 않으니 반드시 보통사람이 아니다'라고 하는 등, 문무(文武)에 뛰어난 사람으로 인식하고 있었다. 또한 그를 용왕(龍王)의 소생이라거나 길삼봉(吉三峯)으로 부르고 있었다.[325] 길삼봉은 정여립의 난에 참여했던 신출귀몰한 자로써 노비 신분이라고 했으나, 누구도 그 실체를 알 수 없고 관조차 붙잡을 수도 없었던 이인(異人)이다. 용왕의 소생이란 제주라는 섬의 문화적 특징에서 뛰어난 자를 기리는 말이라고 할 수 있으나, 여기에는 해도진인(海島眞人)의 설화가 배경으로 잠재해 있다.

제주도를 찾았던 소덕유의 인식에는 민중사상의 연원이 되는 『정감록』류의 풍수지리와 역술에 바탕을 둔 예언사상이 확고했던 것으로 보인다. 바다 가운데 섬이란 홍길동의 율도국처럼, 소강의 오탁(汚濁)한 세상을 벗어나는 청정(淸淨)한 세상이며, 진인(眞人)이란 이몽학을 추앙했던 민중이 그를 성불(聖佛)이라 한 것처럼, 대동의 성인이나 용화의 미륵과 같은 위격을 지닌 예언서 속의 구세주이다. 이는 소덕유가 풍수지리를 알고 있으며 화격(畫格) 즉 서화의 재주가 있다는 데서 충분히 고려할 수 있는 것이다. 소덕유는 이러한 재주를 가지고 제주도에 들어가서 그곳에서 지관(地官)의 매력과 고상한 풍격(風格)으로 이름을 날려 유지들과 교유할 수 있었던 것이다.[326]

이 민란의 실질적 주모자는 소덕유이다. 국문(鞠問)에 따르면, 그는 단순히 정여립 첩의 사촌이기 때문에 도피한 것이 아니라, 정여립과 함께 모반을 도모했으나 뜻을 이루지 못했기 때문에 삭발하여 중이 된 것이다.[327] 이들의 거사는 나름의 계획이 있었다. 소덕유는 길운절을 영남(嶺南)의 주인(主人)으로 삼아 장차 서울을 공략하려 하였다. 그것이 실현가능한가의 여부에 관계 없이, 이들의 목표는 역성혁명이었다는 것을 알 수 있다. 그리고 이들은 그것이 정여립의 대동 세상을 지향하는 것이라 생각했다. 소덕유는 그 세상의 실현을 위해 음모를 꾸민 것이다.

길운절과 소덕유의 제주 민란과 같은 미수에 그친 사건들이 역사에서 계속 다른 모습으로 변신하여 등장하지만, 그 속에 담긴 사상의 연원은 비교적 단순하다는 것을 볼 수 있다. 그것은 민중이 처한 조건이 변하지 않고 지속되었기 때문에, 새 세상을 향한 민중의 여망도 계속 진행 중이라는 것을 증거하고 있다.

3) 승려와 무속인들의 저항

17세기 들어 조선은 국내외로 격동의 한 세기를 보내게 된다. 게다가 소빙기(小氷期) 자연재해로 인해 전란보다 더한 기근까지 겪게 된다.[328] 인조반정 뒤에 진행된 논공행상에서 소외된 이괄(李适, 1587~1624)은 난을 일으켜서 선조의 아들인 흥안군(興安君) 이제(李瑅)를 왕으로 추대하였으나, 뜻을 이루지 못하고 부하에게 살해된다. 당시 국제정세는 여진족이 만주에서 건국한 후금(後金)이 명나라를 위협하고 있는 상황이었다. 인조의 대외 정책은 광해군과 달리 향명배금(向明排金)을 표방했기 때문에 후금은 조선을 침략했다. 정묘호란(丁卯胡亂, 1627, 인조 5)이 발발한 것이다.

1636년 병자년 4월 후금의 홍타이지(태종)는 스스로 황제로 칭하고 국호를 청(淸)이라고 고쳤다. 청은 여전히 배금(排金)을 기조로 한 조선의 정책을 문제 삼아 다시 침략하여 병자호란(丙子胡亂)을 일으켰다. 척화론자(斥和論者)가 우세했던 조선은 전쟁에서 패퇴하고 남한산성에서 결사항전을 전개하고자 했으나 결국 항복하고, 삼전도(三田渡)의 굴욕을 겪는다. 이후 조선은 명나라와 관계를 끊고 청나라에 복속하여 군신(君臣)의 예(禮)로 대하게 되었다.

왜란에 이어 호란을 겪고 난 뒤에 북벌(北伐)정책과 인조비(仁祖妃)의 복제

(服制)를 둘러싼 서인(西人)과 남인(南人)의 정쟁, 정국 주도 붕당(朋黨)이 급격히 교체되는 환국(換局)이 거듭되었다. 경제적으로는 농업생산력 향상에 힘입어 토지 소유를 둘러싼 갈등이 심화되고, 상품화폐경제가 진전되었으며, 사회적으로는 신분 이동이 활발해지는 가운데 농민들 사이에는 빈부의 격차가 크게 벌어졌다. 사상적으로는 성리학의 지배력이 강화되고 경색되었다. 전반적으로 사회가 혼란스러웠기 때문에 도적이 극성한 것은 당연해 보였다. 그런데 17세기 중후반은 생존환경 면에서 조선왕조 역사상 최악의 시기였다.[329]

1670년(현종11) 경술년과 1671년(현종12) 신해년에 걸쳐 일어난 경신대기근(庚辛大飢饉)과 1695년(숙종21) 을해년부터 1699년(숙종25) 기묘년까지 5년 동안 계속된 이른바 을병대기근(乙丙大飢饉)이라는 전대미문의 자연재해는 양난보다 더한 재난이었다. 수재(水災)와 한재(旱災)는 물론이고 역병(疫病)이 창궐하여 민생은 도탄에 빠졌다.

> 근년(近年)에 오면서 거듭 기근(飢饉)이 들어 백성들의 생활이 가난해져 명화적(明火賊)들이 사람을 죽이고 재물을 약탈하는데, 곳곳마다 모두 그러하였으나, 유사(有司)가 전부 금지시킬 수 없었다. 심지어 살아 있는 사람의 고기를 먹으며 시체의 옷을 벗겨서 입으니, 참으로 예전에 없었던 변고(變故)로 식자(識者)들이 기가 막혀 했다(寒心).[330]

유가의 나라에 벌어지는 식인(食人)이라는 사건은 이미 그 나라의 존립 근거가 사라져 버린 말할 수 없이 참혹한 실상을 보여주는 것이다. 비록 천재지변(天災地變)에 따른 불가항력적인 상황이지만, 천재지변에 더해서 인정(仁政)이 실종되고 있었기 때문에 민중은 죽지 않고 살아 있으면 식인(食人)

하는 아귀(餓鬼)가 되거나 도적이 되었다.

불교사상 특히 미륵불교는 이상세계에 대한 비전을 담고 있어서 일찍부터 민중사상의 연원이 되었다. 불교를 철저히 탄압하는 조선은 불가의 종지를 무군무부(無君無父)로 규정했다. 그래서 불교는 강상의 윤리를 파괴하는 가르침이며, 패륜을 조장하는 이단사설이었다. 특히나 성리학은 이단을 공격하는 데 유독 힘을 쓰는 사상이고, 양난을 거치면서 국가통치의 이데올로기로 자임하는 탓에 불교는 더욱 배척되었다. 그러나 불교는 삼국시대부터 내려온 한국의 사상이기 때문에 이단사설의 혐의를 씌우는 엄혹한 시대에 처했어도 그 명맥을 이어갔다.

자비를 가르치는 불교의 청아(淸雅)한 교의와 달리 고려시대부터 불교는 고해(苦海)의 현실적인 징표인 여러 부세(賦稅)와 요역(徭役)의 고통으로부터 도피하는 장소가 되었다. 조선에 와서도 이러한 상황은 바뀌지 않았다. 그래서 승려에 대한 인식은 이단이라기보다는 세상의 의무를 버리고 도망한 자들이라는 인상이 컸다.

"대저 불가(佛家)의 학설은 사람의 심술(心術)을 무너뜨리고, 어리석은 백성을 속여서 유인하여 사찰이 팔도에 두루 차 있습니다. 양민(良民)의 아들이 군역(軍役)을 피하려고 꾀하여 다투어 모두 머리를 깎고 산에 들어가고, 흉년에 이르러서는 또 도둑의 소굴이 되니, 강제로 그 중들을 고향으로 돌아가게 해서 민호(民戶)의 구실을 덜게 하고, 불사(佛寺)를 헐어서 관에 소속시켜 학궁(學宮)으로 활용하는 데 보탬이 되게 한다면, 오도(吾道, 유가의 도)가 회복될 뿐만 아니라, 이단이 앞으로 없어지고 호구(戶口)도 증가될 것이고 군정(軍丁)도 얻을 수 있을 것입니다." 하니, 임금이 모두 가상하게 여겨 장려를 더하게 하고, 아울러 관직에 임명하도록 명하였다.[331]

이 때문에 도적 가운데 중들이 많고, 혹은 미륵사상을 신봉하면서 용화세계를 건설하려는 야망을 품고 거사를 일으키는 자들도 있었다. 이처럼 역심을 품은 반역지도(反逆之徒) 혹은 반승반속(半僧半俗)의 무뢰배 승려를 땡추라고 한다. 땡추는 당취(黨聚, 끼리끼리 모임)의 속어적 변형이다. 이 땡추들은 여러 모반에 참여했다. 이러한 역승(逆僧) 혹은 승적(僧賊)은 양난 이후에도 자주 발호한다.

인조 3년(1645)의 환속승 이계룡(李繼龍)이 역모를 꾀한 혐의,[332] 인조 6년(1628)의 역승(逆僧) 담화(曇華)와 의상(義尙),[333] 인조 9년(1631) 요승(妖僧)의 역모 참여, 인조 10년(1632) 승적(僧賊)의 살해 사건[334] 등이 발생한다. 이와 유사한 사건들은 이 시기 이후에도 빈발하며, 이미 역모에 승려 신분이 참여하는 것이 관례화된 것을 보여준다. 그들은 승려이기 이전에 난세를 피해 은신한 양인(良人)의 자식들이었기 때문에 용화세계에 대한 열망 이상으로 대동을 바라고 있었다. 그런데 역모 사건에 참여한 승려들은 순수한 불교를 신앙하는 불교도인 경우도 있지만, 주로 불교와 자연신앙 즉 무속이 결합되어 있는 형태의 사상을 가지고 있다. 또한 『정감록』의 연원이 되는 비기(祕記)류의 도참적 예언사상을 신봉하는 특징이 있었다.

(1) 미륵불교 역모 사건

숙종 시기에 일어난 역모의 주인공은 요승(妖僧) 여환(呂還)이었다.[335]

여환이라는 자는 본래 통천(通川, 강원도 동북부 통천)의 중[僧]으로서 스스로 말하기를, '일찍이 강원도 김화(金化)의 천불산(千佛山)에서 칠성(七星)이 강림하여 3국(麴, 누룩)을 주었는데, 국(麴)은 국(國)과 음(音)이 서로 같다' 하였고, 또 수중 노인(水中老人)·미륵 삼존(彌勒三尊)이란 말을 하고 그가 숭불하여 전국(傳國)하는 것으로 3년간 공부했다는 등 말을 하며, 드디어 영평(永平)의 지사(地師) 황회(黃繪)와 상한(常漢) 정원태(鄭元泰)와 더불어 석가의 운수가 다하고 미륵이 세상을 주관한다는 말을 주창(主唱)하여 체결(締結)하고 기보(畿輔)·해서(海西) 사이에 출몰(出沒)하였다.[336]

여환은 칠성님이 강림하여 내린 계시를 받는 신비체험을 통해서 새로운 세상을 건설하는 사명을 받았다고 자처하였다. 그런데 그가 뜻을 둔 미륵삼존의 이야기는 이미 미륵불교를 진흥했던 백제의 무왕이 부인(선화공주)과 함께 용화산(龍華山) 아래의 큰 못가에서 솟아오르는 미륵삼존(彌勒三尊)[337]의 현신을 목도하고, 이곳에 미륵사(彌勒寺)를 세웠다는 기록이 『삼국유사』에 등장하는 것처럼,[338] 용(龍)신앙(연못, 용화사, 미륵삼존, 수중노인, 미륵사)과 연루되어 있는 오랜 민중의 사상이 재현된 것이다. 수중노인 역시 이와 무관하지 않을 것이다. 이러한 신화적인 구조를 띠는 민중의 사상이 여환에게 나타났다. 그래서 여환의 행위는 자연스러워 보인다. 그런데 여환은 누룩, 즉 나라를 칠성님에게 받은 것처럼, 구세의 염(念)이 매우 강했던 것으로 보인다.

여환은 또 천불산 선인(仙人)이라 일컫고 일찍이 '영(盈)·측(仄)' 두 글자를 암석 위에 새기고 말하기를, '이 세상은 장구(長久)할 수가 없으니, 지금부터 앞으로는 마땅히 계승할 자가 있어야 할 것인데, 용(龍)이 곧 아들을 낳아서 나라를 주관할 것이다.' 하였다. 그리고 드디어 은율(殷栗) 양가(良家)의 딸 원향(元香)이란 이름을 가진 사람에게 장가들었는데, 이상한 징험으로 능히 구름을 일으키고 비를 오게 하는 변화불측함이 있다고 하면서, 양주(楊州) 정성(鄭姓)인 여자 무당 계화(戒化) 집에 와서 머물면서, 그 처(妻)를 용녀부인(龍女

夫人)이라 하고, 계화는 정성인(鄭聖人)이라 이름하였다.[339]

여환은 스스로가 천불산의 신령이고, 처를 용녀부인이라고 하며, 자신을 후원하는 무속인을 정성인(鄭聖人)이라고 해서 구세를 위한 핵심 조직을 구성했다. '정성인'이란 정씨 성을 가진 성인인데, 여기서 성인은 유가의 성인이 아니라, 성인의 본래 뜻인 하늘에 제사를 지내는 사제의 함의를 이중적으로 가지고 있다.[340] 이는 여환이 『정감록』의 구세주인 정진인 사상을 가지고 있다는 것을 보여준다. 이제 여환은 구세를 위한 담대한 예언을 내리게 된다. 하지만 이 때문에 명을 재촉했다.

> 이내 괴이한 문서를 만들어 이르기를, '비록 성인이 있더라도 반드시 장검 (長劍) · 관대(冠帶)가 있어야 하니, 제자(弟子)가 되는 자는 마땅히 이런 물품을 준비하여 서로 전파하여 보여야 한다.' 며 인심(人心)을 유혹(誘惑)시키니, 한 마을 사람이 많이 따랐다. 또 '7월에 큰 비가 퍼붓듯 내리면 산악(山岳)이 무너지고 국도(國都)도 탕진(蕩盡)될 것이니, 8월이나 10월에 군사를 일으켜 도성으로 들어가면 대궐 가운데 앉을 수 있다.'고 핑계한 말도 괴서(怪書) 속에 있었다.[341]

여환은 고지한 날짜에 맞춰 도성이 물바다가 되는 이적을 보기 위해 추종하는 무리를 이끌고 한양으로 갔다. 이제 용녀의 영력으로 대홍수를 부르는 천변재이가 일어날 차례였다. 그러나 물바다가 될 리는 없었다. 그리고는 하늘을 우러러보며, "공부가 성취(成就)되지 않아 하늘이 아직 응해 주지 않는다."라고 탄식했다. 진지한 염원이었는지 예언의 실패를 만회하려는 노회한 술수였는지는 알 수 없으나, 삼각산(三角山)에 올라가 경문(經文)을 외며 하늘에 빌어 대사(大事)를 이루어 주기를 기원하는 것으로 대신했다.[342] 이들은 고생 끝에 고향으로 돌아왔지만, 이 같은 괴상한 행동은 주위의 의혹을 샀고 이 때문에 고발되었다.

여환의 사상은 무속행위가 만연했던 민중의 소소한 삶 속에 묻혀 있었더라면 무탈했을 것이다. 그러나 그의 사상이 공론화되었을 때는 매우 불온한 것이었기 때문에 죽임을 당했다. 이른바 여환의 역모 사건을 통해서 우리는 민중사상의 연원들이 착종을 일으켜서, 민중을 호도하는 사례를 발견하게 된다. 비록 일부 우인(愚人)들의 소행이지만, 여환이 받은 계시는 오랜 역사적 연원을 가진 것이었다. 이는 일종의 민중의 집단무의식의 내용에 해당한다. 그러나 견훤이나 궁예는 이러한 내용을 가지고 국가를 창건했지만, 여환은 마치 사회적인 지탄을 받는 사이비 종교인의 말로처럼 비참한 최후를 맞이했다.

불온한 사상을 다루는 국가의 태도는 이단사설에 대한 혹독한 통제 방식을 여실히 보여주고 있다. 지배층에서도 주자 성리학의 권위에 도전하는 행위를 사문난적(斯文亂賊)으로 규정하고 불허할 정도였으니, 허탄하고 황망한 민중의 사상은 더 말할 나위도 없었다. 사건을 마무리하는 통치자의 교지에는 인정(仁政)을 가장(假裝)한 교설이 담겨 있었다. 곧 "무식(無識)하고 어리석은 백성이 비록 혹 요술(妖術)을 숭상해 믿었다 하나, 이미 역모(逆謀)에 관계된 단서가 없으니, 끝내 중죄에 빠지게 하는 것을 내가 매우 측은하게 여긴다." 이윽고 주모자는 벌주고 나머지는 방면하는 것으로 사건은 종결되었다.

(2) 무속(巫俗) 역모 사건

무속사상에 대한 유사한 탄압의 사례가 있었다. 역심을 품은 자들이 많이 출현했던 해서(황해도)지방에서 일어난 사건이었다. 사건의 발단을 이루는 앞선 이야기가 있었다.

　　해주(海州)의 요망한 무당이 역적 이남(李柟)을 위해 사당을 세우고, 또한 역적 허견(許堅) 및 죄로 죽은 중 처경(處瓊)을 배향(配享)하고서 영험이 있다고 말하므로, 어리석은 백성들이 쏠리듯이 모여든다고 하니, 일이 지극히 해괴합니다. 그 도(道)를 다스리는 신하가 비록 이미 그 사당을 철거하고 또한 요망한 무당의 죄를 다스리기는 했지만, 그들의 죄를 엄중하게 다스리지 않을 수 없습니다.[343]

　해주의 한 무당이 신당(神堂)에 역적으로 처단받은 이들을 모시고 있었는데, 그 신험(神驗)으로 인해 백성들의 인심을 얻고 있었다. 국가는 이를 불온한 일로 여기고 무당을 유배 보내는 것으로 사건을 일단락했다. 무당이 역사적으로 실존했던 왕, 장군, 문인 등을 의례의 대상으로 삼는 것은 무속의 흔한 일이다.

　이남(李柟)은 인조의 셋째 아들인 인평대군(麟坪大君)의 3남 복선군(福善君)을 말한다. 복선군은 서인이 주도했던 경신대출척(庚申大黜陟, 1680년) 때에 남인 세력과 더불어 역모의 죄를 뒤집어쓰고, 서울의 당고개에서 교수형에 처해졌다. 허견(許堅)은 당시 영의정이었던 허적(許積)의 서자였으며, 이남과 함께 '죽인 닭의 피를 받아 술에 타서 함께 마시며' 숙종을 대체하기 위한 역모를 꾀한 주모자였다. 이로 인해 허견은 군기시(軍器寺, 현 서울 중구 태평로) 앞에서 능지처사(凌遲處死)를 당했다.

　이들과 다른 배경을 가진 처경(處瓊)은 어린 시절 출가하여 중이 된 인물이다. 종교적 영력 탓에 25살의 어린 나이에 생불(生佛)로 모셔지게 되었다.

그런데 소현세자(昭顯世子)의 유복자 행세를 하다가 들통이 나서, 용산 당고개에서 주살(誅殺)되었다.[344]

얼마 지나지 않아 같은 황해도의 재령 지방에서 앞선 '요승 여환의 역모'와 유사한 사건이 발생했다. 이른바 '차충걸(車忠傑)의 옥사(獄事)'가 그것이다.[345]

차충걸은 해주에 살고, 조이달은 재령(載寧)에 사는데, 모두 양민(良民)으로서 무격(巫覡)을 업으로 삼았다. 조이달의 아내인 애진(愛珍)은 더욱 요사하고 허망하여, 스스로 천기(天機)에 대한 공부가 있다고 일컬으며 범자(梵字)도 아니고 언자(諺字)도 아닌 알 수 없는 글을 쓰고, '한양(漢陽)은 장차 다하고 전읍(奠邑)이 일어날 것이다.'라고 창언(倡言)하며 늘 전물(奠物)을 갖추어 산에 들어가 하늘에 제사하였다.

차충걸과 조이달은 무격을 업으로 삼은 자이니 박수가 아니면 무당의 굿을 거들거나 악기를 연주하는 자일 것이며, 조이달의 처 애진이 무당이다. 그런데 무당 애진은 정(鄭)진인을 고대하는 『정감록』의 신봉자였다. 위의 전읍(奠邑)이란 정(鄭)의 파자(破字; 鄭=奠+邑[阝])라는 것을 알 수 있다. 그런데 이들이 역모를 꾸민 주모자가 되는 이유는 그들 사상의 불온성 때문이었다. 이들은 정진인의 불교적 표현인 생불을 모셨는데, 생불의 속성(俗姓)은 정씨였다.

무당 애진은 "수양산(首陽山) 상봉(上峯)에 있는 의상암(義相菴)에 정필석(鄭弼錫)이라는 생불(生佛)이 있다. 고(故) 통제사(統制使) 정익(鄭榏)의 아내가 아들을 낳았는데 일곱 살 때에 간 곳을 모르니, 이 아이가 아니겠는가."라고 하면서, 한양의 주인인 이씨(李氏)를 역성(易姓)하는 전읍의 주인인 생불을 기다리고 바라도록 민심을 얻어갔다. 불교사상과 『정감록』의 역성혁명사상이 결합되는 전형적인 방식이다.

이처럼 왕조를 능멸(陵蔑)하는 언행은 주모자들을 죽음으로 몰고 갔다. 정익의 손자 정태창(鄭泰昌)이 이들의 허망한 소리를 듣고 관에 고발함으로써 사태가 불거졌다. 후일 밝혀진 바로는 생불이라던 정필석이라는 자를 "찾아 잡으려 하였으나 끝내 잡지 못하였는데, 실은 그런 사람이 없었다 한다."

생불을 숭배하고 이 생불이 미륵하생의 용화세계를 건설하리라는 민중의 대망론은 정진인의 이상세계 건설이라는 예언과 더불어 해마다 지고 피는 꽃이나 잡초처럼, 시들고 잘려져 나가더라도 어느 정도 시간이 지나면 바로 그곳에서 다시 자라났다. 꽃과 풀은 없앨 수 있으나 그 씨와 토양을 제거할 수는 없었다. 이는 오랜 시간 동안 전승되어 온 민중의 고유한 사상이자 원초적 심성에 각인되어 있는 원형 같은 것이었기 때문이다.

황해도 무속은 끈질겼다. 1748년(영조 24) 황해도 지역에 생불로 자처한 '요망한 여자'가 출현했고 국가는 이 요녀(妖女)를 체포하여 효시(梟示)했다.[346] 특이한 일로는 1758년(영조 35)에 생불 4명이 출현했는데, 모두 여성이었다. 부처는 깨달은 자로서 일체의 분별을 떠나 있기 때문에 굳이 성별을 따질 필요는 없으나, 황해도 지역에서 여성이 생불로 지속적으로 등장하는 것은 매우 특이한 일이다.

어사(御史) 이경옥(李敬玉)을 황해도에 보내어 요사스러운 여자들을 효시(梟示)하게 하였다. 이때 황해도 금천(金川)·평산(平山)·신계(新溪)에 요녀 4명이 있어, 스스로 생불이라고 일컬으면서 어리석은 백성을 현혹시키자, … 요녀(妖女)의 한마디 말이 능히 일도(一道)로 하여금 쏠리게 하였으니, 그 선동에 현혹됨을 알 만하다. 그러므로 이 명령이 있었다.[347]

황해도 요녀들의 행적을 보고 받은 영조는 그녀들을 용녀부인의 부류로
비교한 적이 있다. 용녀부인은 여환의 역모에서 등장한 영력을 지닌 인물이
다. 그녀는 황해도 출신의 무당이었다. 남자도 아니고 불승도 아닌 천민이
나 양인 신분이었으나, 그들이 내세운 생불 이미지는 용녀부인 혹은 미륵의
메타포와 상통하기도 하였다.[348] 질곡에서 벗어나든 고해에서 벗어나든 새
로운 삶과 세상에 대한 대망이 있었기에 생불과 진인은 끊임없이 민중의 삶
속에 등장하였고, 그러한 사상은 현재의 왕조에게는 항상 불온시되었다.

4) 승려세력과 극적(劇賊) 장길산

황해도는 임꺽정의 난으로 인해서 도적이 자주 출몰하는 지역으로 악명
을 떨쳤다. 여기에 조선의 3대 도적의 한 사람인 장길산(張吉山)도 이곳을 근
거지로 삼았다.[349] 장길산은 홍길동이나 임꺽정과 달리 관군의 손에 죽지 않
았고, 후일에는 종적이 묘연하게 사라진 인물로서 사실과 전설의 경계에 머
문 극적(劇賊, 규모가 큰 도둑)이었다.

장길산이 이끄는 군도들의 활동도 두드러지지만, 이들이 미륵불교를 신
봉하는 승려 세력 및 서얼 무리와 함께 역모를 꾸민 일도 있었다. 비록 미수
에 그치고 관련자들이 물고(物故, 죄인이 형벌을 받고 죽음)되고 끝났지만, 거
사의 내용에 포함된 민중사상의 연원들, 즉 불교의 미륵사상, 『정감록』의 정
진인 대망론, 각종 역술(풍수지리, 명리, 관상 등)에 결부된 참설 등이 결합되어
있어서, 이들로부터 발현된 변혁사상의 전모를 살펴볼 수 있다.

먼저 장길산은 성호 이익의 『성호사설』에 종합적인 기록이 남겨져 있는
데, 사실 이 역시도 소략하다.

숙종 때에 교활한 도둑 장길산이 해서(海西)를 횡행했는데, 길산은 원래 광

대 출신으로 곤두박질(상대를 잡아서 땅에다 메어꽂는 기술을 쓰는 무술)을 잘하고 용맹이 뛰어났으므로 드디어 괴수가 되었던 것이다.

조정에서 이를 걱정하여 신엽(申燁)을 감사(監司)로 삼아 체포하게 하였으나 잡지 못했다. 그 후에 한 도당을 잡은바, 그가 숨어 있는 곳을 고(告)하였다. 무사 최형기(崔衡基)가 나포할 것을 자원하고 파주(坡州)에 당도하니, 장사꾼 수십 명이 말을 몰고 지나갔다. 한 사람이 고하기를, "저들은 모두 도둑의 무리다."라고 하므로 모두 잡아 가두었는데, 그 말들은 모두 건장한 암컷이었다. 그 사람이 다시 고하기를, "적의 말은 모두 암컷이므로 유순하여 날뛰지 않는다."고 하였다.

다시 여러 고을의 군사를 징발하여 각기 요소를 지키다가 밤을 타 쳐들어갔는데, 적들이 이미 염탐해 알고 나와서 욕설을 퍼붓다가 모두 도망쳐 아무자취도 없어졌다.

그 후 병자년(丙子年 1696, 숙종 22)에 이르러 한 적도(賊徒)의 초사(招辭)에 그의 이름이 또 나왔으나 끝내 잡지 못했다 … 온 나라가 온갖 힘을 기울였으나 끝내 잡지 못했으니, 우리나라 사람들의 꾀가 없음이 예로부터 이러하다. … 슬프다.[350]

개혁적인 사대부 성호 이익은 장길산이 나라에 해가 되는 도적임을 의심하지 않고 있다. 아마도 국법을 희롱하면서도 끝내 검거할 수 없었기 때문일 것이다. 장길산은 광대 출신으로 재인이나 남사당패의 일종으로 유랑생활을 하는 자였다. 이 때문에 유사한 처지에 있었던 장사꾼들과 긴밀한 관계를 맺을 수 있었다. 장길산 무리의 기동력은 말에 있었고, 이들은 말을 이용해서 인삼과 같은 물품을 사고팔았기 때문에, 그 성격이 마상(馬商)을 주축으로 한 군도였다. 장길산의 군도가 승려 세력들과 연결될 수 있었던 것

은 양자의 거처가 공히 산간(山間)이었기 때문이었다.[351]

장길산이 역심을 품은 승려 세력과 연결되는 것은 서얼 출신의 인물을 통해서였다. 이 자는 이영창(李榮昌)인데, 그의 스승이 운부(雲浮)라고 하는 승려였기 때문이다.

> 스승인 스님은 바로 운부인데, 지금 나이 70세로 송나라 때의 이름난 신하인 왕조(汪藻, 송나라 고종시기 한림학사)의 후손이다. 명나라가 망한 뒤 중국에서 떠돌다가 우리나라에 도착해, 머리를 깎고 금강산으로 들어갔다. 이 사람은 위로는 천문(天文)을 통달하고 아래로는 지리(地理)를 통찰하고 중간으로는 인사(人事)를 잘 살피니, 재주가 옛날의 제갈공명과 유기(劉基, 명나라의 개국공신)에 밑돌지 않는다는 분이다.[352] 그가 불경을 승려들에게 가르쳤는데, 그중에서 뛰어난 자로는 옥여(玉如)·일여(一如)·묘정(卯定)·대성(大聖)·법주(法主) 등 1백여 인을 얻어 그의 술업(術業)을 전수시키면서 팔도의 중들과 결탁했으며, 또 장길산의 무리들과 결탁하고, 또 이른바 진인(眞人)이라는 정(鄭)과 최(崔) 두 사람을 얻어 먼저 우리나라를 평정하여 정성(鄭姓)을 왕으로 세운 뒤에 중국을 공격하여 최성(崔姓)을 왕으로 세우겠다고 하였습니다.[353]

이러한 국문(鞠問)은 이영창과 의형제를 맺고 한때 거사를 공모했던 한양의 서얼들인 이절(李梲)과 유선기(兪選基)가 배신하고 고변한 내용이다. 후일 이영창은 거듭되는 추국으로 말을 바꾸었는데, 그 내용은 지금보다 축소되고 보잘 것 없는 것이었다. 이 때문에 모든 것은 이영창이 꾸민 말로 여겨지고, 이 가운데 장길산에 대한 것도 사실로 보기 어렵다는 견해도 나름의 설득력을 갖추고 있다.[354]

이영창의 말이 사실인지 정확하게 재구성하기 어렵다는 것을 인정해도,

그가 구상한 거사의 계획은 민중사상의 연원들이 착종하면서 구체적인 저항의 내용을 담고 있기 때문에, 왕조에 대항하는 대안사상의 규모와 내용을 확인하는 것에 가치를 두는 것이 좋을 것이다.[355]

고변자인 유선기는 유명한 지관 행세를 하던 이영창을 이절에게 소개한다. 이영창은 풍수와 관상으로 유명세를 탔다.[356] 이영창은 스승인 운부와 나눈 이야기를 하면서 승려들과 결탁한 거사 계획을 이들에게 알린다.

> 포은 정몽주의 13세손과 최영의 후손들 기운을 살펴서 찾아냈다. 정가(鄭哥)를 우리나라의 임금으로 세우고, 최가(崔哥)를 중국의 임금으로 세울 것이다. 승려 묘정은 운부의 제자로서 용문산에 나와 있으면서, 승병을 불러 모으려고 일여 등 여러 승려를 팔도에 나누어 보내어, 오는 3월 21일에 군병을 모아 대궐을 침범할 것이다.[357]

정몽주와 최영(崔瑩, 1316~1388)의 등장은 절의를 절대적인 것으로 여기는 당시 사대부들의 기호에 적합한 인물이라는 점에서 흥미롭다. 더욱이 『정감록』의 '정'이 '성씨 정(鄭)'을 가리킨다면, 이 정은 정몽주라는 인물의 상징성에서 심대한 의미를 찾을 수 있을 것이다. 말하자면, 정몽주는 현재의 왕조를 반대하는 가장 강력한 상징이다. 더구나 왕조를 반대하다가 죽은 충신이며, 바꿔서 말하면 현재의 왕조가 타살한 만고의 충신이다. 정진인이란 그래서 정몽주의 후손에서 나와야 하는 당위성이 생겨난다. 이씨 왕조를 물리칠 수 있는 '꿩 잡는 매'는 정씨이다. 그래서 이씨를 잡고 정씨가 우리나라를 새롭게 개창해야 한다는 주장이다. 매우 불온하지만, 도탄에 빠진 민중이 대망하는 것이었다.

최영 장군 역시 고려의 명장이며, 원(元)나라 말기에 일어난 한족(漢族) 반란군을 가리키는 홍건족(紅巾賊)이 고려를 침입하자 이를 격퇴했고, 남쪽의 왜(倭) 역시도 격퇴했다. 최영 장군은 요동정벌을 추진하다가, 위화도 회군으로 쿠데타를 일으킨 무장 이성계에 의해서 참형(斬刑)을 당한 인물이다. 정씨가 이씨를 잡는 매라면, 최영은 이씨는 물론이고 중국을 잡는 매이다. 그래서 정씨의 후손은 조선의 왕이 되고, 최씨의 후손은 중국의 천자가 된다. 이러한 거사는 공상적이지만, 민중의 대망이었다.

이어서 이영창은 스승 운부가 말한 대사(大事)를 이루는 데 도움을 주는 삼광사한(三廣四漢, 일광, 이광, 삼광, 일한 이한 삼한 사한 등 특칭하지 않는 인물을 가리킴)이 바로 그대들이라고 한다. 이영창은 거사를 이어갔다.

흰 깃발을 지니고 날랜 말을 타고 서쪽으로 데리고 가면, 운부가 이미 많은 승병과 반란병을 구월산과 묘향산의 두 산에 감추어 놓았을 것이다. 2월 1일에 여기에서 길을 떠나 3월에 군사를 일으킨다.[358]

운부는 원대한 계획, 즉 조선을 무너뜨리고 중국을 점령하기 위해 승병과 반란군을 양병하고 있었다. 반란군이 장길산의 군도이다. 이영창은 『정감록』의 연원이 되는 여러 비기들의 예언을 통해서 거사의 정당성을 설명했다.

이익화가 운부 및 이른바 진인의 사주(四柱)를 물으니, 이영창이 말하기를, '운부는 정묘생(丁卯生)이고, 이른바 진인은 기사년(己巳年) 무진월(戊辰月) 기사일(己巳日) 무진시(戊辰時)에 태어났다.' 하니, 이익화가 말하기를, '비기(秘記)에 이르기를, 「중국 장수인 묘생(卯生)의 사람이 중국에서 와서 팔방(八方)을 밟고서 일어난다.」고 하였는데, 바로 운부(雲浮)를 가리켜서 말한 것이다.'

고 하였습니다. 또 말하기를, '기사년 무진월 기사일 무진시에 태어났다면, 바로 뱀이 변하여 용(龍)이 되는 격이다. 숭정 황제(崇禎皇帝, 명나라 의종(毅宗))의 사주(四柱)에는 뱀이 변하여 용이 되는 격이 하나였으나, 천자가 되었는데, 이 사람의 경우는 그런 격이 둘이나 있으니 참으로 매우 기쁘고 다행스럽다.'고 하였으며, 또 말하기를, '비기에 이르기를, 「진년(辰年)과 사년(巳年)에는 성인(聖人)이 나고, 오년(午年)과 미년(未年)에는 즐거움이 대단하다.」고 하였는데, 이것도 이 진인(眞人)을 가리켜서 말한 것이다.'고 하였습니다.[359]

비기들은 거사 당시의 상황을 예언하고 있었다. 묘생(卯生)의 인물이 중국에서 건너와 조선팔도를 점령한다는 암시가 있었는데, 이영창의 스승인 운부가 바로 '토끼띠'이다. 그리고 운부가 도울 진인의 사주를 살펴보면서, 진인의 사주 가운데 연주(年柱)는 기사(己巳)이므로 진인은 '뱀띠'라는 것을 확인한다. 그리고 월주(月柱)와 일주(日柱)를 지나 시주(時柱)는 무진(戊辰)이다. 연주부터 시주까지 '네 기둥'[四柱]은 원형리정(元亨利貞), 즉 인생의 시간적 흐름을 나타낸다. 그래서 연주는 초년이고 월주는 청년이며 일주는 중장년이고 시주는 말년이다. 그래서 기사년(己巳年) '뱀'으로 태어나서 무진시(戊辰時) 즉 '용'으로 끝이 난다. 이것은 '뱀이 변해 용이 되는 격(蛇變爲龍之格)'이다. 「비기」는 이 격을 천자의 사주로 꼽고 있다.

숙종 24년은 1698년 무인년(戊寅年)이며, 이어서 기묘(己卯), 경진(庚辰), 신사(辛巳), 임오(壬午), 계미(癸未) 순으로 60갑자(甲子)가 진행된다. 거사가 일어나면 경진년과 신사년에 성인이 나고, 임오년과 계미년에는 이 때문에 즐거움이 크다. 이때는 실제로 대기근으로 나라 전체가 큰 고통 속에 있었다. 그러나 이것은 예언이다. 그러므로 다가 올 병화(兵火)를 거친 뒤에 대동 혹은 용화의 세상이 온다는 미래에 주안을 두면서 현실을 견디고 미래를 기대하게 만드는 말이었다.

이영창은 계속 실제로 정씨의 후손과 최씨의 후손 가운데 왕이 될 만한 자질을 타고난 인물을 이미 운부가 보호하고 있다는 소리를 하며, 수많은 승려의 이름을 거명한다. 국문이 진행되면서 이들 이름은 이영창이 꾸며낸 가공이라는 자백이 있었지만, 그럼에도 다양한 이름이 거명되는 것을 보면 이영창의 재능이 심상치 않든지, 실제로 교유한 인물이든지 할 것이다. 여기에 도사(道士), 부자(富者), 술사(術士), 용장(勇將), 역사(力士), 거사(居士), 부사(府使), 충의(忠義), 전 군수(郡守) 등이 포함되어 있었다. 이들 가운데 일부는 국문을 받다가 죽기도 하고, 무고로 방면되기도 했으며, 찾을 수 없는 경우도 있었다.[360]

숙종은 국청(鞫廳)에 장길산의 무리를 잡아들이라고 하교(下敎)했다. 이미 장길산의 군도는 10여 년 전부터 활동해오고 있었다. 이들에 대한 숙종의 교시에는 짜증이 섞였다.

극적(劇賊) 장길산은 날래고 사납기가 견줄 데가 없다. 여러 도(道)로 왕래하여 그 무리들이 번성한데, 벌써 10년이 지났으나, 아직 잡지 못하고 있다. 지난번 양덕(陽德)에서 군사를 징발하여 체포하려고 포위하였지만 끝내 잡지 못하였으니, 역시 그 음흉함을 알 만하다. 지금 이영창의 초사(招辭)를 관찰하니, 더욱 통탄스럽다. 여러 도(道)에 은밀히 신칙(申飭)하여 있는 곳을 상세하게 정탐하게 하고, 별도로 군사를 징발해서 체포하여 뒷날의 근심을 없애는 것도 의논하여 아뢰도록 하라.[361]

그러나 '잘 하겠다'는 공허한 대답만이 되돌아왔다. 장길산은 이후의 기록에서 사라진다. 장길산의 군도가 함경, 평안, 황해, 경기 등 여러 도를 왕래하면서 활동했을 가능성은 있다. 그러나 이 시기 함경도와 평안도 지역에서의 도적 활동은 『실록』 기사에 잘 보이지 않는다. 그러한 점에서 장길산이 서수라(西水羅)나 벽동(碧潼) 등에 은거하고 있다는 것은 소문이거나 반란 세력에 의해 꾸며진 이야기일 가능성이 제기된다.[362] 그러나 성호 이익은 국가의 힘으로도 극적을 잡지 못한 것을 한탄했다. 이를 뒤집어 생각하면, 장길산은 전설이 되기에 충분할 정도의 신비로운 도적이었다. 도적이 아닌 어떤 신분이나 존재로 살아갈 수 있다면, 그는 애초 도적 이상의 자질을 가진 이었을 것이다. 더욱이 이후로 어떤 흔적도 드러내지 않는 것은 더욱 그에 대한 신비감을 크게 만드는 요인이 되었다.

이영창은 본국에서 중국을 점령하여 새로운 왕조를 세우며, 여기에 승군과 반란군의 수많은 사람이 가담했다는 자백을 했다. 이어서 이와 관련된 이들과 대질 심문을 받고, 형장(刑杖)에 몸이 으스러진 뒤에 담담하게 자백을 한다.

> 저는 김화 남면에서 장가들어 처가살이를 했습니다. 집 옆에 바위가 있었습니다. 하루는 제가 그 위에 누워 있다가 졸음에 빠져 꿈을 꾸었는데, 두 사람이 제게 이르기를, "네가 만약 관상과 지술(地術)의 두 가지 술법으로 세상 사람들을 속이고 홀린다면 먹고 살 수 있을 것이다." 했습니다. 제가 꿈에서 깨니, 마치 귀신이 내린 듯했습니다. 이에 서울로 올라와 관상과 풍수의 술법으로 행세했습니다 … 장길산과 결탁한 일의 경우 … 저는 일찍이 장길산이 어디에 사는지도 모릅니다.[363]

이후 일곱 차례에 이르도록 형신(刑訊, 죄인의 정강이를 때리며 캐물음)하자 죽었다. 최후의 자백이 사실이라면, 이영창은 신비체험을 거쳐 생불이 되고 정진인이 되어 왕조를 무너뜨리고 구세하겠다는 이인(異人)들과 큰 차이가 없다. 단지 생계를 위한 사기꾼이라는 것이 달랐을 뿐이다.[364] 그러나 그의 머릿속에 등장했던 인물과 사건은 민중의 대망을 이루는 민중사상의 연원을 기초로 해서 구성된 것이다. 한 사람의 사상가나 문필가가 새로운 세상을 제시하고 그리듯이, 잡다한 민중사상을 재료로 해서 허구를 만들어냈다. 문제는 이러한 허구가 밖으로 드러났고, 사상 통제가 극심했던 현실 속에서 불온한 자로 지목되어 죽었다는 것이다. 천한 자가 세상을 속였던 대가였지만, 천한 자를 통해서 허구적으로나마 구성된 왕조의 전복과 중원의 정복을 이끄는 민중의 영웅이 구성되는 면모를 살펴볼 수 있었다. 그의 허구가 실행된다면 그것은 민중의 반란이 되기 때문이다.

5) 무신(戊申) 난

영조와 정조의 시기는 민국(民國)의 이념이 생겨나는 시기로 알려져 있다. '민국'이란 '민중[백성]의 나라'라는 뜻이며, 이는 군주국체와 사대부국체로 지속되어 온 조선이 민을 국체로 여기기 시작했다는 뜻이다. 그러나 이러한 민국의식은 성군의 은택과 지혜로 시작된 것이 아니라, 이전부터 국권에 도전해 왔던 민중의 불온한 생각과 저항의 실패에 따른 참혹한 보복의 오랜 축적이 있었기 때문에 가능해진 것이다. 그리고 그 위에 영조의 재위 52년 동안 몰아붙인 민중의 거센 압력을 시작으로, 정조연간을 거쳐서 부득이하게 변화된 것이었다.[365]

장희빈의 아들 경종(景宗)이 급사하고 나서, 소론과 남인계 사람들 및 일반 민중들도 영조가 숙종의 아들이 아니며, 경종이 동궁(영조)에 의해 독살당한 것이라 하면서 영조의 왕위를 부정하는 은밀한 여론이 형성되었다. 이윽고 1728(영조 4) 무신년(戊申年)에 반란이 일어났다. 이른바 무신란(戊申亂)

은 영조를 퇴위시키고 노론(老論) 세력을 정계에서 축출하기 위하여, 소론(少論) 강경파인 준소(峻少) 계열이 반란을 시작하였고, 남인이 중심이 되어 실제 거병(擧兵)하였으며, 소론 온건파인 완소(緩少) 계열이 진압한 영조연간 최대의 병란(兵亂)이었다.

　무신란은 권력 부문의 정치 변동이라고 할 수 있지만, 난에 참여한 세력은 전라도, 경상도, 충청도를 아우르는 전국적인 것이었고, 붕당과 관련된 사대부 집단뿐 아니라, 극적(劇賊) 세력이 참여하고 있다는 데에서 민중의 영향이 미치는 민란의 성격을 포함하고 있다.

　과격 준소 당파 무리들은 무신란의 거병을 위해 이미 재산을 처분하고 전국을 돌아다니며 반란에 함께 가담할 동지들을 모집했다. 한양에서는 소론 준소 계열이, 지방에서는 남인 계열이 주로 반란에 포섭되었다.[366] 그러나 무신란은 실패한다.[367]

　그 이유로는 첫째, 정미환국(丁未換局)으로 반란에 대한 기대와 참여가 약해져서, 당초 계획이 틀어졌다. 둘째, 영남 반란군 가운데 안동의 퇴계학파(退溪學派)들은 약속을 어기고 반란군을 이탈했다. 오히려 이들은 무신란 진압을 위한 의병 활동을 전개한다. 셋째, 각 지역 반란군이 한데 합하지 못해서 고립되었고, 주력 부대였던 호서 반란군이 패배하여 예봉(銳鋒)이 꺾였다.

　넷째, 가장 중요한 요인으로서 민중세력과 호응하는 데 성공하지 못했다. 무신란 전부터 전국은 명화적이 무리를 지어 활동하고 있었다. 호남 지역에는 변산 지역의 변산적(邊山賊)이 있었는데, 녹림당(綠林黨)[368]이라고도 불렀다. 양반 사대부의 반란주모자들은 이들을 녹림병(綠林兵)과 연대하려 했으나 실패했다.

　연대 과정에서 등장하는 인물이 정세윤(鄭世胤)이다. 이인좌(李麟佐, 미상

~1728)가 영남을 맡고, 호남의 일을 주관하기로 한 사람이다. 그런데 정세
윤은 자신을 명화적 세력과 관련이 깊은 정도령(鄭道令)이라고 자칭했다고
한다. 본래 정세윤의 신분은 양반으로, 과거시험을 보지 않은 업유(業儒)였
다.[369] 이를 보면 녹림당은 『정감록』의 사상을 가지고 있었던 것으로 보인
다. 정세윤은 녹림당과 연대를 도모하다 실패했으나, 끝까지 병란에 참여하
다가 잡혀 국문을 받는다. 기록은 정도령을 자처한 정세윤의 인물됨을 보여
준다.

> 정세윤은 언어가 패만(悖慢)하고 또 날쌔고 건장했기 때문에 이미 참(斬)했
> 습니다.[370]

여기에 각지에서 활약하던 군도의 우두머리들이 있었다. 호서의 극적(劇
賊)으로 임서호(任瑞虎)가 있었다. 그는 영남의 극적과 연계가 있었는데, 이
인좌와 주도권 다툼에서 밀려나 대원수(大元帥)가 되지 못했다. 난이 진압되
고 결국 한양으로 압송되었는데, 전하는 기록을 보면 기개가 놀라웠다.

> 임서호를 문초하고 1차 형신을 가하였는데, 임서호가 가장 사나워서 여러
> 차례 형신을 받았으나, 끝내 한마디도 하지 않았다.[371]

하지만 범 같던 그도 형장(刑杖)을 참다가 경폐(徑斃, 형을 집행하기 전에 갑작
스레 죽음)하고 만다. 전라도에는 변산의 극적 이외에도 부안의 극적 세력이
있었으나, 난에 참여하지는 않았다. 그들은 단지 도적이었기 때문인 것으로
보인다.[372]

무신란의 주도적인 집단은 과격 소론 당파와 남인의 당파 무리였다. 이들

은 사대부이지만 권세에서 멀어진 탓에 몰락한 처지에 있던 양반들이다. 난의 주도층에는 서얼도 참여했다. 그러나 가장 중요한 난의 동력은 민중, 즉 상천민(常賤民)이었다. 이들은 특히 변산반도의 녹림당에서 정도령이 나타나는 것을 갈망하고 있었다. 녹림당은 민중의 이해를 대변하는 의적으로 알려졌기 때문이다. 그런데 양반과 민중들이 연합하는 과정에서, 민중이 주도적인 위치를 차지하지 못하자, 민중세력의 적극적인 참여가 미루어지는 계기가 된 것으로 보인다.[373] 그래서 이들은 반란군과 연대하지 못했던 것이다.

무신란은 집권 세력에게 혁명의 두려움을 갖게 해 주었다. 결국 영조는 무신란 이듬해인 1729년에 노론과 소론의 중요 정치 현안이었던 신임옥사(辛壬獄事, 1721~1722)에 대해서 양시양비론(兩是兩非論)으로 절충한 기유처분(己酉處分, 1729)을 내려 붕당정치의 문제점을 제시하며 탕평(蕩平)을 반포하였다. 또한 중앙 정계와 지방 향촌사회가 정치사회적으로 노론을 중심으로 재편되기 시작했다. 이어 1730년(영조 6)에는 공사천(公私賤)의 양처(良妻) 소생은 모역(母役)을 따르게 하였고, 1750년(영조 26)에는 균역청(均役廳)을 설치하여 민중(하층농민)의 원한을 해소하거나 부담을 경감시키고, 1769년(영조 45)에는 장예원의 혁파를 단행했고, 1402년(태종 2)에 설치한, 군민(君民)이 직통하여 민의를 접수하는 신문고법을 회복해서, 1771년(영조 47) 11월에 병조 주관 아래 신문고(申聞鼓)가 창덕궁 진선문(進善門)과 시어소(時御所, 행궁으로 쓰던 월산대군가) 건명문(建明門) 남쪽에 다시 설치되었다.[374] 이러한 조치들은 모두 무신란의 영향이며, 점증하는 민압(民壓)을 반영하는 정책이었다.

그러나 영조연간은 해마다 난이 발생했다. 무신란의 잔여세력들이 각지에 흩어져 당시 사회상과 관련하여 사달을 일으키고 있었다. 영조 이후로 빈번하게 등장하는 것이 이러한 난에 연관된 잡술(雜術)과 비기이다. 비기를 빙자하여 국가 전복을 꾀하거나, 새로운 세상을 동경하고, 대란을 예언하며,

잡술을 빙자하여 민심을 얻어 세를 이루어서 불온한 행동을 하려는 움직임이 매우 흔해졌다. 이러한 움직임의 가장 초보적인 것이 와언(訛言), 유언(流言), 부언(浮言) 혹은 요언(妖言)으로 불리는 유언비어 사건들이다. 이들은 불온한 글을 써 붙여 많은 사람들에게 보이는 괘서(掛書)와도 연결되었다. 거의 매년 이러한 일이 일어났다.[375]

그런데 이러한 와언과 괘서의 근거가 되는 비기는 『정감록』이었다. 『정감록』 사상이 익명의 여론을 통해 민심을 자극하는 저항의 근원이었던 것이다. 이에 대한 국가의 대응은 정치적 메시지가 분명했기 때문에 이를 강력 단속하고, 탕평책을 써서 정치적 불만을 해소하는 방향으로 추진되었다.[376]

6) 비기(祕記)와 역모(逆謀)

(1) 흉서(凶書)와 괘서(掛書)

'팔공암(八公菴) 흉서 사건'은 『정감록』 계열의 일종인 『남사고비기(南師古祕記)』를 사상적 틀로 삼아 일으킨 것이다.[377] 사건의 전말은 기유년(己酉年, 1729, 영조 5) 무렵 윤징상(尹徵商)이 친우들과 팔공암(八公菴)에 갔다가, 태진(太眞)이란 중에게 남사고(南師古, 1509~1571)의 『비결(秘訣)』 내용을 듣고 그 것을 필사해 온 것이다. 그런데 태진이란 중은 양반 출신이었다는 것이 범상치 않은 일이었다. 또한 태진이 "야산(野山)에 소요가 많기 때문에 이 산으로 깊이 들어오게 되었다."는 세속을 떠난 이야기를 하며, '무신년이 또한 좋지 않다'는 것은 이미 징험되었고, '무신년의 뒤에도 해마다 모든 것이 장차 무사하게 되지 않을 것이다'는 등의 이야기가 『비결』에 있다고 이야기를 나누었다. 이러한 내용은 체제를 거역하는 불온한 사상에 해당되기 때문에, 이들은 비기를 읽고 유통한 대가를 치르게 된 것이다. 마치 반공국가에서 마르크스나 레닌의 책을 읽은 것과 같은 형국이었다.

작은 불꽃이 산야를 태우고, 강건한 우마(牛馬)도 미물에 감염되면 쓰러지는 법이다. 국가의 질서에 도전하는 책은 비록 작은 불꽃에 지나지 않으나 국가 전복의 도화선이 될 수 있다.

> 임금이 말하길, "남사고란 자는 어떠한 사람인가."
>
> "명종조(明宗朝) 때 사람으로서 천문·지리에 모두 통달했다고 고금에 이름이 나서 이인(異人)으로 일컫고 있습니다. 남사고의 『비기(秘記)』가 세상에 전해지고 행해지자 세상 사람들이 말을 덧붙이고 부회(傅會)하여 와전(訛傳)된 것이 많습니다. … 대개 호남에서 신승(神僧) 의상(義相)과 도선(道詵)이 났기 때문에 남방에 그의 방서(方書)가 많이 전해지고 있습니다. 혹은 풍수로 전하고 혹은 추명(推命)으로 전하며 혹은 상술(相術)로 전해져 지난번 송하(宋河)의 무리와 같은 사람이 있는가 하면 승도(僧徒)가 더욱 혹신(惑信)하기 때문에 태진과 같은 자가 있는 것입니다. … 도선이나 남사고를 물론하고 비기로써 인심을 요혹(妖惑)시키는 자는 모두 처참하여야 합니다. … 호남의 감사(監司)가 만약 도내의 잡술에 관한 여러 방서를 죄다 거두어 금지시킨다면 저절로 종식되어 없어질 것입니다."[378]

국가가 두려운 것은 그 사상이 민심을 움직일까 해서이다. 그것은 성리학적 질서에 반하는 거역과 저항의 힘이었기 때문이다. 결국 사상 통제로 귀결되었다. 그런데 위의 기사는 지배층에서도 참서들의 유통을 잘 알고 있었다는 방증이다. 그런데 이에 대해 공식적으로 논의되는 것은 이미 이러한 사상이 민간에 유포되고, 정치적 메시지를 함의하고 있었기 때문이다.

이러한 참서의 정치적 메시지는 체제의 모순으로 인한 고통을 직접 겪고 있는 민중들이 이를 벗어나는 해방과 안락에 대한 자연스러운 욕구가 집적된 대망론을 담고 있기 때문에, 변란이나 민란의 사상적 동력이 되기에 충분했다. 참서의 유통과 보급은 주로 평민지식인, 즉 민중에 속하지만 문자나 기술을 익힌 자들이었다. 여기에는 잡술로 표현된 풍수쟁이(지관), 사주쟁이(명리), 점쟁이(점복), 의생(醫生), 도사(道士), 거사(居士), 승려, 무격(巫覡) 등이 속했다.

패서 사건도 심심치 않게 등장했다. 패서는 항상 비서를 근거로 해서 이루어졌다.

> 도선(道詵)의 『비기(秘記)』가 있는데 용두(龍頭)와 사미(蛇尾)에 대해 운운한 것이 있다. '용두는 곧 무진년 정월(正月)이고, 사미는 곧 기사년 12월이다.' 하고, 또 말하기를, '왜인(倭人) 같지만 왜인이 아닌 것이 남쪽에서 올라오는데 산도 아니고 물도 아닌 궁궁(弓弓)이 이롭다고 했다. … 이 고을에 대인(大人)과 명장(名將)이 있다.'고 운운하고서 '여기에서 나가지 않으면 반드시 큰 화를 당하게 될 것이다.' 하였습니다. … 궁궁은 활의 허리[弓腰]를 가리키는 것 같다. 따라서 구부러진 곳[劣處]에 숨으라는 말이다.(궁요(弓腰)는 속음(俗音)이 열(劣) 자의 뜻을 해석한 것과 같다.) … 비기에 이르기를, '무진년의 일은 알 수 있고, 경오년에는 즐거움이 당당하다.'고 하였다. … '사(事) 자는 난리가 반드시 일어난다는 뜻이고, 낙(樂) 자는 즐거운 일이 있다는 것이다. … 용두(龍頭)와 사미(蛇尾)에 대한 말은 용은 곧 진(辰)이고 사는 곧 사(巳)이며, 두(頭)는 정월(正月)이고 미(尾)는 곧 납월(臘月)을 말하는 것이다. … 그대는 양반의 권세를 의지하지 말라. 의당 귀한 자가 천하게 되고 천한 자가 귀하게 되는 세상이 있게 될 것이다. … 양반의 교만한 기세를 부리는 짓을 하지 말라. … 황적(黃賊)이 아직도 영남의 큰 섬에 둔취(屯聚)해 있으니 의당 한 번 소동을 일으

키기 위해 나올 것이라고 했으며, 곧 대궐에서의 익명서 내용의 한 가지 일인 이른바 큰 섬이라는 것은 곧 울릉도 건너편의 큰 섬을 말하는 것이라고 하였 다. … 379

『도선비기』는 『정감록』의 핵심 내용들을 담고 있다. '궁궁(弓弓)'은 난리를 피해서 숨는 장소 즉 피장처이고, '섬'은 해도기병(海島起兵)을 암시하고 있는 것 등이다. 이는 난리의 전조를 비밀스럽게 예언하는 대표적인 표현들이다. 관에 잡혀온 이른바 죄인들은 벼슬길이 막히고 먹을 것도 변변하지 않은 한 유(寒儒)였다. 이들은 비서(祕書)의 내용을 현실에 결부하여 해석을 했다. 이 러한 해석 속에 체제 저항을 선동하고 그러한 내용을 유포하여서 민심을 조 정으로부터 돌려놓은 역할을 한 것이다.

이 가운데 "귀한 자가 천하게 되고 천한 자가 귀하게 되는 세상이 있게 될 것이다"와 같은 말은 민중의 여망이었다. 그러나 이것은 어떤 실력행사를 동반한 실천으로 나간 것은 아니다. 다만 비서는 민중을 각성시킨다. 그것 이 치자가 가장 무서워하는 것이다. 때문에 이들은 모두 고초를 겪었다.

(2) 소운릉(小雲陵) 사건

정조는 세손(정조) 시절부터 적대적인 척신(戚臣) 세력의 견제를 받았으며, 이들은 불충하게도 세손을 제거하기 위한 방책을 펼쳤다. 정조 즉위 후에도 척신 세력을 중심으로 한 정조의 반대 세력이 권력 집단 내부에서 정조를 견제하고 있는 상황이었다. 정조는 단호하게 일련의 숙정(肅正) 작업을 통해 서 정국의 주도권을 장악했고, 자신의 정치이념을 구현하기 위한 기반을 확 립해 나갔다. 그러나 이러한 숙정 정책은 기득권을 가지고 있었던 세력들의 반발을 불러 일으켰고, 이런 이유로 이른바 '삼대(三大)역모사건'이 발생한다.[380] 그러나 이러한 정권 초기의 불안을 딛고 일련의 개혁조치를 실시하게 되어, 왕조의 해체 직전 변질되고 피폐화된 유교국가의 기본틀을 재정비하고 이를 다시 제도화하기 위해 진력했던 최후의 융성기로 인식된다.[381]

정조는 유가의 정치이념에 근간을 이루는 민유방본론을 적극적으로 해석하여, 사대부를 제치고 상민과 천민은 물론이고 중인과 서얼을 포함한 소민(小民) 우선 민본정치를 실시하려는 개혁 조치들을 발표하고 실행했다. 예컨대, 소민들의 고충을 해결하는 효과를 확신하고, 격쟁(擊錚)과 상언(上言)제도를 활성화시켰다. 그런데 이러한 국왕 중심의 개혁조치들은 반대로 조선 민중들의 반항의식이 어느 정도였는지를 시사해주고 있다. 즉 민의를 국왕에게 전달하고자 했던 합법적 또는 비합법적 방식의 강도가 민압(民壓)으로 작용하여 개혁조치를 이끌어내었다는 것이다. 정조의 왕권이 강화되고 집권 초기의 정치적 불안정이 모두 제압됨으로써 친정체제가 구축되자, 상언과 격쟁 모두 1790년을 고비로 하여 1791년(정조 15)부터는 급격히 감소하는 추세를 보여주고 있다.[382]

그러나 민중의 저항은 합법적인 방식을 넘어서 민란의 형태로 진행되고 있었다. 군주국체나 사대부국체에서 민국의 평민국체로 전환되고 있다고 해도, 민생은 여전히 구악과 구습이 만들어 놓은 도탄(塗炭) 속에 빠져 있었기 때문이다.

정조 연간에 발생하는 민중의 저항은 『정감록』 사상의 전면적인 등장이 큰 특징을 이룬다. 『정감록』의 연원에 해당하는 여러 비기들은 조선을 넘어 고려와 삼국시대에도 존재해 왔으나, 이 시기 널리 유포되어 비기들의 결집과 다양한 이본들이 양산되었다. 이러한 비기들은 이씨가 아닌 정씨의 신왕조 출현 대망론, 성리학이 아닌 도교·불교·무속 등을 토대로 하는 절충론적 사상, 말세의 환란을 피할 수 있는 십승지(十勝地)와 피장처(避藏處)에 대한 종말론 기반의 담론, 구세주 정진인이 중심이 되어 해도(海島)에서 출병하는 해도기병설(海島起兵說), 천지개벽(天地開闢)의 자연 운수(運數)로 정해진 불가항력적인 정명론적 예언 등을 내용으로 하고 있다. 이들은 지배층보다는 한사(寒士)나 빈사(貧士) 또는 잡술의 지식을 소유한 평민지식인들에 의해 유포되어 민중들이 공감하고 추구하는 민중사상이라는 것이 중대한 특징이다. 이는 민중들의 대항이데올로기라고 할 수 있다. 따라서 각종 변란과 민란에는 『정감록』 사상이 깊이 개입할 수밖에 없었다.

제천(堤川) 사람 김동익(金東翼)의 요언 사건이라고 알려진 거사 모의를 살펴보자. 그런데 이를 '소운릉(小雲陵) 사건'이라고 불러서 다른 사건들과 차별화해 보자. 소운릉은 이들이 말하는 이상향이다. 역모를 꾸민 이들은 주로 충북과 인접한 강원도 사람들이었다.

"지금 국조(國祚, 국운)가 장차 위급하여 팔도(八道)의 방백과 수령들을 모두 의정(擬定)하였는데, 운장(雲長, 김동익(金東翼)의 자(字)이다.) 김(金) 생원이 강원 감사(江原監司)가 되어 그대와 나 등 5, 6인을 편비(偏裨, 대장을 보좌하는 무장)로 데리고 가려고 한다. 만약 모피(謀避, 꾀를 써 벗어남)하면 반드시 멸족(滅族)의 화를 당하게 될 것이다."라고 했다. … "해도(海島) 가운데 있으면서 무리를 모아 작당하여 정희량(鄭希亮)의 손자 정함(鄭諴)을 받들어서 장차 이번 11일에 일을 일으키기로 하였는데 팔도(八道)에서 일시에 호응할 것이라"고 했다. … "섬은 일본과 동래(東萊) 사이에 있고, 그 이름은 무석국(無石國)이라고 하는데 공격하기가 매우 어렵다." … "도상(島相)은 모두 세 사람인데 하나는 이인좌(李麟佐)의 아들이요, 하나는 조가(趙哥)이며, 하나는 찰수(察帥)이다." … "일출암(日出菴)의 승려 명찰(明察)은 시(詩)에서, '바다를 걸터앉은 봉새가 팔천리 길을 치고 일어나니 날고 날아서 응당 채운변(彩雲邊)을 향하리,

소승 역시 인간 세상 사람이니 장차 양양(襄陽)에서 하마(下馬)하는 해를 보리라(跨海搏鵬路八千, 飛飛應向彩雲邊, 小僧亦是人間物, 將見襄陽下馬年)'라고 하였다 … "명찰의 성(姓)은 위(魏)인데 혹 양(梁)으로 일컫기도 하며, 혹 김석승(金碩僧)이라 일컫기도 하며 혹은 그의 기도(祈禱)를 전하기도 하면서 신(辛)이라 자칭하는데 필시 무신년의 역적 신조무(辛祖武)의 자손으로서 실로 도주(島主)의 스승입니다."[383]

요언은 조선의 국운(國運)이 쇠했고, 이를 대신할 새로운 왕조가 부산과 왜 중간에 있는 무석국(無石國)이라는 해도(海島)를 정벌하고, 그 근처에서 기병(起兵)하여 출현할 것이며, 이 때문에 병란의 화가 미칠 것이라는 전형적인 『정감록』의 주제를 재료로 해서 만들어졌다. 거사의 주인공들은 무신란 역적들(정희량, 이인좌, 신조무 등)의 자손이라는 것이 요언을 불온한 반체제적 언사로 만들었다. 이는 해도기병설의 부연이다. 이러한 요언은 중죄로 다스리는 것이 통례였기 때문에, 요언의 발설자는 효수당했다. 그런데 여죄를 물어 엄히 다스리자는 상소에 대해 정조는 비답(批答, 상소에 대해 국왕이 내린 답서)한다.

"개미나 이 같은(如蟻如螽) 무리들의 궁여지책이 이처럼 지나쳤다. 기괴하여 헤아리기 어려운 말로써 근거도 없고 이치에 맞지도 않는 말을 떠들어댄 것이다. 옛날에도 영동(嶺東)과 해서(海西)에 이와 비슷한 옥사가 있었기에 일찍부터 이와 같을 줄을 헤아렸으나 다만 옥체(獄體)를 중히 여기는 뜻에서 잠시 의금부에 맡겨서 안문(按問)한 것인데, 어찌 괴수와 수종을 따져 말할게 있겠는가? 지금부터 미혹(迷惑)을 경계하고 깨우치는 방도로는 '정학(正學)'을 천명하고 좌도(左道)를 금한다(闡正學, 禁左道)'라는 여섯 글자를 숭상하는 것

보다 나은 것이 없다.[384]

정조는 인정(仁政)의 한 단서를 보여준다. 이러한 요언은 역대로 있었지만 국체를 손상시킬 정도는 아니었다. 그래서 '정학을 천명하고 좌도를 금한다 (闡正學, 禁左道)'는 유가의 원칙을 보여준다. 이는 이단(異端)에 대해 너그러운 관용을 보여주었던 공자의 인정(仁政)사상에서 연유하는 것이다. 정조는 서학(西學)에 대해서도 이러한 원칙을 보여주었다. 그런데 성군의 은혜이기에 앞서, 비등하는 민중의 압력을 무시하는 정책은 비유가적이며, 비효율적이고, 비시대적이라는 자각에서 연유한 것이고 할 수 있다. 민유방본을 적극적으로 실천하는 정조 정책의 한 단면을 볼 수 있다.

비록 거사 준비 단계에 그친 것이지만 도성을 공격하려 했던, 이른바 '서울공격기도' 사건이 있었다. 이 사건에서도 『정감록』의 사상이 큰 역할을 했는데, 거사 이전 고변으로 인해 미수에 그쳤다. 권력에서 소외된 집단과 민중이 연합한 거사 모의라는 특징을 가진다.

이 사건은 홍국영(洪國榮, 1748~1781)과 밀접한 관련이 있다. 홍국영은 정조를 세자 때부터 충직하게 보위한 인물이다. 이런 그를 정조는 신임하여 요직에 임명했다. 이후 홍국영은 누이동생을 정조의 후궁(원빈元嬪 홍씨)으로 만들었다. 이로써 홍국영 자신이 외척세력이 되고 권력의 핵심에 이르게 되었다. 그러나 이 때문에 대신들의 견제를 받아 오히려 정치적 입지가 축소되자, 정조에 의해서 은퇴하게 되고, 곧 죽는다. 이후 홍국영의 잔여 세력에 대한 제거 과정에서, 그 세력의 구심적 역할을 하던 송시열(宋時烈, 1607~1689)의 현손이면서 노론에 속했던 송덕상(宋德相, ?~1783)이 삼수부(三水府)에 안치되었다. 이러한 상황에서 송덕상의 신원(伸冤)을 목적으로 하는 그의 추종자 집단과 체제 저항을 기도하는 일단의 세력이 상호 결탁하여,

『정감록』을 사상적인 틀로 삼아 사건을 전개한 것이다.[385]

거사의 중심은 이경래(李京來)와 문인방(文仁邦)이다. 이경래는 강원도 양양 사람으로 진사(進士)의 신분이었으며, 거사의 총책을 수행했다. 한때 송덕상에게 수학한 적도 있다. 문인방은 송덕상의 제자이며, 천민 신분이었다. 해서(海西) 태생이었기 때문에 이 지방의 송덕상 추종세력을 규합하는 임무를 띠었다.[386] 그런데 거사에 동조한 자들은 이경래를 제외하면 모두가 양천민(良賤民), 즉 민중들이었다.

민중들을 거사의 세력으로 만들 수 있던 것은 문인방이 『정감록』을 구성하는 여러 비서(秘書)와 좌도(左道)의 궁경벽서(窮經僻書, 세상의 주류적인 생각을 벗어나 숨겨진 뜻을 담고 있는 책들)를 학습하여, 양천민들에게 초인적인 카리스마의 인물임을 암시했기 때문이다. 이는 과거 도교(道敎)의 원류가 된 태평도(太平道)의 창시자 장각(張角, ?~184)이 황건적을 조직할 때 그들을 감복시킨 이래로 '일자무식의 민중들'을 움직이는 일반적인 방법이며, 참위로 여론을 형성할 때 기저에 깔린 원리이기도 했다. 이 때문에 이경래는 새 왕조를 열기 위한 전쟁을 총지휘하는 도원수가 될 수 있었다.

> 신(문인방)이 얻은 요술의 책 중 하나는 『승문연의(乘門衍義)』이고 하나는 『경험록(經驗錄)』이고 하나는 『신도경(神韜經)』이고 하나는 『금귀서(金龜書)』입니다. 그리고 청계 선생(淸溪先生)은 바로 송덕상입니다. 백천식(白天湜)과 신이 함께 이 책을 익히다가 양성(陽城)과 진천(鎭川) 등의 지역을 돌아다니며 초막을 얽어 놓고 거처하였습니다. … 양양(襄陽)에 사는 이경래(李京來)는 이인(異人)이기 때문에 도원수를 삼으려고 하였습니다. 도창국(都昌國)을 선봉장으로 삼고 박서집을 운량관(運粮官)으로 삼은 다음 신의 스승 송덕상이 귀양간 것으로 인하여 대선생(大先生)으로 일컫고 나서 김훈(金勛) 등 8명과 같

이 성읍을 도략(屠掠)하고 도성으로 곧장 쳐들어가려는 모의까지 하였습니다. …『정감록』가운데 여섯 자의 흉악한 말도 지어내어 모함하려는 계교였는데, 이 흉악한 말은 일찍이 신의 책자 중『경험록』에서도 나타나 있습니다. 대체로 신이 가지고 있는 책을 합하면 네 책인데 모두 매우 요망하고 허탄한 글로서 오로지 거짓 핑계대어 대중을 현혹시키려고 꾀한 것입니다.[387]

좌도에 대한 조정의 대응은 완강했다. 그것이 허탄한 내용이라서 민심을 해치기 때문이며, 그로 인해 민중이 저항하는 것에 대한 위기감을 느꼈기 때문이다. 과거 나라를 망하게 한 것은 호민들이 어리석은 백성들을 선동하는 데 성공했기 때문이다. 그들의 성공은 정학(正學)과 우도(右道)에 대한 매력보다 좌도에 대한 매력이 컸기 때문이다. 그 매력이란 새로운 세계에 대한 민중의 거의 무의식적인 친화, 말하자면 현실의 고통스러운 하중이 커질수록 더욱 커져가는 대망에 뿌리를 두고 있다.

민중이 바라는 것은 매우 단순한 것이다. 그것은 천하를 사유화하여 재화를 독점하여 나누지 않고, 더욱이 민중은 고귀한 통치행위를 위해 재화를 공급해야 하는 존재로 규정당하고, 이를 법과 제도의 폭력으로 무장해서 특정 집단만의 영구한 복리로 만들려는 세상이 아닌 반대의 세상, 더 나아가 그러한 세상의 허구가 사라져 버린 세상을 원하는 것이었다. 이것이 대동 세상이고,『정감록』의 진인이 실현해 줄 수 있는 세상이라고 믿었기 때문에, 도성을 점령하려는 어림없는 일에 목숨을 걸고 종사할 수 있었던 것이다. 이를 잘 알고 있던 민중의 지도자는 이상을 제시한다. 그것이 소운릉(小雲陵)이다.

백두산 아래에 소운릉이 있는데, 이경래의 집 앞에서 배를 타고 소운릉에

갔었다.[388]

배를 타고 가는 곳이기 때문에 소운롱은 섬일 가능성이 크다. 그런데 백두산 아래에 섬이 있을 지형은 찾기 어렵다. 더구나 이경래는 강원도 양양 사람이었고 그곳을 거처로 삼았다. 국문에서는 소운롱을 『정감록』에 등장하는 해도(海島)와 일치하는 것인지 묻는다. 문인방은 '남쪽의 바다에 있는 섬'이라고 했다.[389]

이경래와 문인방이 주도한 거사 모의에서는 『정감록』이라는 명칭이 구체적으로 거론되고 있으며, 조정에서도 이미 이에 대해 잘 알고 있었다는 사실을 확인할 수 있다. 그리고 남쪽 바다의 섬을 가리키는 소운롱은 이들이 『정감록』과 그 사상에 관련된 여러 좌도의 비기들을 보고 생각해서 제시한 일종의 이상사회를 가리켰다. 그곳은 '땅이 매우 비옥하여, 씨앗을 뿌리고 돌아온 후 다시 가서 보니 곡식이 매우 풍성한 곳'이었다.[390] 굶주리고 멸시받는 천한 자들이 그리는 세상은 비옥하고 윤택하며 풍성한 수확이 나는 옥토(沃土)면 충분했다.

정조는 비록 어두운 밤을 밝히고 천만 개의 강에 밝음을 나투는 밝은 달처럼 일점(一點) 근원(根源)의 태극(太極) 자리에서 성덕(聖德)을 베풀어 온 세상이 감화(感化)되기를 염원한 영명한 군주였던 '만천명월주인옹(萬川明月主人翁. 정조의 호)[391]을 자처했으나, 천한 이들을 배부르고 안락하게 해 주지는 못했던 것이다.

(3) 선원(仙苑) 사건
몇 년 뒤에 이른바 '산인(山人)사건'으로 알려진, 산에 사는 이인(異人)들이 연루된 사건이 일어난다. 소운롱 사건처럼 일종의 이상향인 선원(仙苑)과 관련되어 있기 때문에 '선원(仙苑) 사건'이라고 부르겠다.

이 역시도 홍국영의 실각과 그 세력의 숙정(肅正) 작업이 배경이다. 주도적인 인물은 사대부인 홍복영(洪福榮)과 이율(李瑮)이다. 이들은 사도세자를 음해한 노론 벽파(僻派)의 정치적 노선을 가지고 있었다.[392] 여기에 의술을 업으로 하는 중인(中人) 신분의 양형(梁衡)과 천민(賤民) 문양해(文洋海)가 4명의 핵심이었다. 이 가운데 문양해는 풍수(風水)와 선술(仙術)에 심취한 자였고, 이자를 통해서 지리산에 거주하는 이인(異人)들과 관련을 맺게 된다. 그리고 여러 잡술가들이 포함되어 있다. 이들은 약간의 문자를 익히고 특별한 기술을 가지고 있으면서, 민중을 이끌 수 있는 평민지식인에 속한다. 이들은 『정감록』 사상을 흉중(胸中)에 품고 반정(反正)을 모의했다. 의생(醫生) 양형의 말이다.

> 현재 세상은 장차 쇠퇴할 운명에 이를 것이니, 만일 인재가 있으면 마땅히 반란을 평정하고 반정(反正)할 기회가 있을 것이다.[393]

반정에 대한 기대는 이들이 역심을 품고 있었기 때문이다. 이율 같은 자는 역적이란 공사(公私)의 구별에 따라 역적이 아닐 수 있다고 하며, 자신의 행위가 바른 도, 즉 공(公)의 원리에 따른 것이란 확신이 있었다.

> 역적에는 공사(公私)의 구별이 있는 법이다. 나라에 도가 없으면, 말과 행동을 조심하고, 나라에 도가 있으면 말과 행동을 바르게 하는 것이다. 말과 행동을 바르게 하는 것은 나라에서 볼 때는 역적으로 되지만 그 집으로 볼 때는 역적이 아니다.[394]

핵심 주모자들은 수상한 자들과 교류하는데, 그들의 면모를 보면 사주, 풍수, 선술(仙術) 등과 같은 잡술을 하는 좌도의 무리였다.

> 일양자(一陽子)는 남달리 총명하기가 다른 사람들보다 뛰어났기 때문에 한번 『학통(學統)』을 보면 곧 술술 암송을 하였고, 산에 들어가 머리를 깎으면 하늘에서 꽃비가 내렸습니다.[395]

'일양자'는 다분히 역술적인 별호이다. 주역(周易)은 복괘(復卦)를 애호하는데 그것은 지음(至陰)이 가득한 곤(坤)에서 일양(一陽)이 시생(始生)하는 천도(天道)의 생명력을 상징하기 때문이다. 그런데 이 자는 중국 사람이라고 하며, 스스로 신선을 자처한 것을 보면, 도가의 도사와 같은 사람인 것 같다.

> 일양자에 대해서는 양형이 말하기를, '중국 사람인데 스스로 모선(茅仙)이다.'라고 일컫고, '나이는 40세 미만인데 정처 없이 돌아다닙니다.'[396]

또한 징담(澄潭)이라는 자는 사는 곳이 바다 속 깊은 곳이라 하는데, 아마도 물과 관련한 선술(仙術)을 하는 자인 것 같다.

> 징담은 고가(高哥) 성씨이고 이름은 화구(花韭)이며 평안도에서 났는데, 바다 속 깊은 물밑에 숨어 있어서 사람들이 만나 볼 수가 없습니다.[397]

그런데 이들과 달리 매우 이상한 자들도 존재했다. 현도진인(玄都眞人)이라는 도가풍의 이름이 물씬 풍기는 자이다.

현도진인이라는 사람이 있었는데, 나이는 5백 살이 넘었으며, 지리산 깊은 곳에서 살고 있는데, 성명은 백원신(白圓神)이라고 합니다. … 재작년에 명년 농사를 물었더니, '명년에는 틀림없이 흉년이 들 것이다'고 하였으나 그 말은 맞지 않았습니다.[398]

500살이 넘은 현도진인은 도가의 저술이나 도교의 신앙에서 등장하는 선인을 가리키는 것 같으나, 실제로 확인하기는 어렵다. 후일 국문과정에서 거짓 진술로 드러난다. 그런데 현도진인만큼 이상한 사람이 더 있다.

성거사(成居士)는 세상 사람을 만나지 않는다고 하기 때문에 만나지는 못하였고, 다만 그가 풍수[地術]에 밝다는 소문만 들었는데, 문양해가 산중에서 그를 만나보니, 과연 『주역(周易)』을 잘 알더라고 하였습니다.[399]

현도진인이나 성거사 같은 이들은 주로 문양해가 만났다. 풍수와 역술에 능한 인물로 보인다. 그런데 성거사도 나이가 250살이라고 하여, 선가에 속하는 사람이었으나, 이자도 현실적인 인물이 아니었다. 하지만 그는 『정감록』과 연관되어 있었다.

이현성(李玄晟)은 나이는 250살이고, 그가 이른바 '도처결(都處決)'이라는 것은 땅의 임금[坤帝], 즉 천제(天帝)의 배필인데, 폐백(幣帛)은 그의 종 학이(鶴伊)를 시켜서 지고 다니게 한다고 하였습니다. 그리고 만일 군사를 일으킨다면 어느 방향에서 하는 것이 좋겠는가를 물어보고, 만일 권세를 탐하고 세력을 좋아하는 사람들을 죽이려고 한다면, 혹은 자객을 보내서 찔러 죽이기도 하고, 혹은 호랑이나 표범을 보내서 물어 죽이기도 한다. … 유가(劉哥), 장가(張

哥), 김가(金哥)가 세파로 갈라졌다가, 뒤에 다시 하나로 합쳐지며, 제주의 7백
개 섬에 진인(眞人)이 있다.[400]

이들은 선술을 하는 선가의 무리들인데, 세속을 피해 선원(仙苑)에 사는
자들이다.

> 모두 지리산 선원(仙苑)에 있습니다. … 양형은 이런 사람들과 서로 친해가
> 지고 장래의 운수를 알려고 하였기 때문에 신이 정말로 중간에서 왕복하였
> 습니다.[401]

역모를 기도했던 자들은 자신들의 거사와 향후 천기(天機)의 방향에 대해
서 이들 이인의 조언을 들었던 것이다. 이들은 선가의 무리이나, 양형과 이
인 가운데 한 사람의 서신에서 불교의 영향을 발견할 수 있을 정도로 절충
적인 형태의 사상을 가지고 있었다.

> 양형과 신은 전생(前生)에 지리산 공중에 살면서 한 나라에서 같이 금단(錦
> 緞, 무늬 비단) 창고를 지키다가 귀신 하나를 찔러 죽였는데, 그 죄 때문에 양
> 형은 인간 세상에 귀양살이를 내려왔고, 신은 20년 동안 갇혀 있다가 비로소
> 세상에 나왔다. 그러므로 현생[今生]에서 거취를 같이 하는 사람이 되었다.[402]

역모를 기도한 자들은 이인들로부터 『정감록』을 비롯한 여러 비기들을 얻
고, 역모를 통해 이를 실현하려고 했다.

> 연대순으로 엮은 책자(冊子)가 있었는데, 임자년부터 정묘년까지 연달아

병란(兵火)이 있고, 그 뒤에는 잇따라 셋으로 갈라질 것이며, 을사년 봄에는 마땅히 수재(水災)가 있을 것이라 하였습니다. 그 글에 이르기를, '임주(林州)와 옥구(沃溝)사이가 물에 몇 자 깊이로 잠기고, 기유년에 마땅히 비참한 흉년이 들것이다.'라고 하였습니다. '무신년에는 북방의 도적이 크게 일어나서 집을 부수고 절간을 허물어도 관군이 능히 대적하지 못하며, 정미년에는 곤양(昆陽)과 고성(固城) 사이에 수재가 있고, 경술년과 신해년 간에는 들에 푸른 풀이 없어지며, 임자년에는 남쪽 섬의 군사가 강을 건너온다.'고 하였으며, 임자년 이후에는 쓴 것이 없었습니다.[403]

지리산 선원에 사는 이인들은 『정감록』의 사상을 유포했다. 곧 해도기병설이다.

조선은 산천(山川)과 천문과 지리가 모두 셋으로 갈라질 징조가 있는데, 임자년에 사변이 있어서 도적이 일어나며, 그 뒤에 마땅히 셋으로 갈라졌다가 다시 합쳐서 하나로 된다. 셋으로 갈라진다는 성씨는 정가(鄭哥)·유가(劉哥)·김가(金哥)이지만, 필경에는 정가가 마땅히 합하여 하나로 만드는데, 그는 남해(南海)의 섬 가운데에 있으며, 유가는 통천(通川)에 있으며, 김가는 영암(靈巖)에 있다고 합니다. 임자년에 정가가 먼저 해도(海島)에서 군사를 일으키면, 유가·김가가 그 뒤를 이어 일어난다. … 임자년 2월에 배가 바다 가운데에서부터 온다고 하였습니다.[404]

향후 변화하는 세상은 점성술적인 근거를 가지고 있다. 곧 "세 성씨를 가진 사람들이 장차 1백 년 동안 서로 싸우기 때문에 객성(客星)이 남방에서 이미 서울[京城]로 들어왔다."[405] 이러한 천기(天機) 때문에, 각 지방에 근거를 가진 세 성씨의 사람들이 싸우게 된다. 그리고 정진인은 아직 뜻을 드러내지는 않았으나, 현재 소년의 나이를 하고 있다. "정가(鄭哥) 성씨를 가진 신인(神人)의 나이는 지금 13살입니다."[406] 때가 되면 세상이 변하고 정진인이 성년이 되면 세상이 뒤집어진다는 예언일 것이다.

『정감록』은 지배층의 성리학적 이념에 대항하기 위해 평민지식인들이 유포한 민중의 대항적 이념이라는 성격을 가지고 있다. 민중의 입장에서 볼 때 천하(天下)는 모두 지배층이 장악하고 있기 때문에 민중의 편을 들어 줄 사람들은 없다. 민중이 믿을 수 있고 민중을 지지해주는 유일한 존재는 천하가 아니라 천기(天機), 즉 '하늘의 내밀한 뜻'이다. 오직 하늘만을 믿을 수 있을 뿐이다. 그런데 하늘의 내밀한 뜻, 즉 천기를 읽는 기술을 가진 자들은 세속인일 수 없다. 그들은 세속을 떠난 이인이며, 그들이 읽고 생각하는 서책이란 이미 천서(天書)에 속한다. 그래서 민중은 이인들의 천기누설(天機漏泄)을 통해서, 곧 진인이 해도에서 기병하여 저주스러운 구질서를 부수고 새 세상을 선포할 것이라는 하늘의 계획을 알게 되면서, 이인들을 존숭하고 비밀을 흉중에 품고, 그때에 거사를 결심하게 된다.

비록 250살을 먹었다느니 500살 먹었다느니 물속에 산다느니 하는 말이 허탄하게 들리고, 그런 자들이 광인(狂人)들처럼 보일지라도, 이들은 세속이 아닌 선원에 사는 존재들이며, 하늘의 뜻을 읽어낼 수 있는 자들이기 때문에, 그러한 형모를 가지고 있어야 한다는 생각이 오히려 자연스러울 수 있을 것이다.

'선원 사건'은 불발하고 말았다. 그러나 이것은 『정감록』 사상의 한 계기에 불과하다. 민중은 오직 '하늘이 마련한 은밀한 계획'[天機]만을 믿을 수밖에 없었기 때문에, 천기가 계시된 『정감록』의 사상을 실현하기 위한 민중의 시도는 계속 이어지게 된다.

3. 조선후기(순조~순종) : 혁명(革命)에서 개벽(開闢)으로

1) 천주교의 격의(格義)

17세기 이래로 조선은 소농민 육성보다는 대토지 소유의 인정 쪽으로 경제정책을 폈기 때문에, 부민(富農)과 요호층(饒戶層)의 성장과 빈농(貧農)의 증가라는, 빈부격차의 차이를 더 벌려 놓은 문제를 낳았다. 이 때문에 토지에서 유리된 농민은 상업에 종사하거나 임금노동자가 되었으며, 이 역시도 사상도고(私商都賈, 대규모 민간 도매상)의 성장으로 상업에서도 빈부가 현격하게 차이 나는 문제를 낳았다.

사회는 신분제가 동요하였으며, 간혹 평민과 천민의 신분에서 부의 축적을 바탕으로 신분 상승을 하는 경우도 생겨났다. 이는 과거 응시와 같은 정상적인 방법이 있었으나, 대개 홍패위조 · 족보위조, 매향(賣鄕, 향촌자치기구의 직책을 파는 행위) 등의 부정적인 방식을 통해서 이루어졌다. 그러나 토지에서 유리된 농민의 선택은 거지가 되거나 명화적(明火賊)이 되는 것뿐이었다.

영 · 정조 시기에조차도 빈부격차를 줄이지 못하고, 신분으로 인한 차별적 대우는 줄어들지 않았다. 비판적 지식인들은 실학의 학풍을 만들었으며, 민중들은 『정감록』의 사상으로 표출되는 대안적 이데올로기를 통해서 저항했다. 그러나 그러한 저항은 아직 큰 규모로 진행되지 못했는데, 큰 이유는 민중이 충분히 의식화가 되지 않았기 때문이었다. 민중은 대동의 본연적 요구, 미륵불교의 전통사상, 『정감록』과 같은 좌도의 예언 등에 노출되어 있었으나, 그것을 통해 체제 변혁의 실력을 행사하지 못했다. 비록 민중사상의 연원은 지배층의 성리학을 대적할 수 있는 강력한 이론이었지만, 그것을 충분히 의식화하지 못했고, 지배층의 성리학적 이데올로기의 강제적 힘에 세

뇌되었기 때문에, 실력행사를 위한 동력이 미약했다.

그런데 민중을 의식화시키는 또 하나의 연원이 외래에서 등장하게 된다. 그것은 서학(西學)의 이름으로 불렸으나, 실제로는 천주교(天主教)의 복음(福音)이었다. 이 복음은 일자무식이 대부분인 민중들에게 그들이 본원적으로 대망(待望)하는 세상에 대한 비전을 제시했다. 심층적으로 그것은 대동의 세상이었으나, 서구문화의 옷으로 갈아입고 등장한 것이었다.

초기 천주교는 서학과 함께 들어와서 식자층에서 검토되었다. 이는 성호학파에서 특히 잘 볼 수 있는데, 천주교에 우호적인 신서파(信西派)와 비판적인 공서파(功西派)의 두 경향을 낳았다. 공서파로는 신후담(慎後聃, 1702~1761)을 꼽을 수 있는데, 『서학변(西學辨)』(1724)을 저술해서 유교의 입장에서 천주교를 비판했다.

신서파는 세례명이 암브로시오(Ambrosius)였던 녹암(鹿庵) 권철신(權哲身, 1736~1801)이 대표적이었다. 녹암을 중심으로 한 문인들은 이승훈(李承薰, 1756~1801)이 북경 사행 때 한국인 최초의 영세자가 된 이후 서학 연구에서 천주교의 수용이라는 종교적 실천으로 나아갔다. 그러나 천주교의 전례(典禮)가 조선의 유교와 갈등을 일으키자, 조선은 천주교를 적대시했다. 이의 상징적인 사건이 진산(珍山)사건(1791)이다. 전라도 진산에 사는 윤지충(尹持忠)과 권상연(權尙然)이 부모의 신주를 훼손하고 제사를 폐했다. 윤지충은 천주교를 옹호하며 말한다. 그는 진사시에 합격한 사대부였다.

천주(天主)를 큰 부모로 여기는 이상 천주의 명을 따르지 않는 것은 결코 공경하고 높이는 뜻이 못됩니다. 그런데 사대부 집안의 목주(木主, 나무로 만든 조상의 신주)는 천주교(天主教)에서 금하는 것이니, 차라리 사대부에게 죄를 얻을지언정 천주에게 죄를 얻고 싶지는 않았습니다. 그래서 결국 집안에 땅을 파고 신주를 묻었습니다. 그리고 죽은 사람 앞에 술잔을 올리고 음식을 올리는 것도 천주교에서 금지하는 것입니다. 게다가 서민(庶民)들이 신주를 세우지 않는 것은 나라에서 엄히 금지하는 일이 없고, 곤궁한 선비가 제향을 차리지 못하는 것도 엄하게 막는 예법이 없습니다. 그래서 신주도 세우지 않고 제향도 차리지 않았던 것인데 이는 단지 천주의 가르침을 위한 것일 뿐으로서 나라의 금법을 범한 일은 아닌 듯합니다.[407]

윤지충의 진술은 조선의 성리학적 이념에 담담한 어조이지만 무섭게 도전한 것이었다. 조상에 대한 예(禮)란 본시 효(孝)의 지극한 표현이고, 효는 성리학은 물론이고 유교 예치의 근간이다. 삼강오륜(三綱五倫)의 윤리 전체가 효 위에 세워져 있다. 그런데 그것을 이론적으로 송두리째 부정한 것이었다. 정진인이 해도에서 기병해 조선왕조와 전쟁을 벌여 승리하리라는 『정감록』의 사상 이상으로, 천주교의 사상은 조선을 흔들었던 것이다. 이로 해서 신해(辛亥)박해(1791, 정조 15)가 일어났다.[408] 그러나 천주교는 잦아들지 않았다. 본래 기독교는 박해할수록 들불처럼 타오르는 종교라는 것을 동서의 역사는 보여주고 있다. 유생들의 분노는 들끓었으며, 이로 해서 조선은 계속 사분오열되어 갔다.

아조(我朝)의 예악(禮樂) 문물(文物)은 중화(中華)와 같다고 불리어 왔습니다. 그런데 하나의 음험하고 사특한 무리가 서양의 서적을 구입해 와 스스로 교주가 된 뒤 이단의 학설을 주창하고 있습니다. 그리하여 부자유친(父子有親)과 군신유의(君臣有義)의 의리를 끊어 버리고 무시하는가 하면 남녀의 구별을 없애 부부의 윤리를 어지럽게 하고 있으며 상례(喪禮)와 제례(祭禮)도 모두 없애 귀신과 사람의 이치가 끊어지게 하고 말았습니다. 이와 함께 정욕(情

慾)대로 누구나 행하게 하는 바람에 예악(禮樂)으로는 교화할 수가 없게 되었고, 천당과 지옥의 설이 일어나면서 형정(刑政)으로도 제어할 수 없게 되었습니다. 예(禮)·의(義)·염(廉)·치(恥)야말로 인간의 품위를 유지하게 하는 큰 제방(堤防)이라 할 것입니다. 그런데 위와 아래를 뒤섞어 귀천(貴賤)을 구분하지 않는가 하면 벌거벗고 소리쳐도 조금도 부끄러움을 느끼지 않게 하고 보면 그 교설이 행해지기가 쉽다고 할 것입니다. 그리고 재물과 이성(異性)이야말로 사람에게 있어 커다란 욕망의 대상이라 할 것인데 돈과 곡식을 서로 나누어 주어 빈한한 자와 구걸하는 자들이 생활할 수 있게 하는가 하면 내외(內外)의 구별을 없애 제멋대로 간음(姦淫)을 할 수 있게 하고 있으니 그 무리들이 쉽게 불어날 수밖에 없습니다. 조금 재주와 지식이 있는 사부(士夫)가 이 교설을 빌려다가 우매한 대중을 현혹시키자 멍청하게 아무 식견도 없는 무리들이 그 도를 좋아해 신명(神明)처럼 떠받들면서 서로들 유혹해 백 명 천 명의 집단을 이루게 되었습니다. … 어버이를 버리고 벗을 중히 여기는 마음으로 패거리를 불러 모아 결탁한 다음 살기 싫은 세상을 떠나 빨리 저세상으로 가자면서 유혹하고 선동한다면 어떤 변인들 일으키지 못하겠습니까. 몇 년 전 윤지충의 변을 생각하면 뼛속까지 오싹해집니다.[409]

관학유생 637명이 제출한 위의 상소는 거꾸로 말한다면, 민심이 기존 체제에서 얼마나 이반하고 있는지를 반증하고 있다. 수천 명이 천주교를 따르는 이유를 돌아보지 않고, 단지 유가적 이념에 따른 비난만을 하는데 급급하고 있었다. 민중은 혹독한 예치의 통제를 거부했고, 부자·군신·남녀 등의 인간관계를 새롭게 맺고 싶어 했으며, 정욕(情慾)을 억압하지 않고 해방하고, 귀천(貴賤)의 구분에 신임하지 않으며, 빈한한 자와 구걸하는 자들이 구제되는 세상을 원하고 있었다. 민중은 대동·용화·소운룡·천국을 원하고 있었던 것이다.

녹암 학파에서 정약종(丁若鍾, 1760~1801)과 이벽(李檗, 1754~1786)은 천주교의 토착화에 힘쓴 사대부 인재였다. 정약종은『주교요지』를 저술했는데, 이는 여러 서학서를 참고하여 언문(한글)로 쉽게 정리한 것이었다. 한글로 지었기 때문에 민중들이 천주교를 이해하는 데에 크게 영향을 미쳤다. 또한 이벽은『성교요지(聖敎要旨)』라는 교리서를 남겼다. 이벽은 천주교를 유학의 기본적 철학과 일치하는 것으로 이해한 사상가였다.[410] 이벽의 사상은 조선에 수용되지 못했으나, 민중은 이들의 천주교 가르침을 이해했다. 민중은 정약종과 이벽을 선지자로 받아들였다. 그래서 이들이 지은 저술은 예언처럼 작용한다. 여기서 우리는 불교가 이 땅의 토속신앙들을 기반으로 하여 격의(格義, 다른 종교에 그 의미를 붙여 해석)했던 것처럼, 천주교가 이 땅의 본래 신앙 가운데『정감록』과 격의하는 것을 보게 된다.

9년에 걸친 흉년, 7년 동안의 물난리 그리고 3년간의 역질(疫疾)이 닥칠 것이다. 그리하면 열 집 가운데서 겨우 한 집이 살아남게 될 것이다. 이상하도다, 다가올 세상의 재난이여! 전쟁도 난리도 아니로되 가뭄 아니면 물난리요, 흉년이 아니면 돌림병이 문제로다![411]

세상이 장차 끝날 때에는 천하만국이 서로 싸우고, 서로 죽이며, 흉년이 들고, 나쁜 병이 크게 돌고, 재앙이 무수하여 사람이 많이 죽고, 바다가 뒤끓고, 산이 무너지며, 온 땅이 진동하고 하늘이 어지러이 흔들리며, 해와 달이 다 그 빛을 잃는다.[412]

두 기록은『정감록』과『주교요지』에서 인용한 것이다. 어떤 것이『정감록』이고 『주교요지』인지 알 수 없을 정도로 유사하다. 두 사상은 국가에 적대적이기 때문에, 지하에서 은밀하게 유통되는 불온한 성격을 가지고 있다. 『정감록』과 달리 천주교는 이미 서구에서는 누구도 불온하다고 볼 수 없는 공식적이고 합법적인 종교이자 사상이었지만, 조선에서는 체제전복적인 불온한 사상이었기 때문에 처지가 비슷했다.

그래서 민중은 이미 친숙한 체제전복적인 사상인 『정감록』의 틀로 천주교의 종말론적이며 미래예언적인 사상을 이해하였다. 이러한 상황에 호응하여 『정감록』에 방불하는 예언서가 만들어졌다. 그것이 정약종이 저술했다고 하며, 이벽의 이름을 딴 『니벽젼』이다.

『니벽젼』의 원 제목은 『이벽선생몽회록(李蘗先生夢會錄)』인데, 제목처럼 이벽과 가상의 인물인 정학술(丁學術)이 꿈속에서 이벽을 만나 천주교의 가르침을 듣고 대화한 소설의 형식을 하고 있다. 이벽은 결국 천주교가 승리하리란 복음을 전한다. "병오 이후로 다음 세상이 되어 죄 있는 자는 모두 멸망하며, 착하고 하느님을 공경하는 사람들이 세상을 이어갈 때가 오느니라." 이처럼 『니벽젼』은 조선후기 천주교 신자들이라면 누구나 염원하던 종교의 자유와 그들이 주인되는 새로운 세상의 도래를 선포하고 있다. 이런 까닭에 『니벽젼』은 소설을 넘어선 한 권의 종교적 예언서라고 할 수 있다.[413] 박해 속에서 고난에 처한 천주교도들은 새 시대를 간절히 대망한 것이었다. 이러한 염원이 『정감록』의 기존 사상에 『니벽젼』을 덮어씌우기한 것, 즉 격의한 것이다.

실제 천주교를 신봉하는 민중들은 정진인이 해도에서 기병하여 구질서를 타도하고 새로운 세상을 여는 것처럼, 서구의 열강이 군사를 보내 조선에 천주교를 공인하고 박해의 원흉들을 타도해 줄 것을 대망했다. 신유박해(1801, 순조 1) 후에 정약종의 제자였던 황사영(黃嗣永, 1775~1801)은 중국에 있던 알

렉산드르 드 구베아(Alexandre de Gouvea) 주교에게 밀서를 작성했는데, 끝내 보내지 못하고 사전에 발각되어 죽게 된다. 이른바 「황사영백서(黃嗣永帛書)」는 5개 항으로 된 조선교회 재건 방안을 제시했다. 이 가운데 청나라 황제에게 조선에 압력을 행사해서 서양인 선교사를 받아들이도록 요청하고, 조선을 청나라의 한 성(省)으로 편입시키거나, 큰 배 수백 척에 도합 5~6만 명의 정예 군사와 대포를 싣고 조선 해안으로 와서 선교를 위한 배라 일컬으며 포교를 공인하도록 해달라는 요청이 들어 있다. 당연히 조선은 조야를 막론하고 황사영의 밀서에 경악을 했다.[414]

이러한 내용이 과연 민중사상의 한 경향이라고 할 수 있는가는 의혹이 있을 수 있다. 그러나 내 나라가 아니라면, 즉 여기가 우리나라가 아니라는 생각이 들면, 주인이 아닌 바에야 무슨 짓을 하지 못하겠는가? 다만 『정감록』은 어디에 기댈 나라조차 없었기 때문에 밀서든 뭐든 만들 일이 없었다. 하지만 천주교는 기댈 곳이 있었으니, 그것은 현실적인 제국, 즉 청나라와 서구 유럽의 국가들이었다. 이 때문에 『정감록』의 사상은 오직 하늘에만 기대는 종교적 방향을 따라 구한말 엄청난 신종교 운동으로 변모하는 경로를 따라간다. 신종교는 『정감록』의 사상을 계승해서 이를 개벽(開闢)의 사상으로 변형시켰다.

그러나 천주교는 외세화에 결부된 근대화 과정에서 자연스럽게 서구사상과 합쳐지고 종교의 자유라는 민권의 보호를 받아서 공인종교가 되어 기성의 질서와 투쟁하지 않게 되었다.[415] 둘은 다른 경로로 갔다. 그런데 격의의 두 대상은 하나가 다른 하나의 우위에 서는 일방적인 관계가 아닌, 쌍방적인 상관관계에 있다. 그래서 『정감록』은 천주교의 사상을 수용하면서 개벽의 사상을 완성할 수 있었다. 이처럼 천주교의 사상은 개벽사상에 자양이 되었기 때문에 민중사상의 연원 가운데 하나가 된다.

십이제국 괴질운수 다시 개벽 아닐런가.[416]

수운(水雲) 최제우(崔濟愚, 1824~1864)에게서 『정감록』과 천주교의 말세론을 감지하게 된다. 동학(東學)은 서학(西學)이 없이는 생겨날 수 없고, 비록 참서로 비난하나 『정감록』식 예언의 전통을 계승하면서 극복한다.

2) 민란의 시대

정조의 개혁 정책은 왕의 갑작스러운 서거 이후 11세의 순조가 왕위를 계승하자 중단되고, 이른바 세도정치가 시작된다. 천하는 본래 공물(公物)이지만, 세도정치란 천하가 '사물(私物)'이 되었다는 것을 말한다. 사물이 된 천하에서 공적인 정책은 기대할 수 없다. 과거제도는 사적 집단에 편입하는 수단이 되어 부정부패가 만연하고, 매관매직을 위해 세도가들의 문지방이 닳아 없어질 지경이었다. 이러한 관료들은 벌열(閥閱)을 이루고, 부세(賦稅)와 요역(徭役)의 대상인 민중을 마소처럼 부렸다. 민중은 오래전부터 마소처럼 단지 생산과 사역(使役)을 위한 대상으로만 취급을 받아왔으나, 이 시기만큼 삼정(三政)의 문란으로 고통을 받은 적은 없었다.

이러한 국가의 사유화는 각지에서 호민들이 작당하게 만들었고, 유래가 없을 정도로 한 세기 내내 민중의 난이 일어나는 이른바 '민란의 시대'가 개막되었다. 1811년 관서지방의 홍경래(洪景來)란, 1862년의 경술(庚戌)민란, 1894년 동학농민전쟁이 이어졌다.

(1) 홍경래의 난

1811년(순조 11) 12월 18일 평안도 가산(嘉山) 다복동(多福洞)에서 스스로를 평서대원수(平西大元帥)라 칭한 홍경래(洪景來, 1771~1812)가 난을 일으켰다.

아래는 진사 김창시(金昌始)가 낭독한 격문(檄文)이다.

　　평서대원수는 급히 격문을 띄우노니 관서의 부로자제(父老子第)와 공사천민(公私賤民)들은 모두 이 격문을 들으시라. 무릇 관서는 기자와 단군 시조의 옛터로서 벼슬아치가 많이 나오고 급제하고 문물이 발전한 곳이다. 저 임진왜란에 있어서는 나라를 다시 일으켜 세운 공이 있었으나, … 조정에서는 서쪽 땅을 버림이 똥더미 흙과 다름없었다. 심지어 권문의 노비들도 서쪽 땅 사람을 보면 반드시 평안도 놈이라 일컫는다. 서쪽 땅에 있는 자 어찌 억울하고 원통치 않을 수 있겠는가. 막상 급한 일에 당하여서는 반드시 서토의 힘에 의존하고 또한 과거 시험에 당하여서는 저쪽 땅의 글을 빌었으니 사백 년 동안 서쪽 사람이 조정을 버린 일이 있는가.

　　지금 나이 어린 임금이 위에 있어서 권신들의 간악한 짓은 날이 갈수록 더 심해지고 김조순 박종경의 무리가 국가의 권력을 제멋대로 하니, 어진 하늘이 재앙을 내려 겨울 번개와 지진이 일어나고 재앙별과 바람과 우박이 없는 해가 없으니 이 때문에 큰 흉년이 거듭 이르고 굶어 부황 든 무리가 길에 널려 늙은이와 어린이가 구렁에 빠져서 산 사람이 거의 죽음에 다다르게 되었다. 그러나 다행히 오늘 세상을 구제할 성인이 … 탄생하셨다. 나면서 신령함이 있었고 다섯 살 때에 신승을 따라 중국에 들어갔으며 성장하여서는 강계 사군의 여연에 머무르기 5년에 황명의 세신유족을 거느리게 되었으며 철기 10만으로 부정부패를 숙청할 뜻을 가지셨다. 그러나 이곳 관서 땅은 성인께서 나신 고향이므로 차마 밟아 무찌를 수가 없어서 먼저 관서의 호걸들로 병사를 일으켜 백성들을 구하도록 하였다 ….

　　이제 격문을 띄워 … 보내니 절대로 동요치 말고 성문을 활짝 열어 우리 군대를 맞으라. 만약 어리석게도 항거하는 자가 있으면 기마병의 발굽으로 밟아 무찔러 남기지 않으리니 마땅히 명령을 따라서 거행함이 좋으리라. 위 격문을 … 내리노라. 대원수[417]

격문의 내용은 명확하다. 관서 지방은 유구한 역사를 가진 정통성이 있으며 전란이 있을 때는 충절을 보인 지역이다. 그런데 이 지역에 대한 뿌리 깊은 차별은 이유가 없다. 외척 세도정권의 국권 농락과 탐학(貪虐)을 더 이상 좌시할 수 없다.

그리고 민중사상의 전개 측면에서, 천인상감(天人相感)의 원리에 따라 자연재이와 민생도탄이 극심한 것은 치자와 권귀(權貴)들의 탓이다. 이로부터 『정감록』의 사상이 등장한다. 곧 이 기병(起兵)은 '정진인'이 시작한 것이다. 그러므로 서북지방뿐 아니라 위로는 북쪽에서 아래는 남쪽에서 우군이 우리의 거사를 도울 것이다. 『정감록』의 사상이 거사로 이어지는 경우는 많았으나, 대부분 사전 단계에서 고변으로 불발했지만, 서북지역에서는 거병(擧兵)이 실현되었다. 민란의 가장 높은 수준인 병란(兵亂)이 시작된 것이다.

난을 이끈 '역적'들은 지휘부가 평민 위주로 되어 있다. 홍경래는 평민 출신이자 유민이었으나, 서당에서 훈장을 하고 좌도에 밝았던 평민지식인이기도 했다. 모사(謀士) 우군칙(禹君則)은 천민이었으나 지관이었으며, 풍수와 복술(卜術)에 능한 이였다. 선봉장 홍총각(洪總角)이나 이제초(李濟初)는 빈한한 평민이었지만, 용력(勇力)이 출중해서 최고 군사 지휘관 역할을 했다. 부원수 김사용(金士用)과 모사인 김창시는 빈한한 향족(鄕族) 출신이었으며, 김창시는 진사에 급제한 한사(寒士)였다. 봉기의 준비과정에서 재정을 담당하고, 봉기 후에는 도총(都摠)의 직책을 맡은 이희저(李禧著)는 본래 천민이었으나, 상업으로 재산을 모은 뒤 재물로 신분상승을 해서 무과 급제를 했다. 이들은 기본적 유학의 지식을 갖추고 특히 풍수나 점술, 의학의 지식을 갖춘 평민지식인들이었다. 주력 군사들은 일반 농민과 임금노동자들이었는데, 특히 광산 노동자들이 대거 참여했다.[418]

평민 출신의 하급 지식인이 상층민을 광범위하게 끌어들이고 지휘할 수 있었던 것은 조선후기 평안도 지역의 특수성, 즉 사족(士族) 계층이 존재하지 않아 유교적 지배체제가 강력하지 않았기 때문이다. 여기에 상업 활동이 활발하여, 개인의 능력을 바탕으로 한 경쟁이 상대적으로 자유로웠던 평안도 지역사회의 성장에 기인한다.[419]

이들은 10여 년 동안 동조자의 규합과 군비를 장만하기 위해 준비를 했다. 홍경래는 군사를 남진군과 북진군으로 나누었으며, 10일간 관군의 재제 없이 청천강 이북 10여 개 지역을 점령했다. 곧 관의 곡식을 풀어 나누어주고 민폐를 엄금함으로써 민심을 얻었다. 그러나 홍경래군은 송림리(松林里)의 전투에서 관군에 대패하고, 정주성으로 들어가 농성하여 수개월 동안 항쟁했지만, 끝내 관군에게 함락되어 홍경래는 총에 맞아 죽고 핵심 지도부는 참형되었다.[420]

비록 역적이지만 자식처럼 여겨 양민(養民)하는 것은 하늘로부터 위임받은 군주의 사명이기 때문에, 역도들의 죄를 사해 주고 회유했다고는 하지만 자비는 없었다.

생포한 남녀 2천 9백 83명 안에서 여자는 8백 42명이고, 남자는 10세 이하가 2백 24명이니 ⋯ 모두 풀어 주었습니다. 그 외 1천 9백 17명은 모두 적 중에서 이른바 친기(親騎, 기마부대) · 장초(壯抄, 날랜 병사) · 총수(銃手) · 창수(槍手) 등으로서 적의 혈당(血黨)이 되었던 자들인데, 은유(恩諭)를 여러 번 반포했음에도 끝내 감격해 뉘우치지 않고 더욱 사납고 완고하여 왕사(王師)에 감심(甘心)했던 자들이니, 결코 한 시각이라도 천지간에 살려 둘 수 없는지라,

모두 진 앞에서 효수하였습니다.[421]

지배층의 권력투쟁이 아닌 민중의 생존투쟁이었지만, 군주는 그의 병사를 풀어서 자식 같다던 민중(백성)을 잔인하게 살육을 했다. 하지만 홍경래는 실패했어도 전국에서 요언(妖言)과 괘서(掛書)는 그치질 않았다.

채수영은 장수(長水) 사람인데, 혹은 약을 판다고 칭하기도 하고 혹은 행상이라고도 칭탁하면서 역적의 무리들과 교결(交結)하여 유언비어를 퍼뜨렸다. … 황해도에서 배가 내려온다느니 홍경래가 살아 있다느니 하는 말로 인심을 선동 … 무사를 뽑아 비수(匕首)를 들려 서울로 들여보내서 집권한 여러 신하들을 찔러 죽이고, … 일이 이루어지지 않을 경우에는 … 제주에 도망해 들어가서 대마도에 청병(請兵)하겠다는 등의 말로 한창 수작….[422]

유언비어는 『정감록』 사상의 구조를 따르고 있다. 홍경래, 해도, 청병 등이 관련된 것도 유사하다.

괘서(掛書)한 죄인 김치규(金致奎) … 관서(關西) 중화(中和) 사람으로서 … 전해 내려오는 요참(妖讖)을 답습하고, 허황된 명호(名號)를 날조하여 혹은 성인이니 도사니 하고, 혹은 장군이니 원수니 하였으며, 혹은 강화도 안에 있다고 하고, 혹은 태백산 아래에 산다고 하며, 혹은 홍경래의 여러 열적들이 죽지 않았다고 하고, 혹은 제주도에서 모이기로 기약했다고 하면서, 황당스러운 말을 전파하여 소란스럽게 선동 유혹….[423]

요참, 성인, 원수, 해도, 홍경래, 제주 등도 전형적인 『정감록』의 요소이다.

죄인 정상채(鄭尙采)가 홍경래는 죽지 않았다느니, … 병화(兵禍)가 해도
에서 일어났는데 진인은 바야흐로 홍하도(紅霞島)에 있으며 성명은 정재룡
(鄭在龍)이라느니, 도당(徒黨)을 모아서 명첩(名帖)을 도중(島中)에 써서 보냈
다….[424]

이처럼 홍경래, 정진인, 해도, 병화 등의 요소를 포함하는 이러한 요언은
『정감록』에 나타난, 새로운 왕조의 도래에 대한 예언을 기본으로 하고 있다.
『정감록』의 사상에 충분히 의식화된 평민지식인과 이들에 감화된 민중들은
실력으로 관군과 싸웠다. 실력이 부족하여 왕조를 무너뜨리는 데까지는 이
르지 못했으나, 호민들이 계속 출현했다. 역사적으로 호민들의 출현은 왕조
가 망하는 전조이다. 홍경래난의 불씨가 북에서 남으로 전해지고, 삼남(경상
도, 전라도, 충청도) 지방을 중심으로 하는 민란의 도화선에 옮겨 붙어 빠르게
타들어갔다.

(2) 임술(壬戌) 민란
1862년(철종 13) 임술년(壬戌年) 농민항쟁은 삼남을 중심으로 일어났다. 이
는 경상도 진주(晉州)를 비롯한 전국 37개 지방에서 일어난 농민반란이며,
반란의 직접적인 원인은 삼정의 문란이었다. 당시 민란의 92%가 삼남지방
에서 일어났고, 이 지역이 총 농지면적의 64.1%를 차지했다. 삼정의 문란에
따른 폐해가 가장 심각한 지역이었기 때문이다.[425]
이해 2월 경상도의 단성(丹城)에서 시작해서, 3월에는 경상도, 4월에는 전
라도, 5월에는 충청도로 봉화가 오르듯 연속적으로 민란이 일어났다. 사태
의 심각성을 알고서 민중의 저항을 무마하기 위한 조정의 조치가 약속되었
지만 무산되자, 다시 9월부터 제주, 함경도 함흥, 경기도 광주, 경상도 등 전

국에서 봉홧불이 타올랐다.

이러한 민란에서 『정감록』 등의 불온한 사상의 동력을 직접적으로 찾기는 어렵다. 하지만 민란을 주도한 호민은 대부분 의식화된 민중이라고 할 수 있으며, 이들은 유가적 소양 이외에 좌도와 잡술에 능한 평민지식인들이었다. 그러한 점에서 『정감록』 사상이 민란의 동력이 되었다고 생각하는 것은 자연스럽다.

그리고 여기에 민중의 집단적 의사를 결집하는 형태로 민회(民會)를 주목할 수 있다. 민회는 민중의 의식화에 대한 외현적 대응물이라고 볼 수 있다. 임술민란의 구조는 대부분 유사하다. 민란의 시작이 되었던 경상도 단성과 진주, 즉 이른바 진주민란에 대해서 살펴보자.

임술민란이 시작된 진주의 단성에서 민란의 주도세력은 땅을 가진 재지사족(在地士族, 향촌사회에 머물던 양반층)이었다. 재지사족들은 향회를 조직했다. 향회는 지방사회의 지배세력이 향약(鄕約)을 실시하여 소작인에 대한 지주의 지배, 지방민에 대한 양반의 지배를 합리화하는 기구였다. 그래서 중앙에서 파견된 수령 입장에서도 고을 통치에 사족의 도움이 절대적으로 필요했던 것이다.[426] 즉 향회는 지방의 사대부들이 민중을 교화하고 통제하는 기구였다. 이런 이유로 수령과 이속들이 환곡을 가로채는 불법과 탐학을 자행하자, 이속들을 내쫓고 향회가 자치적으로 고을을 다스리게 된 것이다.

그런데 이어지는 진주민란에서는 향회 대신에 민회가 등장한다. 사족이 중심이 아니라 민중이 중심이 된다는 뜻이다. 진주에서도 환곡의 폐해와 탐학은 이미 도를 넘어섰다.

금번 진주의 난민들이 소동을 일으킨 것은 오로지 전 우병사 백낙신(白樂莘)이 탐욕을 부려 침학한 까닭으로 연유한 것이었습니다. 병영의 환포와 도

결을 시기를 틈타 아울러 거행함으로써 6만 냥의 돈을 가가호호에 배정하여 백징(白徵)하려 했기 때문에 군정(群情)이 들끓고 여러 사람의 노여움이 일제히 폭발해서 드디어 격발하여, 전에 듣지 못하던 변란이 돌출하기에 이른 것이었습니다.[427]

그런데 난의 발생은 기존 향회가 수령의 압력에 의해 부당한 수취도구로 이용당해서, 과격한 실력을 행사하는 쪽으로 발전했기 때문이다.

진주민란의 주도자는 유계춘(柳繼春)이다.[428] 그와 함께한 지도자들은 모두 몰락한 양반 출신이며 빈농들이었다. 특히 실질적인 주도자였던 유계춘은 사회적·경제적 기반을 상실한 몰락양반으로서 민란 이전에도 향회를 주동하여 환곡의 폐단을 지적하고 여론을 주도하여 수시로 읍, 감영, 비변사에 소장을 제기한 경력을 가지고 있었으며, 이때 사족 후예로 지식인이었던 김수만, 유맹(流氓. 유민)인 이귀재와 함께 민중동원, 선동선전의 작전을 모의했다고 한다.[429]

이와 더불어 명문 양반가 출신인 이명윤(李命允)과 그의 육촌인 몰락양반 이계열(李啓烈)이 가세하여 초군(樵軍), 즉 나무꾼들을 조직적으로 동원하여 민란을 주도했다. 진주민란은 '초군의 난'으로도 불린다. 초군은 대부분 빈농들이었고, 공동임야뿐 아니라 사유지까지 집단적·조직적으로 벌목하여 문제를 일으키곤 했던 당사자들이었다. 이러한 빈농들이 환곡의 폐단에 가장 큰 피해를 입었기 때문에 초군의 우두머리였던 이계열이 민란에 참여하여 주도적인 역할을 수행했던 것이다. 이들이 진주민란의 중심 세력을 형성하면서 민란의 폭발력이 커지게 되었고 일정한 목표 달성에 성공했던 것이다.[430]

이러한 민란에서 주목되는 것이 민회이다. 기존 향회가 지방의 사족이

나 수령의 이해 중심으로 운영된 반면, 민회는 몰락양반과 관직을 지낸 사족, 그리고 요호부민(饒戶富民, 조선 후기에 등장한 부농층)과 양·천민들을 포괄하여 그들의 이익을 대변할 수 있는 기구로 기능하면서 저항조직으로 발전했던 것이다.[431] 민회는 민중들의 의사 결정 과정에 의해서 구성되고 움직인 것이라면, 이는 문자든 구전이든 『정감록』의 학습을 포함해서, 더욱 중요하게는 기초적 유가의 학습, 즉 '성인이 이미 수천 년 전에 말한 민본(民本)을 너희들은 왜 지키지 않는가?'라는 본원적인 의문의 해답을 구하면서, 민중이 각성된 것이라 보여진다.

그러나 엄밀하게 말해, 향회에서 민회로 곧바로 나가는 것은 아니다. 향회는 엄밀하게 구향(舊鄕)과 신향(新鄕)이 있다. 신향은 신분상승을 이룬 양민들, 곧 중인·서얼(업유)층과 함께 형성한 것이다. 신향은 사족들의 권위에 도전하는 향전(鄕戰)에서 승리하여 향촌사회에서 참정권과 의사결정권을 확보했다. 이 때문에 신향층은 일상생활 속에서 양반층의 생활문화를 흉내 내고 자녀들의 서당교육을 강화해 나갔다. 그러자 호적상 신분이 상승하지 않은 일반 평민들과 노비들까지도 서당에 나가고 양반의 생활문화를 모방하는 현상이 일반화되었다.[432] 이러한 일반적인 현상을 민중사상의 흐름에서 이해한다면, 이제야 민중은 기원전 공맹의 말씀을 이해하기 시작한 것이다. 바야흐로 공맹 사상에 잠복되어 있는 혁명적 가르침이 피어나는 여건이 마련되기 시작했다.

(3) 역성(易姓) 혁명가들

1869년(고종 6) 3월에 전라도 광양(光陽)에서 난리가 났다.

이달 24일에 광양현에 난민 수백 명이 머리에 흰 두건을 두르고 동헌에 뛰어들어 현감을 위협하여 부절(符節)과 군기시(軍器寺)와 사창(社倉)의 환곡(還穀)을 빼앗으려고 하였습니다.[433]

민란의 시대에 흔한 민중의 봉기였다. 그러나 이들의 준비는 용의주도하였다.

보잘 것 없는 흉도들이 정당(政堂)에 난입한 것만도 흥분하고 놀라운데, 더구나 총과 칼과 깃발까지 갖추었다니 오래전에 모의했다는 것을 알 수 있습니다. 이것은 대수롭지 않은 민란에 비할 것이 아니니, 속히 병영으로 하여금 정병(精兵)을 동원하여 기한을 정한 다음 토벌해야 합니다.[434]

민중의 봉기를 강하게 진압하는 미봉책에만 능한 지배층은 결국 난을 진압하고 말았는데, 지배층은 이들이 단순히 굶주려서 봉기한 것이 아니라, 의도적인 모반을 일으킨 것으로 보고 있었다.

언제나 다른 계략을 품고 도당을 규합하였습니다. 지난 가을에는 강진(康津)에 모여들었고 올봄에는 광양에서 난리를 일으켰습니다. 남모르게 상(喪)을 치른 것은 이인좌의 속임수와 일치하는 것이며, 이름난 산에 제사를 지내는 것은 정여립이 쓰던 방식을 이어받은 것입니다. 총과 화약을 마련하고 무기를 만들었습니다.[435]

모반의 성격을 무신란의 이인좌나 선조조의 정여립과 같은 것으로 규정한 것은 이 난이 정치적인 변란이라는 것을 말해준다. 이들은 스스로를 의병(義兵)으로 일컬었다. 그러므로 광양의 합법적 국가 조직을 적으로 규정한

것이다. 공의(公義)가 여기에 있고, 이미 나라는 공의가 아닌 사적 이익 집단
에 불과하다는 인식이 있었기에 가능했다.

이러한 의도는 난을 일으킨 '역적'들의 사상이 불온했기 때문이다. 주모자
는 민회행(閔晦行)이다. 그는 천문지리에 능통하고 의술을 익혔으며, 훈학(訓
學, 글방에서 아이들에게 글을 가르침)을 했다. 그는 흔한 한유(寒儒) 혹은 빈사
(貧士)에 속하는 지식인이었다.

민회행이 이전 난의 주모자들과 다른 점은 변란을 수 차례 지역을 옮겨가
면서 연속적으로 기도했다는 것이다. 전라도 강진에서 변란을 시도하다가,
광양에서 뜻을 이룬 것이다. 당시에는 민회행처럼 연속적으로 변란을 기도
하는 자들이 점차 늘어났다. 그래서 이들을 '직업적 봉기꾼'이라고도 한다.
일종의 혁명가이다. 혁명가는 사상을 품고 그것을 실현하려는 자들이다. 그
래서 민회행은 '좌도를 품고 어리석은 백성을 속여서 흐리게 하며, 참서에
맡겨 의탁하고, 부언(浮言)으로 선동하고, 총과 징을 사고 점차 세력을 길러
온 지가 오래된' 혁명가이다.[436]

이전 임술민란에서는 민중사상이 전면적으로 드러나지 않았던 반면에,
광양난의 민회행과 그 무리들은 좌도, 즉 『정감록』의 역성혁명 사상으로 무
장되어 있는 자들이었다. 그래서 민회행이나 그 주변의 지도자들은 구세의
이인(異人)이나 진인(眞人)의 분위기를 풍기고, 초인적인 능력을 갖춘 인물로
묘사되기 쉬웠다.[437]

『정감록』의 사상을 실천하는 혁명가들은 민중의 신화적인 이해에 따라 투
영되는 존재들이다. 왜냐하면 천기(天機)의 흐름을 읽는 지식을 가지고 있
고 그에 따라 미래의 이상 세계를 현실화하는 사명을 가진 인물들이기 때문
이다. 민회행이 스스로를 정진인으로 생각해서, 광양의 봉기를 넘어서 세를
모으고 민심을 이끌어서 도성의 이씨 왕조를 타도하는 사명을 가지고 있었

는지는 알기 어렵지만, 적어도 그러한 흐름에 동참하여 『정감록』의 예언을
실현하려는 의지가 있었다고 볼 수 있다. 국문 과정에서 그들을 이인좌나
정여립에 비유한 것은 이러한 모반 의도를 확인했기 때문일 것이다.

민회행은 역성혁명을 원하는 혁명가이다. 그러나 실력이 미진하여 왕조
타도까지 이르지는 못했다. 그는 정진인이 아니라면 정진인을 따르는 혁명
가의 무리였다. 그런데 우리는 스스로를 정진인으로 확신하고 그 사명을 좇
았던 혁명가를 발견하게 된다.

충청도 홍주 태생인 이필제(李弼濟)는 본래 양반가 소생이었다. 문재(文才)
가 있었으나 무과에 합격하게 된다. 그런데 무관의 길을 걸으려 한 이유는
분명하지 않지만, 특이하게도 그의 풍채가 기남자(奇男子)였다는 데 있음을
짐작할 수 있다.[438] 그의 외모는 문장에 재능이 있는 단아한 선비의 모습을
가지고 있는 것이 아니라, 오히려 상체가 큰 헌헌장부(軒軒丈夫)이며, 얼굴과
몸에 털이 많으며, 범이나 산돼지 같은 눈과 골격에 모진 독이 배인 목소리
를 가진 사람이었다. 게다가 턱에는 용수(龍鬚, 용의 수염)가 있고, 손바닥에
는 왕(王)자가 새겨져 있으며, 등에는 칠성(七星)이 있었다고 한다.[439] 이러한
특이한 관상(觀相)은 『정감록』의 사상에 잘 부합하는 요인이 되었다.

1850년(철종 1) 25세 되던 해에 경상도 풍기(豊基)에 사는 유명한 허생원 혹
은 야옹(野翁)선생으로부터 『정감록』을 알게 되고, 정진인이라는 인가를 받
게 된다.

허야옹(許野翁)이란 사람이 수년 전에 죽으면서 그 처자에게 글을 남겼다.
… 그 글에 이르길 풍기는 승지(勝地)이다. … 삼재(三災)가 침입하지 못하여
영원히 편안할 것이고 하였다. 또 이르기를 필제의 필(弼) 자는 궁궁(弓弓)이
다. 또 이르기를 필제는 을유생(乙酉生)이므로, 을을(乙乙)이 되어 임진년(壬辰

年)의 송송지설(松松之說)을 방불케 한다.[440]

이필제가 지은 것인지 실제의 이야기인지는 알기 어려우나, 야옹은 『정감록』의 십승지(十勝地) 사상에 따라 풍기에 거주한 것을 알 수 있다. 또한 이필제의 '필(弼)'이 '궁궁(弓弓)'을 나타내고, 이필제가 '을유생(乙酉生)'이니 '을을(乙乙)'이라는 것, '송송(松松)' 등은 모두 『정감록』과 관련된 상징어들이다. '궁궁'이나 '을을' 혹은 '궁궁을을'(줄여서 '궁을')은 이전 모반 사건에서 보듯이, 궁궁은 활의 허리[弓腰]를 가리키는 것으로 보아 구부러진 곳(劣處)에 숨으라는 뜻으로 보았다.

임진년은 임진왜란이 일어난 해인데, 『정감록』에는 "나를 살리는 것이 뉘인가 십팔(十八), 즉 목(木)에 공(公)을 더한 자이다(活我者誰, 十八加公)"라고 되어 있다. 말하자면, 명나라의 원군을 이끈 이여송(李如松, 1549?~1598)이 도와서 살았다는 뜻이다. 이필제는 『정감록』에서 말하는 중요한 인물이라는 암시이다.

이필제는 실제 『정감록』의 사명을 표방해서 스스로를 '진인'이라 여기고, 중원의 회복이라는 북벌의지가 강했다. 또한 단군(檀君)의 자손이라는 주체의식도 가지고 있었는데, 두 생각이 결합되어 강력한 카리스마를 가지게 되었다. 동학의 2대 교주였던 해월(海月) 최시형(崔時亨, 1827~1898)을 처음 보았을 때 그가 한 말이다.

"단군의 영이 유방(劉邦)에게서 화생하고 유방의 영이 주원장(朱元章)에게서 화생하였는데 지금 세상에 단군의 영이 다시 세상에 나왔는데 하루에도 아홉 번이나 변화하는 바로 이필제 자신이라는 것"이라고 말했다.[441]

이필제의 의식 속에서 그는 『정감록』의 예언을 실현할 정진인이었다. 그러므로 기병을 해서 이씨 왕조를 무너뜨리고 중원의 고토를 회복해야 한다. 해월을 만나기 전에 이미 이필제는 동학에 입도했다. 이후 전국적인 민란의 분위기에서 1869년(고종 6) 4월 충북 진천에서 거사를 모의했으나 사전에 발각되어 실패했다. 그해 12월 남해에서 거사를 도모했으나 또 사전에 발각되어 실패했다. 이듬해 1870년(고종 7) 이필제는 진주 부근 덕산에서 모의를 해 진주성을 함락하고, 이후 남해의 금병도(金屛島)로 가서 군사를 기르고 준비를 해서, 서울을 접수하고 다시 북벌을 단행하여 중국을 석권한다는 계획을 세웠다.[442]

이러한 계획은 해도기병설로부터 시작해서 이씨 왕조를 멸망시켜 새로운 왕조를 세우고 나아가 중원을 제패한다는, 원대하지만 전형적인 『정감록』의 사상을 읊조린 것이다. 그 시작이 해도(海島)였기에 남해로 들어가겠다는 계획을 세웠으나 이 역시도 고변에 의해서 불발한다.

그러나 때가 왔다. 이필제는 다시 경북 영해(寧海)에서 세를 모으기 시작한다. 학정에 시달리는 민중은 봉기를 위한 토대였고, 여기에 더해 서얼 중심의 신향 세력과 동학교도들을 포섭한다. 영해는 신향층이 동학에 입도한 경우가 많은 지역이었다. 많은 세력을 규합하기 위해 동학의 지도자인 해월의 마음을 움직이면서, 흉중에 품은 뜻을 그대로 드러냈다.

내가 스승님의 원한을 씻어내고자 한 뜻이 이미 오래되었습니다. … 나 역시 천명을 받았습니다. 한 가지는 스승님의 욕을 씻어내자는 것이요, 또 한 가지는 뭇 백성들의 재앙을 구하는 것입니다. 다만 내가 뜻하는 바는 중국에서 창업하는 것입니다. 그러나 이 땅에서 일을 일으키는 것은 다름이 아니라, 스승께서 말씀하시기를 동쪽에서 받았으므로 그 도를 동학이라고 하였으니, 동(東)은 동에서 일어나는 것이므로 영해는 우리나라의 동해입니다. 이런 까닭에 동쪽에서 일을 일으키는 것입니다. 스승님을 위하는 자가 어찌 따르려 하지 않는단 말입니까. 한마디로 말해서 스승님께서 욕을 받으신 날이 3월 초 열흘입니다. 그날로써 완전히 정하였으니 다시 다른 말 하지 말고 나를 따르시오.[443]

이필제는 수운 최제우의 신원을 위해 봉기하자고 설득했고, 해월은 이필제와 손을 잡고 이른바 영해민란을 주도한다. 영해민란은 초기에는 성공적이어서 탐학한 수령의 목을 베는 성과를 거두었다. 천자의 지위였으니 당연한 바이겠으나, 당시로서는 초유의 일이었다. 이런 이유로 처음의 성공과 달리 관군에 쫓겨서 결국 거사에 참여한 이들이 살육된다. 이 때문에 수 백 명의 교도들이 희생되고 동학의 조직은 와해되었다.[444] 도피를 거듭하던 이필제는 체포되었으며, 혹독한 문초 뒤에 사지가 찢겨서 던져졌다.

그는 단순히 명화적도 아니고,『정감록』에 미친 광인도 아니며 폭력을 일삼는 '직업적 봉기꾼'이라는 것만으로는 온전히 설명되지 않는 인물이었다. 그는 혁명가이다. 이씨 왕조의 성(姓)을 혁파하고, 새로운 명으로 갈아야 한다는 혁명 이념에 충실한 자였다. 그가 옥중에서 한 말은 이를 잘 보여준다.

지금의 시세는 양요(洋擾)가 자주 발생하고, 북쪽 국경이 소란스러워 아침 저녁으로 강을 건널까 우려되며, 왜구가 빈틈을 엿보고 있으며, 섬의 여러 곳에는 또한 도적이 많아 국세가 위태로우므로 나의 거사는 나라를 위한 일이다.[445]

이필제의 거사는 이씨 왕조의 나라를 위한 것은 아니다. 이는 이필제가 직접 제시한 영해민란의 목표, 즉 제세안민(濟世安民)의 혁명 목표와 궤를 같이 한다. 마소처럼 대우 받았지만 내 나라가 아니라면 목숨을 걸고 나라를 지킬 이유가 없다. 내 나라이기 때문에 제세안민할 이유가 있는 것이다. 23년 뒤에 전개될 동학농민혁명의 전초전이 이렇게 시작되었다.

이필제가 체포되어 마지막으로 쓴 이름이 진명숙(秦明叔)이었는데 동학농민혁명의 지도자인 전봉준이 자를 명숙(明叔)이라고 했다. 이 예사롭지 않은 두 사람의 이어짐은 그만큼 (후대에 끼친) 이필제의 영향이 크다는 반증일 것이다.[446] '역사적 과제해결을 위해 물리적인 방법을 택한' 점으로 본다면, 전봉준은 이필제와 닮았다.

3) 개벽(開闢) 사상과 민중의 각성

이필제가 죽고 나자 이제 역성혁명이 아닌, 더욱더 근본적인 혁명, 즉, 개벽(開闢)의 사상이 도래했다. 이는 『정감록』에서 유구하게 흐르고 있던 역성혁명의 사상이 새로운 물줄기를 타고 커다란 민중의 본류(本流)로 흘러들어가고 있음을 보여준다. 이필제는 최후의 역성혁명론자였고, 이제 민중은 혁명을 넘어선 개벽을 원하고 있었다.

(1) 후천개벽(後天開闢) 사상

'개벽'이라는 말은 개(開)와 벽(闢)으로 따로 떨어져 있기는 하지만, 『논어(論語)』의 집주(集註)에서 보이는 익숙한 말이기 때문에, 조선시대에 문자를 조금이라도 공부한 사람은 모두 잘 알고 있는 상식에 속한다. 예컨대, 「위령공(衛靈公)」편의 공자가 "하나라의 역법을 행한다(子曰, 行夏之時)"라고 한 말에 대한 주석에서, "하늘은 자에서 열리고 땅은 축에서 열리며 인은 인에서 생겨난다(天開於子, 地闢於丑, 人生於寅)."라는 풀이가 보인다. 이는 삼대(三代)

의 역법에서 하나라는 날이 갓 어두울 때 북두성 자루가 인(寅) 방향을 가리키는 달을 정월로 삼고, 은나라는 축 방향, 주나라는 자 방향을 기준으로 삼았다는 뜻이다.[447] 공자는 하나라를 따르는데, 그 이유는 하나라의 역법이 인본(人本)을 중시했기 때문이다.

이로부터 개(開)와 벽(闢)은 천지의 탄생 곧 천지인(天地人) 삼재(三才)의 우주론적 의미를 말하는 모든 서술에서 상투어처럼 등장하게 되었다. 그런데 개벽이라는 말의 좀 더 의미 있는 사용은 북송(北宋)의 소강절(邵康節, 1011~1077)에 와서 시작된 것으로 보인다. 소강절은 천지(天地)의 탄생과 종말의 과정을 순환하는 원으로 파악하고, 이를 수리적으로 설명했다. 그것이 유명한 원회운세설(元會運世說)이다.[448]

원회운세는 연월일시(年月日時)가 서로 관련짓는 주기적 패턴을 본떠서 더 크게 확장한 우주적 규모의 시간이다. 연월일시는 모두 일월(日月)의 주기로부터 연유하는 것이다. 우리의 역법(曆法)이 고금을 막론하고 일(日)과 월(月)의 주기를 토대로 정해지기 때문이다. 이러한 사실로부터 소강절은 원회운세라는 좀 더 큰 주기를 도입하여 우주의 탄생과 종말을 설명한다. 말하자면, '1년은 12달(월)이고, 1달은 30일이며, 1일은 12시'(하루를 12로 구분했을 때)의 패턴으로 이루어져 있다. 이처럼 '1원(元)은 12회(會)이고, 1회(會)는 30운(運)이며, 1운(運)은 12세(世)'이다.

그런데 1세(世)는 30년이므로, 원회운세를 연(年)으로 환산하면, 1운은 12세(12×30년) 즉 360년이다. 그리고 1회는 30운, 즉 10,800년(30×360년)이 된다. 그리고 1원은 12회이므로, 연으로 환산하면 129,600년(12×10,800)이 된다. 따라서 '십이만구천육백(129,600)' 년은 일원(一元)으로서, 천지우주의 커다란 주기이다. 이를 12지지(地支)로 구분하여 그 순서대로 보면, 자(子)에서는 하늘이 열리고 축(丑)에서는 땅이 열리며 인(寅)에서는 인이 생겨난다. 이것은 자와 축의 구간[子會~丑會]에서 자연사가 진행되다가, 인의 구간[寅會]에서 비로소 인류가 탄생한다는 뜻이다.

당시 소강절의 우주는 현대 빅뱅이론에서 말하는 140억 년 정도의 우주 나이에 비하면 소박해 보인다. 그러나 129,600년의 우주는 순환을 마치고 다시 순환하며, 끝이 없다. 일종의 무한우주론이다.

12지지는 자(子)에서 시작해서 해(亥)에 이르러 다시 자(子)로 복귀하는 '순환하는 원(圓)'의 모양이다. 그러므로 그 중간은 오(午)에 해당한다. 하루의 정오(正午)가 하루의 반인 것과 같다. 그런데 소강절의 원회운세설에 따르면 인간은 인(寅)에서 태어나고, 이때는 금수처럼 살다가 문명을 일구면서, 129,600년의 반에 해당하는 64,800년쯤에 인류문명의 극성기에 도달한다고 보았다.(64,800×2=129,600)

이때가 바로 요순(堯舜)시대이고, 민중사상의 연원에서 말한다면 대도(大道)가 드러나서 유행하는 대동(大同)세상에 해당한다. 원의 전반부는 봄과 여름을 이끄는 양(陽)의 세력이 주도적인 태평한 시대이고, 오(午)를 지나면 음(陰)의 세력이 주도하는 타락의 시대가 도래한다. 그래서 인간의 역사는 요순시대를 지나면 천기(天機) 자체가 이미 무도(無道)한 혼란에 빠진다. 대동사상으로 보자면, 대도(大道)가 숨는 것이다. 음이 양을 이기는 천기(天機)가 도래했기 때문이다. 이처럼 양의 세력이 음을 이기는 원의 전반부 앞쪽 시기를 선천(先天)이라 하고, 음의 세력이 양을 이기는 뒤쪽 시기를 후천(後天)이라고 말한다.

일원(一元)의 거대한 주기의 반을 지나면, 마치 반환점을 도는 것처럼 완전히 다른 세상이 생겨난다. 개시(開始)와 발산보다는 수렴과 응축의 기운이 대세가 된다. 선천개벽(先天開闢)은 천지와 인류의 탄생이며 그 궁극은 요순시대가 된다. 『삼국유사』에 따르면, 우리 조선은 백두산(白頭山) 신시(神市)에

서 개국(開國)을 한 때가 중국의 요(堯)임금 즉위년에 해당한다.[449] 문명의 극
성기라고 할 수 있지만, 드러나지는 않아도 서서히 조선의 전 역사도 이제는
음(陰)이 지배하는 무도의 시대가 진행될 것이다. 그러나 동학을 창도한 최
수운은 이러한 천기의 선천과 후천의 구조만을 빌려 왔고, 소강절의 우주론
에 입각한 비관적인 역사관을 피력하지 않는다.

수운의 개벽은 선천개벽이 아니라 후천개벽(後天開闢)을 가리킨다. 말하
자면 자연이나 인류 문명 전체가 대전환을 하는 시기이며, 후천은 선천과 달
리 음이 주도권을 가지기 때문에 투쟁보다는 평화의 시대가 된다는 소강절
과 전혀 다른 이론을 주장한다. 왜냐하면 역학의 일반적인 관점은 양은 군
자이고 소인이 음이듯이 양을 우위로 보는 견해를 가지고 있기 때문이다.
그런데 이러한 개벽론은 최수운 이후 더 보강되면서 개발된 논리이다. 최수
운은 다만 대전환의 시기를 개벽이라고 했고, 대전환의 시기에는 천지와 천
하 즉 자연과 문명의 전 영역에서 대혼돈이 닥칠 것이라 예언한 것이다. 그
리고 이러한 대혼돈은 평화의 시기가 도래하기 전에 등장하는 일시적인 것
이며, 하늘에 의해서 '예비된' 것이라고 암시하고 있었다. 그런데 이러한 최
수운의 개벽론은 정통적 주역사상에서만 온 것이 아니다. 여기에는 『정감
록』과 천주교의 종말론적 사고가 크게 영향을 미쳤다.

수운(水雲) 최제우(崔濟愚, 1824~1864)는 몰락양반이었으며, 어려서 부모를
여의고 생계를 위해 장사를 배우고, 의술(醫術)과 복술(卜術) 등의 잡술(雜術)
을 익히고, 서당에서 글을 가르친 전형적인 평민지식인이었다. 종교적 향심
으로 기도와 수련을 거듭하던 중 1860년 4월 5일 득도하고, 동학(東學)을 창
건했다. 이 동학에는 공맹의 유학과 재래의 민중사상이 포함되어 있으며,
천주교의 영향도 크다. 이런 사실은 "(동학은) 서양의 사술(邪術)을 전부 답습
하고 특별히 명목만 바꿔서 어리석은 사람들을 현혹하게 하는 것"[450]이라고

했던 지배자들의 판단에도 들어 있다. 수운 최제우는 '동학의 거괴(巨魁)'로 지목받고 참수되었다.

『정감록』의 영향은 저술의 형식과 그 내용에서 찾아볼 수 있다. 그런데 최수운은 뜻밖에 앞선 혁명론자들과 달리 『정감록』에 비판적이다.

> 괴이(怪異)한 동국참서(東國讖書) 추켜들고 하는 말이
> 이거임진(已去壬辰) 왜란(倭亂)때는 이재송송(利在松松) 하여 있고
> 가산정주(嘉山定州) 서적(西賊)때는 이재가가(利在家家) 하였더니
> 어화세상 사람들아 이런 일을 본받아서
> 생활지계(生活之計) 하여보세 진(秦)나라 녹도서(錄圖書)는
> 망진자(亡秦者)는 호야(胡也)라고 허축방호(虛築防胡) 하였다가
> 이세망국(二世亡國) 하온 후에 세상사람 알았으니
> 우리도 이 세상에 이재궁궁(利在弓弓) 하였다 [451]

'괴이한 동국참서'는 『정감록』을 가리킨다. '이재송송'은 앞서 보았듯이, 명나라 장수 이여송의 도움으로 임진왜란을 극복했다는 뜻이다. '이재가가'도 그런 말인데, 가산과 정주에서 홍경래 난이 일어났을 때는 '집에 가만히 머물러 있는 것이 이로웠다'는 의미이다. 그러나 이러한 참언에 진실이 없다는 것이 최수운의 일갈이다. 마치 진(秦)나라의 참서인 『녹도서(錄圖書)』에서 "진을 망하게 하는 것은 호(胡, 오랑캐)"라고 해서 만리장성을 쌓았건만, 실제 진나라를 망하게 한 것은 진시황의 아들인 호해(胡亥)로서 겨우 2세대 만에 망한 후에야 진실을 알았다는 뜻이다. 최수운은 도참의 해석에 담긴 이현령비현령이라는 자의성과 허탄(虛誕)의 속성을 짚어주었다. 최수운에 와서 『정감록』 혹은 여러 참언(讖言)들은 새로운 개념으로 개편이 된다. 그것

이 궁궁(弓弓)이고, 개벽이다.

『정감록』의 핵심 사상 가운데 하나가 '궁궁'이다. 궁궁은 피장처를 가리키는 것이며, 그 밖에 다양한 해석이 있지만, 이러한 해석의 공통점은 궁궁을 구체성을 가진 사물로 해석했다는 것이다. 난리를 피해 '송송'하고 '가가'하라고 한 『정감록』의 참언은 실제로 이 세상을 안락하게 살기 위한 민중의 절실한 염원을 담은 것이다. 그러나 이는 민중뿐 아니라 민중의 적들까지도 포함된 생민(生民) 전체의 염원이다.

> 매관매작(賣官賣爵) 세도자(勢道者)도 일심(一心)은 궁궁(弓弓)이오
> 전곡(錢穀)쌓인 부첨지(富僉知)도 일심은 궁궁이오
> 유리걸식(流離乞食) 패가자(敗家者)도 일심은 궁궁이라
> 풍편(風便)에 뜨인 자도 혹(或)은 궁궁촌(弓弓村) 찾아가고
> 혹은 만첩산중(萬疊山中) 들어가고 혹은 서학(西學)에 입도(入道)해서
> 각자위심(各自爲心) 하는 말이 내 옳고 네 그르지
> 시비분분(是非紛紛) 하는 말이 일일시시(日日時時) 그뿐일네[452]

부귀한 자나 유리걸식하는 자나 모두가 '오로지 한 마음[專心]'으로 원하는 것이 궁궁이라면, 궁궁은 재물이나 권세를 가리키는 것 같기도 하다. 또한 궁궁은 도원경처럼 비장된 장소로도 해석된다. 혹은 재래의 사상이 주지 못했던 서학이라는 종교의 궁극적 가치이기도 하다. 하지만 이들은 모두 하나에 치우친 것이며, 그들은 각자의 궁극(窮極)을 가지고 있다.

> 아서시라 아서시라 팔도(八道)구경 다 던지고
> 고향(故鄕)에나 돌아가서 백가시서(百家詩書) 외워보세

내 나이 십사세(十四歲)라 전정(前程)이 만리(萬里)로다

아서라 이 세상은 요순지치(堯舜之治)라도 부족시(不足施)요

공맹지덕(孔孟之德)이라도 부족언(不足言)이라

흉중(胸中)에 품은 회포(懷抱) 일시(一時)에 타파(打破)하고

허위허위 오다가서 금강산(金剛山) 상상봉(上上峯)에

잠간(暫間)앉아 쉬오다가 [453]

세상이 사분오열되어 저마다 궁극을 내세우니 마음이 고통스러워서 대동
세상을 포기한다. 요순지치(堯舜之治)나 공맹지덕(孔孟之德)은 모두 대동사상
을 뜻하기 때문이다. 곧 최수운은 대도(大道)가 이미 숨어서, 다극(多極)을 내
세우는 사상들의 쟁명(爭鳴)만이 있고, 일이관지(一以貫之)하는 통합의 도가
사라진 것에 자포자기한다. 귀향하던 길에 금강산의 상상봉에 올라서 잠을
자다, '새 깃털로 짠 옷을 입고 휘날리는 한 도사(羽衣褊褼一道士)' 즉 우의도사
(羽衣道士)가 현몽하여, 궁극의 비밀을 알려주는 체험을 하게 된다. 물론 이
는 최수운이 『정감록』에서 연유된 '궁궁'을 새롭게 해석한 것이다.

송송가가(松松家家) 알았으되 이재궁궁(利在弓弓) 어찌 알꼬

천운(天運)이 둘렀으니 근심말고 돌아가서 윤회시운(輪廻時運) 구경하소

십이제국(十二諸國) 괴질운수(怪疾運數) 다시개벽(開闢) 아닐런가

태평성세(太平聖世) 다시 정(定)해 국태민안(國泰民安) 할 것이니

개탄지심(慨歎之心) 두지 말고 차차차차 지냈어라

하원갑(下元甲) 지내거든 상원갑(上元甲) 호시절(好時節)에

만고(萬古)없는 무극대도(無極大道) 이 세상에 날 것이니

너는 또한 연천(年淺)해서 억조창생(億兆蒼生) 많은 백성

태평곡(太平曲) 격양가(擊壤歌)를 불구(不久)에 볼 것이니

이 세상 무극대도(無極大道) 전지무궁(傳之無窮) 아닐런가[454]

궁궁의 해석에는 온 세상이 괴질(怪疾)로 고통을 받는 참혹한 세상을 예언하는 천주교의 종말론적 세계관이 수용된다. 말하자면 천국이 도래하기 전에 최후의 심판을 의미하는 참혹한 환란이 온 세상(십이제국)을 덮친다. 그런데 이러한 예언은 수리(數理)에 바탕을 둔다.

위에서 최수운이 거론한 '하원갑', '상원갑'의 삼원갑자를 이해하기 위해서는 약간 전문적인 역술의 논리에 대한 이해가 필요하다. 그만큼 최수운은 평민지식인의 기본 교양에 해당하는 역술(좌도, 잡술)에 능숙했다는 것을 보여준다.

'하원갑'이나 '상원갑'은 삼원갑자설(三元甲子說)에 따른 것이다. '갑자'는 60갑자를 가리키고, '삼원'은 60갑자가 상·중·하(上中下) 3개 있다는 것이다. 이러한 삼원갑자설은 일월(日月)과 오성(五星)이 나란하게 배열되는 주기가 180년이라는 것에 근거를 두고 있다. 180년은 60갑자로 나누면 3개의 갑자가 성립되고, 이를 상원갑자(上元甲子), 중원갑자(中元甲子), 하원갑자(下元甲子)로 부른 것이다.[455]

최수운은 원회운세설과 삼원갑자설을 결합해서 선천과 후천의 전환의 의미를 예언처럼 제시하고 있다. 원회운세설에서 말하는 선천과 후천의 변화는 반드시 양(陽)의 극성(極盛)을 지나야 한다. 양의 극성에서 요순시대가 열렸다는 것이 원회운세설의 역사관이다. 요임금은 원회운세설에 따르면 64,661년에 등극했다.[456] 그런데 이것을 삼원갑자의 척도로 본다면, 갑진년(甲辰年)이고 이는 기원전 2,357년에 해당한다.[457] 삼원갑자설을 사용해 우리역사에 적용하면, 1684년(숙종 10)이 '상원갑자'이고, 1744년(영조 20)이 '중원

갑자'가 되며, 1804년(순조 4)이 '하원갑자'이다. 다시 1864부터 새로운 '상원 갑자'가 시작된다. 수운은 '하원갑자'가 거의 끝나가던 무렵인 1860년 경신 (庚申) 4월 5일에 득도하면서, 깨달음의 내용을 남겼는데, 여기에서 무극대 도(無極大道)를 말한다.

> 만고(萬古)없는 무극대도(無極大道) 여몽여각(如夢如覺) 득도(得道)로다
> 기장하다 기장하다 이내운수 기장하다
> 한울님 하신말씀 개벽 후(開闢後) 오만년(五萬年)에 네가 또한 첨이로다
> 나도 또한 개벽 이후 노이무공(勞而無功) 하다가서
> 너를 만나 성공(成功)하니 나도 성공 너도 득의(得意)
> 너희 집안 운수(運數)로다 [458]

앞서 개벽의 연원이 되었던 일원(一元)의 순환은 원회운세설의 수리에 따르면, 129,600년에 해당한다. 하나의 원(圓)은 360도이고, 이를 12지(支)에 배당해서 나누면 각 지지(地支)마다 10,800년이 된다. 이는 일원이 12회(會)라는 의미이다. 그러므로 1회(會)는 각 10,800년에 해당한다. 최수운은 일원 129,600년에서 원론적으로 양이 지배하는 원(圓)의 반에 해당하는 시간인 64,800년(129,600×½)을 '개벽 후 5만년'이라고 했다.

아마도 이것은 개벽에 소요된 시간인 자회(子會, 10,800년)와 축회(丑會, 10,800년)를 합한 21,600년(10,800×2會)을 염두해야 이해할 수 있을 것이다. 말하자면 이미 선천 시기인 64,800년 가운데, 하늘이 열린 자(子)와 땅이 열린 축(丑)에서 쓰인 시간을 제외하고, 인간이 생겨나서 문명이 발달하는 인회(寅會)부터 선후천이 교대하는 요순시대를 지나서, 이미 후천 시기에 접어들었다. 그래서 수운이 득도한 1860년(원회운세 기준 68,877년)까지 진행한 인문

의 시기는 47,277년에 해당하는데, 이를 어림수로 '5만'이라 본 것이다.[459]

1원(元)의 반이 64,800년이기 때문에 양에서 음으로 넘어가는 최초의 시점은 64,801년이 된다. 원회운세설에 따르면 요임금의 즉위년은 64,661년이며 삼원갑자설에 따르면 갑진년이고, 지금의 서력기원으로 기원전 2357년으로 추정하고 있다. 이는 전반부 64,800년을 채 못 지난 것이며, 이후 139년이 더 경과해야 선천이 종결되고 후천이 도래한다. 요임금을 이어 순임금의 즉위년은 원회운세설로 64,733년이고 삼원갑자설로는 갑신년(甲申年, 기원전 67)에 해당된다고 한다. 여전히 선천을 완전히 벗어나지 못하고 67년이 더 남았다. 앞으로 67년이 더 지나면 천도의 엄청난 터닝 포인트가 된다.

그런데 선천과 후천이 고작 1년을 사이로 완전히 변할 수는 없다. 이것은 자정(子正)을 가리키는 자시(子時)가 반은 오늘의 시간이고 반은 내일의 시간인 것처럼, 변화의 경계는 점이 지대가 된다. 역도의 관점은 반(半)의 양(量)을 지나야 비로소 질(質)적인 변화가 이루어진다고 보고 있다. 그러므로 수리적으로 요순시대가 지나면 후천시대가 되지만, 여전히 선천의 여기(餘氣)가 지배하고 있다.

선천의 끝인 원회운세설의 64,800년은 자회(子會)에서부터 사회(巳會)까지 6회(會)의 시간(10,800년×6會)이다. 여기서부터 새로운 오회(午會) 10,800년이 시작한다. 후천을 갓 시작한 64,801년은 기원전 2217년에 해당한다. 그런데 오회의 전반은 여전히 양의 기운이 지배하고 있다. 그래서 오회가 담당한 10,800년의 반에 해당하는 5,400년이 지나야 비로소 후천의 질적인 특성이 발휘되는 것이다. 이에 따르면 선천의 완전한 종결은 70,200년(64800+5400)이며 이는 AD 3183년에 해당한다. 수운의 시기로부터 1,323년이 남았고, 지금(2017년)으로부터도 1,166년이나 남았다.[460]

그러나 이는 원회운세의 시간을 현실의 역사적인 시간으로 환산할 때 기준의 차이로 인한 결과에 불과하다. 가령 반만년 전에 요순시대가 있었고, 단군시대가 있었다고 한다면, 수운이 득도한 시점에는 진정한 후천 세계를 말할 수 있을 것이다. 하지만 선후천의 교체기에서 이미 후천의 세계에 이르렀지만, 여전히 세상은 평화롭지 못한 것이 현실이었다. 그래서 삼원갑자 가운데 하원갑자가 끝나는 1863년보다 조금 이른 시점인 1860년에 수운은 득도를 했다. 그래서 1864부터 새로운 '상원갑자'의 시작과 함께 선천의 종언을 고하고, 새로운 시대에 걸맞는 가르침을 선포하는 것이다.

수리의 자세한 계산을 괄호에 넣고 본다면, 이미 후천에 진입했으나 선천의 기운은 여전히 맹위를 떨치고 있지만, 후천의 기운이 점점 증대해 가는 시기를 알리기 위해 '상원갑(上元甲) 호시절(好時節)'을 말하고 있다. 이는 개벽 이래 5만 년 만에 처음으로 선포된 하늘의 계시였다.

그래서 다시개벽은 실제 후천개벽이며 '궁궁'이고 무극의 대도가 드러나는 것이다. 하나의 극을 세운 모든 가치들은 '극이 없기 때문에 오히려 모든 극을 포섭하는' 무극의 대도로 통합된다.

(2) 신(新) 존왕(尊王)주의와 조선 중화(中華)론

이 대도는 '유(儒)도 불(佛)도 누천년(累千年)의 운(運)이 다한' 뒤에 최수운에게 계시된 가르침이다. 그런데 이 대도를 민중사상의 입장에서 말하면, 대도가 회복된 대동의 세계이다. 이는 『정감록』의 세계를 계승하면서도 질적인 단절을 통해 새로운 차원으로 해석한 것이다. 이 때문에 『정감록』의 역성혁명을 위해 '해도에서 기병하여 이씨왕조를 타도하고 정씨왕조를 세운다'는 기본 구조가 변하게 되었다.

이 구조가 변하면서 참언의 자의성과 허탄(虛誕)한 성격은 원칙적으로 탈락하고, 유가의 정통 학문인 역학의 권위가 회복되었다. 또한 정치철학적으로 중요한 전환, 즉 역성혁명을 통해 정씨왕조를 세우는 것이 아니라, 개벽의 일환으로 한 존왕(尊王)의 가치가 새롭게 생겨났다. 말하자면 이 신(新)존왕주의는 동학에 의해서, 불교를 수용하고 천주교를 수용하고 있다는 의미에서 오랜 민중사상의 지위를 차지한 『정감록』의 역성혁명을 주변으로 몰아내는 극적인 전환에서 생겨났다. 실제 동학의 경전에서 이씨왕조 교체나 정씨왕조 도래에 대한 이야기는 없다.[461]

이러한 극적인 전환은 현실 인식이 심화되면서 생겨난 것이다. 일상화된 내란은 내우외환(內憂外患)에서 '내우'에 해당한다. 그러나 왜(倭)와 양(洋)의 '외환'이 극성하여 나라가 멸망 지경에 이르렀다는 인식이 커져갔다. 최수운이 득도한 1860년은 제2차 아편전쟁으로 영불(英佛)연합군이 3만여 명의 팔기군(八旗軍) 정예부대를 부수고 북경을 함락시킨 해였다. 천조(天朝) 중국이 양이(洋夷)에 망한 것은 하늘이 무너지는 일이었다.

서양인들은 도가 이루어지고 덕이 서서 조화(造化)에 이르고 이루지 못하는 일이 없고, 무기로 침공하면 앞을 막아설 사람이 없다. 중국이 소멸하면 어찌 순망치한의 우환이 없겠는가?[462]

그러므로 천조보다 강한 서양의 세력에 맞서기 위해서 서양을 긍정하고 서양의 폐습을 동시에 인식하는 것이 필요했다. 그래서 서양의 도(道)와 오도(吾道) 즉 동학의 도는 천기의 보편적 흐름인 "운은 하나 속에 있고, 도는 같다." 이것은 서양에 대한 긍정이다. 그러나 "이치는 아니다."[463] 이치가 '아니다'라고 하는 이유는 "서양 사람은 말에 차례가 없고 글에 순서가 없으며 도무지 하느님을 위하는 단서가 없고 다만 제 몸만을 위하여 빌기"[464] 때문이다. 이는 서학 및 천주학의 내용이 허무맹랑해서이다. 즉 "(서학하는 사람들이) 비는 말이 '삼십삼천(三十三天) 옥경대(玉京臺, 천당)에 나죽거든 가게하소.' 우습다 저 사람은 저의 부모 죽은 후에 신(神)도 없다 이름하고 제사조차 안 지내며 오륜에 벗어나서 유원속사(唯願速死, 빨리 죽기를 바라기만 하는 것) 무삼 일고?"465

이는 서양과 동양의 극(極)을 따로 세우지 않은 통합과 보편의 학(學), 즉 '무극대도'를 깨달았지만, 결국 동학이라 이름 붙인 이유가 된다. "공자는 노나라에 나시어 추나라에 도를 폈기 때문에 추로(鄒魯)의 풍화(風化)가 이 세상에 전해 온 것이거늘, 우리 도는 이 땅에서 받아 이 땅에서 폈으니 어찌 가히 서(西)라고 이름하겠는가?"466 그러므로 동학은 동서를 가르지 않는 보편의 도이지만, 우리 문화의 보편성을 더 우선시한다.

'추로의 학'이란 공맹의 도이며 이는 기존 지배층의 이데올로기로 군림(君臨)해 온 유가를 가리키는 것이 아니라, 이들에 의해서 은폐되어 온 대동(大同)의 학에 연결된 공맹지도의 정수를 말한다. 이 때문에 정씨 진인에 의한 역성혁명이 아니라, 내 나라를 위해 선양과 선출 및 추대에 의해서 등극한 지존에 대한 존중을 보이게 된다.

이러한 '신존왕주의'는 조선국왕을 중국천자의 제후로 받드는 성리학 유생들의 '전통적 존왕주의'와 달리 국왕을 중국황제나 일본천왕과 대등한 '지존(至尊)'으로 높여 받드는 '우리 임금 제일주의' 또는 '우리 임금 지존주의'다.467 이러한 인식에는 이 나라가 왕이나 사대부의 나라만이 아니라, 오히려 그들이 주인이 아니라 민중의 나라라는 인식이 심화되어 있는 것이다. 그 때문에 왜놈들에 대한 피끓는 저주가 없을 수 없었던 것이다.

> 개 같은 왜적(倭賊)놈아 너희 신명 돌아보라.
> 너희 역시 하륙(下陸)해서 무슨 은덕(恩德) 있었던고…

내 나라 무슨 운수(運數) 그다지 기험(崎險)할꼬…

개 같은 왜적놈이 전세임진 왔다가서

술싼 일(숟 가락 쓰는 일) 못했다고 쇠술(쇠 숟가락)로 안 먹는 줄[468]

세상사람 뉘가 알꼬 그 역시(亦是) 원수(怨讐)로다…

개 같은 왜적놈을 한울님께 조화(造化)받아 일야(一夜)에 멸(滅)하고서

전지무궁(傳之無窮) 하여 놓고…[469]

'개 같은' 왜적 놈들을 물리치는 강력한 척왜(斥倭) 정신에 이어 척화(斥華) 정신이 이어진다.

대보단(大報壇)에 맹세(盟誓)하고 한이(汗夷)의 원수(怨讐) 갚아보세

중수(重修)한 한이비각(汗夷碑閣, 삼전도비)

헐고 나니 초개(草芥)같고 붓고나니 박산(撲散)일세[470]

척화(斥華)의 화(華)는 본래 청(淸)나라이다. 병자호란의 굴욕을 안긴 한이(汗夷, 오랑캐)에 대한 불타는 복수심을 보여준다. 이것은 송시열 이래 시대착오적인 반청(反淸) 대명의리론(大明義理論)에 대한 것이다. 그러나 사라진 명나라의 자리에 조선이 자리하고, 현재의 중국인 청(淸)이나 청(淸)을 굴복시킨 서양 제국주의 양이(洋夷)들 모두에 대한 강렬한 척화(斥華) 의식의 발로라고 할 수 있다. 이미 조선이 중화(中華)이며, 세계의 문명중심이라는 신중화주의의 표현이다.

이러한 최수운의 인식은 농민전쟁의 선봉에 선 호민 전봉준에게도 동일하게 이어진다. "척왜(斥倭)와 척화(斥華)는 그 의리가 일반이라. 두어 자 글로 의혹을 풀어 알게 하노니 각기 돌아보고 충군우국지심(忠君憂國之心)이

있거든 곧 의리로 돌아오면 상의하여 같이 척왜척화하여 조선으로 왜국이
되지 않게 하고 동심합력하여 대사를 이루게 하올쎄라."⁴⁷¹

민중혁명의 의지로 불타고 있는 전봉준에게 충군우국지심(忠君憂國之心)
은 정씨왕조 도래나 이씨왕조 교체와 같은 역심(逆心)이 없다. 대동의 세계,
즉 공(公)의 원리가 회복하면, 내 임금이고 내 나라이기 때문에 임금과 나라
에 대한 충성(忠誠)은 당연한 것이며, 창의(倡義)의 절대 목표이기도 하다. 그
래서 보국안민(保國安民)이다. 내 나라를 보호하고 생민 전체를 환란에서 편
안케 한다.

이러한 생각의 대전환은 단지 민란이 타도하려는 것은 지배층의 사유화
로 인한 민생의 도탄과 나락의 처지라는 것을 보여준다. 이는 『정감록』에서
보여주는 전복의 대상이 좀 더 세련되고 구체화된 것에 기인한다. 전복해야
할 것은 척왜척양의 대상인 왜와 양이며, 이치에 닿지 않는 외래의 가르침이
다. 그리고 회복되어야 할 것은 우리 임금의 권위이며 나라의 국격(國格)이
다. 이것이 동학에서 창발되어 나온 '신존왕주의'라고 할 수 있을 것이다.

동학혁명은 고부(古阜)민란에서 시작되었다. 그런데 최수운이 무참히 살
해당한 뒤로도 동학의 교세는 꾸준히 확장되었으며, 이에 조정은 민중의 힘
이 결집되는 것을 두려워했다. 고종은 전라 감사와 경상 감사를 불러들여서
이 지역에 동학을 없애도록 명했다.

호남(湖南)은 바로 우리 조상이 일어난 고장으로서 어진(御眞)을 모신 중요
한 곳이어서 다른 곳과 구별되는데, 근래에 동학(東學)의 무리들이 창궐하고
종횡한다고 하니, 백성을 안정시킬 방책과 그 무리들을 제거할 방도에 대하
여 경은 잘 처리하고 훌륭한 공적을 세우도록 하라 … 영남(嶺南)은 본래 추
로(鄒魯)의 고장이라고 불려 왔는데, 근래에는 인심이 옛날만 못하고 흉년이

거듭 들 뿐 아니라 또한 개항한 후에는 그 중요성이 다른 곳과 구별된다. 이른바 동학의 무리가 경주(慶州)에서부터 시작하여 지금은 경상 우도(慶尙右道)에 간혹 있다고 하니, 잘 단속하여 막고 진심으로 명령을 잘 받들어 훌륭한 업적을 드러내도록 하라.[472]

최수운이 불명예스러운 죄를 쓰고 당한 죽음을 신원(伸寃)하기 위한 움직임이 있던 해(1892, 고종 29) 3월에 개최된 보은 취회(聚會)에서, 동학의 2대 교조 해월 최시형은 "방금(方今) 국세(國勢)가 거꾸로 매달린 것과 같이 급하되 그것을 풀 줄을 알지 못하니 오히려 나라에 사람이 있다고 하겠는가? … 지금 우리 성상(聖上)은 순덕(純德)이 인유(仁柔)하고 만기(萬機)를 총찰(總察)하시되 안에 현량(賢良)의 보좌가 없고 밖에 웅용(雄勇)의 장수가 없어 외적(外賊)이 틈을 타서 기회를 엿보아 절박함이 조석(朝夕)에 있으니 복원(伏願)하건대 모든 도유(道儒)는 일심(一心)으로 뜻을 같이하여 요사스러운 기운을 깨끗이 쓸어버리고 종사(宗社)를 극복(克服)하여 다시 중광(重光)의 일월(日月)을 밝게 하는 것이 어찌 사군자(士君子)의 충효를 하는 길이 아니겠는가?"[473]라고 하여, 교조의 신원을 넘어서는 존왕주의와 척왜척양의 혁명을 목표로 제시한다. 비록 평화적 해산의 권유를 수용하여 봉기로 이어지지는 않았으나, 다음해 1894년(고종 31) 1월 동학접주 전봉준이 이끄는 고부민란이 발생한다.

그러나 민란의 전형적인 과정, 말하자면 임술민란 이후 민중의 경험은 수령(守令)과 이향(吏鄕)의 탐학을 능가하는 안핵사와 선무사 등의 패악이 이어지는 기만적인 상황이 전개되는 것을 보았다. 고부에서도 같은 상황이 진행되자, 무장현(茂長縣. 같은 해 3월)에서 다시 봉기가 일어난다. 성난 민중은 고부군을 점령하고, 5월 전주화약(和約)에 이르기까지 전라도 서남부 지역을 무력으로 장악하면서 항쟁을 계속했다.

전주화약(和約) 당시 농민군이 정부에 제기한 폐정개혁안 27개조는 농민(민중) 자치기구인 집강소(執綱所)가 설치된 후 12개 조의 폐정개혁안으로 구체화되었다. 폐정개혁안은 경제적 모순의 해결 즉 삼정문란과 수취제도의 전면적 개혁을 요구했고, 민란을 초래한 탐관오리의 엄정한 처결 등을 담고 있었다. 가장 주목할 사안은 노비문서의 소각, 천인의 대우개선과 백정 머리에서 평양립 제거, 청춘과부의 개가 허용, 지벌 타파와 인재등용(5,6,7,9항)을 천명한 사회신분제도의 개선과 척양척왜였다.[474]

이는 '내 나라'를 위협하는 '개 같은 왜적놈들'과 새로 등장한 양이(洋夷)의 외세를 물리치고 국가 체제를 만드는 보국(保國)의 한 축, 그리고 민중의 숙원(宿怨)이었던 신분제 사회의 질곡을 벗어나는 신분해방과 경제적 평등을 실현하는 안민(安民)의 다른 한 축이 결합하여 새로운 세기를 시작하려는 거대한 개막, 즉 개벽(開闢, Great Opening)을 알리는 것이었다. 이러한 개벽사상은 인간의 존엄성에 대한 민중의 사상, 즉 동학이 떠받치고 있었다.

그러나 '아국(我國)의 운수(運數)'는 '기험(崎險)'해서 6월에 왜적은 경복궁을 점령하고, 9월 제2차 동학혁명이 일어났으나, 10월 우금치전투에서 왜적과 관군에게 패배를 하고 전세가 매우 불리하게 되었다. 이윽고 전봉준이 수하의 밀고로 체포되고, 이듬해(1895) 난을 이끈 지도자들과 함께 교수형에 처해진다. 왜적들은 청일전쟁(1984-1894)에서 승리하고, 조선에서의 영향력을 행사하기 위해 반대 세력이었던 민비를 시해하는 을미사변(乙未事變, 1895년 8월)을 일으키고, 양력 역법 사용과 단발령(斷髮令) 같은 친일세력의 급진 개혁이 단행되었다. 전국에서 반일 의병이 봉기하고, 고종이 러시아공사관으로 '망명(亡命)'하는 아관(俄館)망명(아관파천, 1896)이 일어났고, 국가 재건을 위해 대한제국(大韓帝國, 1897년 10월 12일)을 선포한다. 개벽의 이념을 가지고 동학농민혁명을 이끈 지도자의 영수[首魁]인 최시형은 교단 재건 활동을 전개하다가 1898년 4월 체포되어 6월 2일에 처형된다.

개벽(開闢)은 예전부터 전개되어 온 민중사상의 성격이 전환되는 것을 보여주는 말이다. 기존 민중사상의 연원들이 착종되어 형성된 성격, 즉 왕조 전복론과 진인도래론, 그리고 여기에 부속된 도참론 등에 깔린 원한 서린 적대감이 다른 차원으로 승화되어, 이전 지배층의 논리로 봉사했던 공맹의 도와 대동의 도가 왜곡이나 은폐 없이 민중의 의식을 각성시키는 데 적용되었다.

말하자면 민중들이 의식화가 되자, 본래부터 성인의 말씀에는 생민(生民) 전체에 대한 존중과 천하를 공물로 생각하는 공의가 있었다는 것을 확인하면서, 특정 집단에 의해서 사유화된 성인의 말씀을 다시 공의로 되돌리는 일을 현실적으로 실현하려는 각성된 의지가 생겨났다. 이로부터 과거 특정 집단의 사유화 속에서 주장되었던 이념들이 민중의 각성 속에서 새로운 문명 중심주의(신중화주의)와 신존왕주의를 토대로 한 민중의 사상으로 재탄생하게 된다. 이러한 생각은 민중혁명으로 승화되고 내부로부터의 근대화의 동력이 되어 대한제국을 탄생시킨 힘이 되었다. 곧 한국 최초의 근대국가가 생겨난 것이다.[475]

비상국가체제의 성격을 지닌 대한제국은 1897년(고종 34, 광무원년) 10월 13일 반조문(頒詔文)[476]에서 '낡은 것을 혁파하고 새로운 것을 도모하여 교화를 행하고 풍속을 아름답게 하는 것(革舊而圖新, 化行而俗美)'이라는 혁구도신(革舊圖新)의 임시 근대화 노선을 따르는 개혁 정책을 선포한다. 민중의 숙원은 완전하지는 않으나, 명분적으로 해소된 시대가 생민(生民)이 생겨난 이래로 처음 이 땅에서 실현되고 있었다.

(3) 역성(易姓) 혁명의 여운

대한제국은 조선중화론과 신존왕주의라는 '건국이념'으로 수립되었다. 그러나 민생이 획기적으로 변한 것은 아니었다. 비상국가체제의 성격을 지닌 제국의 출발에도 불구하고, 민란은 계속 발생했다. 이 가운데 제주도에 일어난 두 번의 반란은 대한제국의 건국이념에 비추어 보아, 그 성격이 대조적이다.

제주에서 일어난 이른바 '방성칠(房星七)의 난(1898)'은 수령과 이향의 탐학과 가혹한 조세 수취에 저항하여 일어난 것이다. 대부분의 민란에서처럼 향촌관리들이 민원을 접수하고도 거짓으로 시정을 약속하고, 오히려 무자비한 탄압을 하는 과정에서 사건이 커진 것이다. 그런데 방성칠의 난은 남학(南學)이라는 신흥종교가 개입하고 있다.

남학은 연담(蓮潭) 이운규(李雲圭, ?~?)를 교주로 하나, 교리체계 확립과 포교 및 조직은 일부(一夫) 김항(金恒, 1826~1898)과 광화(光華) 김치인(金致寅, 1855~1895)이 이루었다. 일부계는 유불선(儒佛仙) 삼교(三敎) 가운데 유교를 중심으로 불선(佛仙)을 흡수하고, 광화계는 불교를 중심으로 유선(儒仙)을 흡수하는 특성을 보인다. 오방불교(五方佛敎)라는 이름을 내건 광화계만이 스스로를 남학이라고 불렀다.

남학은 기본적으로 후천(後天)세계 무량낙원(無量樂園)의 개벽(開闢)을 제시한다. 불교와 민간신앙 및 음양오행을 결합한 체계로 볼 수 있다.[477] 동학과 별개로 활동했는데, 당시 관군에게 불온시되어서 1895년 봄 김광화 및 지도부가 체포되어 전주에서 처형되자, 교도들은 뿔뿔이 흩어지게 되었다. 이때 방성칠을 중심으로 한 남학교도 수백 명이 제주도로 들어와 화전을 개간한 대정군 광천리 일대에 정착하고 있었다.[478]

남학교도가 중심이 되고 제주의 원민들이 힘을 합쳐 제주성을 점령한 뒤에 방성칠은 독립국가 건설을 선포한다. 우리는 여기서 『정감록』 사상을 발견할 수 있다.

제주도는 27수 가운데 방성(房星)의 분야인데, 내 성(姓)은 방(房)이니 이와 부합한다. 게다가 비기(祕記)에는 방사(房社)의 장수가 있는데 이 역시 내 성과 부합한다. 이는 하늘의 뜻이 아닌가? 지금 국운은 이미 쇠했으니, 진인이 해도(海島)에서 출현해야 한다. 이 기회를 잃을 수는 없다. 게다가 제주도에는 유배 온 선비들이 많으니, 오늘과 같이 문무가 함께 다스려진 적이 없다. 이는 하늘이 우리의 거사를 돕는 것이다. 지금의 현실은 러시아가 다투고 있으며, 조정은 일이 많아서 파병할 겨를이 없을 것이다. 만일 파병한다고 해도 두려울 것이 없다.[479]

방성칠은 『정감록』의 진인설을 이용해서 거사를 정당화하였다. 더욱이 제주에 유배 온 지식인(선비)들을 규합해서 육조(六曹)를 구성해 중앙정부와 같은 체제, 즉 제주왕국을 수립하려고 하였다.[480] 그러나 제주도 토착 지배층과 유배 온 외지인들이 연합해서 난을 무력화시켰다. 주모자 방성칠은 죽고 대부분의 남학교도들은 도망치거나 종신형에 처해졌다.

3년 뒤 제주에서 다시 민란이 발생한다. 이른바 '이재수의 난'(1901)이다. 당시 제주도는 지세(地稅) 및 지대(地代)의 수취에 대한 군수와 목사의 역할을 새로이 중앙에서 파견된 봉세관(捧稅官)이 맡게 되자, 지방관과 봉세관 사이에 세금 징수권을 둘러싼 대립과 갈등이 심했다. 또한 봉세관은 당시 치외법권적 특권을 가진 천주교인들과 결탁하여 제주도의 경제적 특권을 향유하면서, 새로운 수탈자가 된다. 이에 기존 보부상들이 연합한 상무회(商務社)를 중심으로 천주교의 폐단에 대한 민회(民會)를 열어 민원을 호소했으나, 관은 이들을 폭도로 규정하고 공격해서 난이 발생했다.

관노(官奴)였던 25살의 이재수가 선봉에 서서 제주성을 점령하고 천주교인을 300여 명 처형을 할 정도로 난의 규모가 컸다. 이후 천주교 보호를 구실로 프랑스 함대가 출동했고, 관군의 회유와 배신으로 인해 반란군은 해산되고, 주모자는 서울로 압송되어 교수형에 처해진다. 이 난에서는 방성칠의 난과 비교해서 뚜렷한 민중사상의 흔적을 찾기 어렵다.

그런데 고작 3년 만에 제주 민중 사이에도 황제에 대한 환상의 형태로 신존왕주의가 관철된 것을 볼 수 있다. 관군이 '황상호생(皇上好生)의 덕'과 '성념(聖念)'을 호소하며 해산을 요구하자, 반군 측은 자신들의 요구를 '황제가 들어줄 것(天聽)'으로 기대하였고, 반군의 동진(東陣)에서는 서울로 올라가 상소하자는 소리가 나오는가 하면, 서진(西陣)에서는 '황명을 듣겠다는 뜻(聽命의 意)'을 표명했다. 그리고 이재수의 반군 진영에서 제주왕국 건설을 외치는 자는 시종 전무했다.⁴⁸¹

비록 대한제국 시기였지만, 조선시대 민중의 민란은 여기서 종언을 고한다. 그러나 민중의 항쟁은 항일독립 운동으로 전환되어 치열하게 전개되어 갔다.

민중사상, 공(公)의 보루(堡壘)

　지금까지 조선시대 민중사상의 전개를 살펴보았다. 조선은 성리학(性理學)을 기본이념으로 해서 건국된 유교 국가이다. 성리학은 공맹(孔孟)의 유학에 불교의 형이상학과 도가의 우주론을 결합해서 성립된 새로운 유학이었다. 본래 유학(儒學, 유가의 학문)은 공맹의 근본유학을 정맥(正脈)으로 하는데, 성리학은 이를 계승하는 한편으로, 뚜렷한 단절을 보이는 측면이 존재한다. 특히 정치철학에 있어서는 단절의 측면이 두드러졌다.

　이 글에서는 공맹의 근본유학에 함의된 정치철학은 주(周)나라 봉건제의 기반이 되는 예치(禮治)를 중심으로 전개되는 것이라고 보는 일반적인, 즉 성리학적인 이해와 달리, 실제로는 대동(大同)사상이 더 근본유학의 정수(精髓)에 가깝다고 보았다. 대동사상은 공자사상의 정수이며, 이를 맹자가 계승한 것이라 보는 것은 유가의 이상주의적 측면을 더 강조하는 입장에 서 있는 것이다.

　그런데 성리학의 집대성자인 주자(朱子)의 저술(『주자대전(朱子大全)』, 『주자어류(朱子語類)』 등) 속에는 대동(大同)이라는 단어나 이와 관련된 문장을 찾아볼 수가 없다. 대동사상이 공자의 예설(禮說)을 집성한 『예기(禮記)』 「예운(禮運)」 편에 있기 때문에, 대동의 결여는 새로운 유학을 자부하는 성리학의 이름에 걸맞지 않는 매우 특이한 사태라고 볼 수 있다. 이는 아마도 대동이 공자의 예치와 이를 존중하는 성리학의 체계에 반하는 이념이기 때문에,

즉 예치의 사회를 '더 좋은 사회(세상)'에 미달하는 하위 체계로 치부하기 때문이다. 확실히 성리학이 추구하는 최상의 사회는 대동이 아닌 대동의 하위 개념인 소강(小康)사회이다. 바꾸어 말해 성리학은 대동의 관점에서 보자면, 소강사회의 스펙트럼 가운데 최선인 사회를 이상으로 삼고 있는 체계에 불과하다. 또한 성리학은 본질적으로 대동에 관심이 없으며, 대동은 예(禮)를 고려하지 않고, 더욱이 혐오스러우며 유가의 오랜 적(敵)인 도가의 소국과민(小國寡民)적 세계, 혹은 문화가 발달하지 않았던 원시의 상태를 상정한 사회라고 폄하한다.

그러나 이 글에서는 대동이야말로 공맹 정치철학의 정수라고 보았다. 그리고 사상사적으로 이러한 대동의 철학이 은폐 혹은 무관심, 그리고 성리학의 득세로 인한 소외와 방기에 의해 감추어진 것으로 보았다. 대동은 천하를 공유(公有)물이 아닌 사유(私有)물로 보는 원리를 기반으로 권력의 독점을 강화하고 유지하는 왕위세습제와 관작(官爵)세습제를 골자로 하는 예치를 본질적으로 거부한다. 이런 점에서 대동은 기본적으로 탈신분제를 기반으로 한 권력의 선양과 관작 선출 등을 사회의 기본 구조로 삼고 있는 '매우 근대적인' 사회를 지향하는 이념이라고 할 수 있다. 그러므로 대동은 예치를 금과옥조로 하는 조선에서는 불온한 생각이 아닐 수 없었다. 그래서 대동의 이름으로 전개되는 사회적 행위는 모두 불온시하고 탄압하며, 반면에 사회 체제에 도전하는 저항자들은 대동의 기치(旗幟)를 내걸게 되는 것이다.

대동과 소강의 패러다임을 철학적으로 구분 짓는 원리는 공(公)과 사(私)이다. 그런데 공과 사는 모두 대도(大道)의 두 측면이다. 대도가 드러나 활동하면 공의 원리가 사회를 주도하면서 평화의 시대가 지속되고, 예치의 절대적 지배를 무력화시키는 시대가 지속된다. 그러나 대도가 숨게 되면, 사의 원리가 사회를 지배하고 사유(私有)의 정도가 극대화될수록 천하는 특권을 가진 집단과 개인에 독점되고, 이런 체제를 유지하기 위해 이로부터 소외된 집단과 이에 비판적인 집단, 즉 민중을 억압하고 착취하는 병리적 사회구조를 공고화한다.

대도는 공과 사의 두 측면이 있기 때문에, 사의 원리에 의해서 전개되는 전쟁과 불화의 시대를 원천적으로 소멸시킬 수는 없다. 사(私)도 대도의 한 측면이기 때문이다. 그러므로 대도가 숨지 않고 드러나 활동하게 만드는 대도의 회복, 즉 '공(公)의 지향'이 더욱 중요하다. 이는 현실의 과도한 사유화에 의해 생겨난 질서체계를 바로잡는 지속적인 개혁과 변혁을 요구하게 된다. 하지만 역사적으로 사적 소유화의 현실은 공의 원리에 의한 사회체계보다 더 집요하고 강력한 힘을 가지고 있었다. 아마도 민중사상가들이 조선시대까지를 선천(先天)시대라고 평가한 이유가 여기에 있을 것이다.

민중은 본래 집단을 지칭하는 개념이며, 소강의 하위에 해당하는, 강력한 신분제를 기반으로 하는 예치 사회로부터 나오는 개념이었기 때문에, 귀족(왕과 지배층)에 대해서 천한 신분의 존재를 가리키거나, 귀족들의 풍요로운 삶을 보장하는 사회를 유지하기 위해서 소요되는 물질적 재화를 생산하는, '말하는 마소(馬牛)'와 같은 역할을 했다. 그러나 마소와 달리 『시경』의 노래처럼 민중에게는 생래적인 욕구, 즉 인권을 향한 염원이 존재하고 있다. 이러한 인권을 향한 열망, 곧 대도의 회복을 희구하는 마음은 수십 세기에 걸친 분투(奮鬪)에서 흘린 피를 먹고 자라나 결국 개화(開花)하게 된다.

그런데 사의 원리가 사회 전체에 팽배할수록 공에 대한 열망이 생겨나는 것은 사유화에 의해 압박을 받는 신분 혹은 계급인 민중과 대도의 실현을 원하는 '지식인-민중(intellectual as people)'에게서만 발견된다. 그래서 대도의 회복을 위한 실천은 민중이 아니고서는 그 담당자를 찾을 수가 없다. 만일 역사 속에서 사회의 발전이나 진보를 원한다면, 이는 대도가 유행하는 공의 회복이기 때문에 민중이 역사의 주인이나 담지가가 되어야 하며, 적어도 소외계급이 발전과 진보, 더 나아가 안락한 세상을 만드는 동력이 되어야 한다. 이는 민중사상의 한 연원이 되는 불가에서 '중생(衆生)이 부처'라고 하는 화두나 '고(苦)가 곧 깨달음의 원력(願力)'이라고 하는 법설과 상통한다. 고뇌가 없는 인간이 완성된 인간이 될 수 없고, 고뇌의 크기만큼 깨닫고자 하는 원력도 커질 수밖에 없기 때문이다.

대동의 사상이 공자에 의해서 설파된 것은 기원전이지만, 그 이후 실제 역사는 대동의 이념을 망각하고 소강의 말류에 속하는 국가사회를 지속하게 된다. 이 때문에 민중은 (육체적 고통에 심리적 고통이 추가되므로) 마소보다 못한 처지에 있었다. 역사적으로 소강의 최선을 위한 개혁에 따른 사회의 진보를 말할 수 있지만, 민중의 생존 환경은 본질적인 변화가 없었다. 앞서 『시경』에 수록된 노래를 부르던 민중은 3천 년이 지난 조선시대에도 여전히 같은 문제로 고뇌하고 있는 것이다. 그러나 민중은 점차 이러한 현실을 각성하게 되는데, 이것은 생래적인 인간의 욕구에 더하여 이를 개념적인 지식으로 만들어 세계를 바라보는 인식과 결합해 나가면서 민중의 저항으로 드러난다.

인간의 천부적인 욕구는 권력의 사유화(私有化)도 있으나 천하의 공유화(公有化)를 추구하는 것에도 있다. 특히 권력의 사유화에 억압된 민중은 더욱 강력하게 천하의 공유화를 추구한다. 그런데 이러한 공유 추구를 가능하게 하는 힘은 천연의 욕구보다는 '세계에 대한 인식의 확장과 심화'에서 생겨난다. 이를 민중의 자각 혹은 의식화라고 할 수 있다면, 민중사상의 근원은 민중의 의식화 즉 민중에게 대도를 각성시키고, 이것이 사회에 유행하지 않을 때 생겨나는 모순을 인식하게 하는 것에서 찾을 수 있다.

민중사상의 근원은 가깝게는 차별과 억압의 권위를 남용하지 않는 자연의 신성(神性)에서 찾을 수 있다. 그리고 이를 설명하는 기(氣)에 입각한 자연학과 여러 기술들에 대한 지식도 근거를 제공한다. 이 자연학적 지식들은 자연을 설명해 주고, 자연과 인간의 합일을 추구했던 옛 철학적 교설, 즉 천인합일(天人合一)의 원리에 따라 인간과 역사의 사건들을 설명해 줄 수 있었다. 이를 술수(잠술, 역술, 좌도 등으로 불림)라고 하는데, 이것은 미래를 전망하고 현실을 개조하는 힘이 되는 인식을 제공하였기 때문에, 대동사회를 추구했던 많은 호민(豪民)들의 강력한 무기가 되었다. 호민은 이러한 지식을 가지고 원망에 찬 원민(怨民)을 의식화하고, 원민의 의식화는 항민(恒民)의 관성을 부수게 되어 혁명의 동력을 창출한다. 민중혁명의 불길이 타오른 경과에 대한 크고 작은 기록들이 이러한 상황을 전해주고 있다. 그러나 민중의 의식화는 오랜 시간이 걸릴 수밖에 없었다. 민중은 대다수가 일자무식인 상태로 살 수밖에 없는 사회구조가 지속되었기 때문이다.

민중사상의 근원에는 자기인식의 명료화를 통해 내면의 평화를 원하는 불교의 이상도 포함된다. 모든 존재가 완성된 성품을 가지고 태어나며, 현실적으로 이상적인 인간이 될 수 있다는 교설은 현실의 모든 부조리한 사회질서를 근저에서부터 혁신할 수 있는 힘을 제공하였다. 또한 이상사회에 대한 비전은 민중의 열망을 자극하는 강력한 메시지가 되었다. 또한 후일 천주교와 같은 서구의 종교적 사상이 뿌리내릴 수 있게 해 주는 격의(格義)의 토대 역할을 수행하였다.

민중사상의 근원들은 대립하고 경쟁하기보다는 서로 착종(錯綜)된 형태로 저항의 동력이 되었다. 이러한 사실은 조선 초기부터 후기까지 꾸준히 발견된다. 이 글에서는 이 중에서 규모가 비교적 크거나 의미 있는 것을 선정해서, 당시의 기록을 살펴보았다. 독특하게도 『정감록(鄭鑑錄)』을 대표로 하는 비기(祕記)의 저항사상들은 왕조의 성씨를 바꾸는 혁명, 즉 역성혁명(易姓革

命)을 계속 주장하고 있었다. 이는 세습적 권력에 의해 유지되는 인간의 현실에 대한 오랜 민중의 분노를 표현하는 것으로 볼 수 있다. 이러한 착종된 형태의 민중사상은 계속되는 좌절 속에서도 민중을 의식화시켜 갔다.

이씨(李氏) 조선 왕조에서 정씨(鄭氏)의 신 왕조로 천명을 바꾸는 비전은 민중의 마음을 사로잡았고, 이는 조선시대 후기까지 줄기차게 이어진다. 500여 년을 지속한 조선왕조 기간 동안 거의 매년 민중의 저항이 발생하였다는 것은 현대 한국인들을 경악하게 만든다. 치세로 이름난 왕들이 재위했던 시기조차도 한 해도 거르지 않고 민란이 지속되었다면, 이는 조선사회가 얼마나 억압적이고 착취적이며 기만적인 사회였던가를 역설적으로 말해주는 것이기 때문이다. 『시경』의 노래에 등장한 현실은 수십 세기를 지나왔어도 본질적인 변화가 없었다는 말이 되기도 한다.

그런데 조선후기 막바지에 이르러 민중사상은 커다란 전환을 맞이하게 된다. 그것은 민중을 억압해 왔던 '지배층의 사상이 민중의 이해를 통해서 민중의 사상으로 전환'되는 특별한 전기를 민중 스스로가 마련한 것이다. 이것은 상징적으로 '혁명(革命)에서 개벽(開闢)으로의 전환'이라고 할 수 있다. 혁명은 한 왕조를 전복하고 새로운 왕조를 건설하는 것을 의미한다. 이는 지금의 왕조가 내 나라가 아니라는 의식을 기반으로 한다. 민중의 나라가 아니기 때문에 이 나라를 뒤엎고 민중이 주인이 되는 나라를 건설하려고 한 것이다. 그런데 새로운 왕조에서 민중이 주인이 된 적은 역사상 한 번도 없었다. 다만 민중 가운데서 극소수만이 주인으로 격상된 경우는 있으나, 근본적으로 민중의 국체(國體)로 성립된 나라는 없었다.

개벽은 민중의 의식화를 통해서, 즉 지배층의 사상으로 봉사하던 사상이 민중의 입장에서 새롭게 음미되면서 나온 사상이다. 이로써 민중은 공맹의 대동사상을 자기화할 수 있었고, 자연스럽게 민중의 국체를 주장할 수 있었다. 내 나라라고 새롭게 생각하였기 때문에 내 나라의 왕권을 존중하는 '신(新) 존왕(尊王)주의'가 생겨났다. 이는 역성혁명의 일관된 입장에 서 있는 민중사상의 측면에서 본다면 왕정(王政)을 강화하고 지지하는 복고적이고 퇴락한 반동사상으로 볼 수 있다. 그러나 신존왕주의는 선양과 선출의 유구한 대동사상을 내포한다는 점에서 반동과는 다르다.

그리고 세계사의 조류에 참여하는 시대를 맞이해, 민중에게 착취와 억압을 자행했던 기존 문명의 조건을 단지 혐오로만 일관하지 않고, 내 문명의 가치를 세계 중심의 가치로 선양(宣揚)하는 '조선중화의식'이 생겨났다. 여기에 시대적 사명을 척왜(斥倭)와 척양(斥洋)으로 파악하여, 국가의 독립과 자주, 민중의 안위와 안락 즉 보국안민(保國安民)을 성취하는 주체가 귀족 지배층이 아니라 민중이라고 생각하는 의식이 생겨났다. 이는 비록 역술(易術)에 기반을 둔 인식이지만, 당시의 우주론적 사변의 웅장한 결론, 즉 새로운 시대의 우주론적 도래를 전망하는 후천(後天)개벽사상에서 연유한 것이다. 그리고 이러한 민중사상은 대한제국(大韓帝國)이라는 한국 최초의 근대국가가 수립될 수 있게 만들어준 커다란 내적 자산으로 작용하게 된다. 서구의 근대사상이 이 땅에 도입되면서, 그것을 안정적으로 확산하고 구축하기 위한 내적 자산, 즉 안정된 격의의 구조가 이미 형성되어 있었던 것이다. 민중사상이 먼저 토대로서 존재하지 않았다면 외래의 새로운 사상은 뿌리를 내릴 수 없었을 것이다.

민중사상은 민중의 의식화를 통해서 새로운 단계로 진행되었지만, 외세에 의한 침탈로 국가 멸망의 사태라는 더 큰 우환에 직면하였다. 민중사상은 다시 근대를 배우고 의식화하면서, 독립과 자주의 길을 모색하고, 새롭게 진전된 사상을 구축해 나갔다. 이는 자연주의 사상에 불교의 자비 사상을 더하고, 여기에 서학과 유학 본래의 사상을 다시 회복하면서 민중사상을 진화시켰던 익숙한 과정을 반복하는 것이다.

민중사상은 일자무식의 천민이나 이에 동조하는 지식인들이 만들어낸 소외된 사상이나 역도(逆徒)의 사상이어서 편향적이고 반역적인 것이 아니다. 그것은 세계를 사유(私有)화하려는 세력을 막아내는 공(公)의 보루(堡壘)를 구축하는 인식과 실천의 기반이기 때문에, 편향이 아닌 보편을 지향하고 반역이 아닌 혁신을 지향하는 것이었다. 이는 대도가 유행하고 공의 원리가 주도하는 세상을 만들기 위한 민중의 오래되고 강력한 열망이 있기 때문이다.

우리가 쓰는 대다수 현대 한국어의 어휘는 외양은 한글의 형상이지만, 이는 한자의 음을 표기한 것이고, 그 실제 의미는 근대 서구어(영어, 유럽어)의 번역어이다. 예를 들면, 민주(民主)는 서구의 '데모크라틱(democratic)'을 번역할 때 기존의 한자어를 조합하면서 생겨난 것이다. 하지만 한자문화권의 전통에서라면, 민주(民主)는 '백성의 주인'이 되므로 오히려 군왕을 가리키는 정반대의 뜻이 될 수도 있는 말이 된다.

이 책에서 내내 사용한 '민중'이라는 말은 서구어의 '더 피플(the people)'을 번역한 현대어이다. 고전 한자어로 쓰였다면, 한 음절씩 풀어 헤쳐서 '민의 무리'를 가리키거나, 민(民)이나 중(衆) 어느 한쪽만을 써도 뜻이 통하는 유사어를, 중첩해서 쓴 것에 해당한다. '족발'이나 '역전'처럼 말이다.

'더 피플'의 뜻은 링컨(A. Lincoln, 1809~1865)의 유명한 게티스버그 연설에 등장하는 '오브 더 피플, 바이 더 피플, 포 더 피플(of the people, by the people, for the people)'에 잘 드러나 있다. 이는 '더 피플'이 국가의 지배 대상이 아니고, 국가의 주인이며, 국가는 국민을 위해 존재한다는 것을 웅변하는 불후의 구절이다. 그런데 '민주'의 정신을 간명하고 적절하게 나타낸 이 문구에서 '더 피플'을 민중으로 번역하는 경우는 거의 없다. 해방 직후 한때는 인민(人民)으로 번역했으나, 반공주의의 기반 위에 전개된 반(反)민주와 반(半)민주의 시대를 거치면서 국민으로 번역하는 쪽으로 대세가 기울게 되었다.

피플이 피플인 것처럼, 민중, 인민, 국민, 시민 등은 사실 모두 민(民)을 근거로 해서 생겨난 현대 한국어의 어휘이다. 그러나 이들은 서로 다른 의미의 지평을 가지고 있다. 백성이 철 지난 왕조시대의 말이듯이, 인민은 남북분단 이후 금기시된 불온한 말이 되었으며, 국민은 '같은 나라에 사는 사람 전체'라는 간편한 의미보다는 국가에 복속되는 존재로 규정되는 국가주의적 성격이 짙은 말이 되었다. 그리고 민중은 피지배 계층의 속성이 과도하게 부여되어, 투쟁의 그림자를 드리우고 있는 불편한 말이 되었다. 최근 들어 부각된 시민이라는 말은 국민과 민중의 사이에 끼인 중간층이라는 애매한 개념으로 민의 전체가 아닌 부분으로 축소된 말처럼 이해되었다. 국가를 낳고 국가를 책임지는 주인인 '더 피플'에 해당하는 말이 이처럼 애매하다는 것은 온전한 민주주의 성립을 저해하는 불안한 현실을 반영한다.

내가 이 책에서 사용한 '민중'은 엄밀한 사회과학적 개념이라기보다는 다소 철학적인 개념이다. 굳이 다른 말이 아닌 민중이라는 말을 사용한 것은 민이 집합 개념이고, 오랫동안 유지되어 온 사회 구조 탓에 강제된 고통과 이를 극복하려는 저항 의식이 담겨 있는 말이기 때문이다. 인민이나 국민과 시민이라는 말에서는 이런 느낌이 덜 다가온다. 민은 한 개인이 아니라 항상 인간(人間, 사람과 사람 사이)을 전제로 한 연대의 존재이다. 이들은 일자무식의 처지로부터 일어나, 고통에 대한 저항을 통해 세계 전체를 대상으로 한 인식의 심화와 확장을 전개해 왔다.

그리고 민중은 대동이라는 이상사회와 한데 어우러진 개념이기 때문에 '더 피플'에 민중을 대응시켰다. 민중은 비록 현대어이지만, 대동사상을 제시함으로써 민중사상의 근간을 제시한 공자의 말에서 근원을 찾을 수 있기 때문이다. 박시어민이능제중(博施於民而能濟衆, '민'들이 혜택을 볼 수 있도록 폭넓게 베풀고 또 가난한 '중'들을 구제할 수 있다). 대동의 세상은 민중이 스스로 만들어낸 재화와 가치를 온전히 향유하는 세상이다. 대동은 과거에 있었으나,

대도가 회복되면 다시 도래할 수 있는 세상이다. 대도의 회복은 공의 원리가 다시 유행하는 것이며, 이는 민중의 각성을 통해 도달할 수 있다. 사유화의 도도한 흐름에 대항하는 인식과 연대를 통해 대도를 유행시킬 수 있다는 것은 대동사상의 현재적이고 미래적인 특징을 잘 보여주는 것이다.

외면보다 내면에 더 관심을 기울여 왔던 동양철학을 공부하는 필자가 황태연 교수님과 공동 연구에 참여한 여러 박사님들을 만나서 역사와 사회를 바라보는 글을 쓰는 기회를 얻었다. 홍복(洪福)으로 생각한다. 탈고 이후 공교롭게도, 국가의 공공성이 무너진 광장에서 민중들의 인식과 연대를 통해 대도가 회복되는 역사 전환의 현장에 참여할 수 있었다.

대도가 유행되지 않아 멈추고 사라지면 사유화의 범람이 일어난다. 대동을 저해하는 세력들은 이씨 왕조나 왜적이 아닌, 우리 시대에 어울리는 더 교묘한 형태로 둔갑해서 계속 등장할 것이다. 이 적(敵)들을 이기고 대도를 유행시키기 위해서는 민중의 세련된 각성과 다양한 연대가 모색되어야 할 것이다. 우리의 공동 연구가 여기에 이바지할 수 있으면 참으로 좋겠다.

청계산 국사봉 아래에서
이창일 씀

1 『詩經』「魏風」〈伐檀〉. 坎坎伐檀兮, 寘之河之干兮, 河水淸且漣猗. 不稼不穡, 胡取禾
三百廛兮. 不狩不獵, 胡瞻爾庭有縣貆兮. 彼君子兮, 不素餐兮. 坎坎伐輻兮, 寘之河之
側兮, 河水淸且直猗, 不稼不穡, 胡取禾三百億兮, 不狩不獵, 胡瞻爾庭有縣特兮, 彼君
子兮, 不素食兮. 坎坎伐輪兮, 寘之河之漘兮, 河水淸且淪猗, 不稼不穡, 胡取禾三百囷
兮, 不狩不獵, 胡瞻爾庭有縣鶉兮, 彼君子兮, 不素飧兮.

2 『詩經』「魏風」〈碩鼠〉. 碩鼠碩鼠, 無食我黍, 三歲貫女, 莫我肯顧, 逝將去女, 適彼樂土,
樂土樂土, 爰得我所.

3 장현근,「민(民)의 어원과 의미에 대한 고찰」,『정치사상연구』15-1(한국정치사상학회,
2009), 134쪽.

4 대부분의 문자학자들은 갑골문의 '민' 자의 존재를 부정하지만, 반드시 그런 것만은
아니다. 필자의 '민' 자에 대한 설명은 박병석의 연구에 기초하고 있다. 박병석,「중국
고대 유가의 '민' 관념」,『동양정치사상사』13-2(한국동양정치사상사학회, 2014).

5 주대에는 거주지를 왕성(王城)[邑]과 야(野)[郊-牧-野-林-墻]로 나누고 왕성과 교 사이
에 육향(六鄕: 比, 閭, 族, 黨, 州, 鄕)을 설치하여 이 지역의 거주민을 국인(國人)이라
부르고, 교(郊) 바깥의 야 지역에 육수(六遂: 隣, 里, 酇, 鄙, 縣, 遂)를 설치하여 이 지
역의 거주민(포로, 죄인)을 맹(氓, 또는 甿 또는 萌) 또는 수인(遂人)이라고 했다고 한
다. 맹(氓)은 민보다 지위가 낮아 정치 권리가 없고, 전사가 될 수 없고, 농업과 노역에
종사했다고 한다. 이들은 유동성이 높아 외래인 또는 유망자로 이해되었고 점차 외래
정주자라는 뜻을 갖게 되었다고 한다. 駱全察·李霞,「「詩經·衛風·氓」中'氓' 字釋義」,
『河北經貿大學學報(綜合版)』第11卷 第3期(河北經貿大學, 2011), 103~106쪽. 정병석,
위의 논문, 19쪽 재인용.

6 盂! … 㐅夕紹我一人烝四方, 越我其遹省先王, 受(授)民, 受(授)彊(疆)土.-「大盂鼎」. 명
문(銘文)의 표기와 번역은 다음을 참고. 唐蘭,『西周靑銅器銘文分代史徵』(北京: 中華
書局, 1986). 정병석, 위의 논문, 18쪽 재인용.

7 『詩經』「大雅」〈生民之什〉. 假樂君子, 顯顯令德. 宜民宜人, 受祿於天.

8 朱熹,『詩經集傳』「生民之什三之二」. 君子, 指王也. 民, 庶民也. 人, 在位者也.

9 『左傳』「昭公 7年」. 天有十日, 人有十等, 下所以事上, 上所以共神也, 故王臣公, 公臣大
夫, 大夫臣士, 士臣皁, 皁臣輿, 輿臣隸, 隸臣僚, 僚臣僕, 僕臣臺.

10 『論語』「學而」5장. 子曰, 道千乘之國, 敬事而信, 節用而愛人, 使民以時.

11 장현근, 앞의 논문, 140쪽.

12 성(姓)은 모계사회, 씨(氏)는 남성중심 가부장제에 대응한다.

13 『論語』「憲問」40장. "왕이 죽으면 백관들은 각기 자신의 직무를 총괄하며, 총재로부
터 3년 동안 명을 받았다(君薨, 百官總己, 以聽於冢宰, 三年). 공자가 은(殷)나라의 예

법을 말한 것이다.

14 장현근, 앞의 논문, 143쪽.

15 『論語』「顔淵」9장. 百姓足, 君孰與不足. 百姓不足, 君孰與足.

16 「안연」9장 이외의 2곳은 다음과 같다. 『論語』「憲問」42장. "자기 자신의 수양을 통해 백성을 편안하게 해주어라. 자기 자신의 수양을 통해 백성을 편안하게 해주는 것은 요임금과 순임금께서도 힘들어하신 것이었다(修己以安百姓. 修己以安百姓, 堯舜其猶病諸)." 『論語』「堯曰」1장. "아무리 가까운 친척을 두었다 하더라도 어진 사람이 있음만 같지 못하다. 백성이 잘못을 저질렀다면, 그건 나 한 사람 때문이리라(雖有周親, 不如仁人. 百姓有過, 在予一人)."

17 『論語』「雍也」28장. 如有博施於民而能濟衆, 何如, 可謂仁乎.

18 윤천근, 「유학의 민(民)」, 『퇴계학』5-1(안동대, 1993), 5쪽.

19 민과 민본의 해석은 중국의 유가사상을 보는 관점에 따라 변화했다. 20세기 초기부터 유가사상에 대한 전면적 부정(중국 사회주의)과 전면적 긍정(대만과 홍콩의 신유가)이 대립했다. 21세기에 들어서는 서구 오리엔탈리즘에 대한 비판과 중화문명의 부흥 전략이라는 차원에서 유가사상이 다시금 긍정적으로 조명되고 있다. 그 역사에 대한 간략한 이해는 박병석의 앞의 논문 4~11쪽을 참고.

20 공맹의 유학이 서구계몽주의의 정치철학사상에 미친 영향과 역사적 전개 양상에 대해서는 황태연의 연구와 이를 뒷받침하는 국내외에 집약된 연구 성과를 참고. 황태연, 『공자와 세계(2)』(청계, 2011). 황태연에 의해서 재해석된 유가는 공맹유학의 본질적 핵심에 근거를 두고, 현대의 인문사회과학적 성과들을 통합하여 제시된 공자주의(Confucianism)를 가리킨다. 이는 중화제국의 이데올로기에 입각한 퇴행적이고 패권적인 중국식 유가사상의 부흥 전략과는 다른 차원의 학술적인 보편성에 기초를 둔 미래전망적이며 세계평화지향적인 현대 유가사상의 재정립이라고 할 수 있을 것이다.

21 『左傳』「成公13年」. 民受天地之中以生, 所謂命也.

22 『書經』「夏書」〈五子之歌〉. 民可近, 不可下, 民惟邦本, 本固邦寧.

23 『書經』「皐陶謨」. 天聰明, 自我民聰明, 天明畏, 自我民明威.

24 『荀子』「大略」. 天之生民, 非爲君也, 天之立君, 以爲民也.

25 『左傳』「文公十三年」. 天生民而樹之君以利之也.

26 정확하게는 『대학』과 『중용』이 『논어』, 『맹자』와 함께 『사서(四書)』로 성립되면서부터 더욱 유명하게 되었다. 『사서』의 성립은 단지 네 개의 책이 아니라, 『사서』의 새로운 해석을 통해서 새로운 철학 체계가 수립되었음을 의미한다. 이 『사서』의 성립과 해석은 기원후 1천여 년쯤에 북송(北宋)에서 시작된 성리학의 성립과 같은 맥락을 갖는다.

27 『大學』10장. 詩云樂只君子, 民之父母, 民之所好, 好之, 民之所惡, 惡之, 此之謂民之父母.

28 『詩經』「大雅」〈烝民〉. 天生烝民, 有物有則, 民之秉彝, 好是懿德.

29 장현근, 앞의 논문, 57쪽.

30 장현근, 위의 논문, 63쪽.

31 황태연, 「조선시대 국가 공공성의 구조변동과 근대화」, 『조선시대 공공성의 구조변동』(국제학술심포지움 자료, 2012.11.15.), 240쪽.

32 이하 근대화의 특징에 대한 부연은 다음의 연구를 참고. 황태연, 앞의 논문, 6~7쪽 참고.

33 『大學』 4-1장. 공자가 말씀하셨다. "송사를 처리하는 것은 나라고 남보다 나은 것은 없으나, 나라면 반드시 소송이 없게 만들 것이다(子曰. 聽訟, 吾猶人也, 必也使無訟乎)."

34 선혜법이 법제화되기 이전인 선조 시기부터 대동이라는 용어가 민간에서 사용되다가 점차 중앙정부에까지 전파되어 통용되기에 이르렀다. 안병욱, 「조선후기 대동론의 수용과 형성」, 『역사와 현실』47(한국역사연구회, 2003), 197쪽.

35 김성윤, 「조선시대 대동사회론의 수용과 전개」, 『조선시대사학보』30(조선시대사학회, 2004), 8쪽.

36 율곡(栗谷) 이이(李珥)는 성리학에 입각해서 대동(大同) 사회에 대한 논의를 진지하게 전개했다.

37 『禮記』「禮運」. 孔子曰. 大道之行也, 與三代之英, 丘未之逮也而有志焉.

38 『禮記』「禮運」. 大道之行也, 天下爲公, 選賢與能. 講信修睦. 故人不獨親其親, 不獨子其子. 使老有所終, 壯有所用, 幼有所長, 鰥寡孤獨廢疾者, 皆有所養. 男有分, 女有歸. 貨惡其弃於地也, 不必藏於己, 力惡其不出於身也, 不必爲己. 是故謀閉而不興 盜竊亂賊而不作. 故外戶而不閉. 是謂大同.

39 『禮記』「禮運」. 今大道旣隱, 天下爲家. 各親其親, 各子其子, 貨力爲己, 大人世及以爲禮. 城郭溝池以爲固. 禮義以爲紀, 以正君臣, 以篤父子, 以睦兄弟, 以和夫婦, 以設制度, 以立田里, 以賢勇知, 以功爲己. 故謀用是作, 而兵由此起. 禹湯文武成王周公, 由此其選也. 此六君子者, 未有不謹於禮者也. 以著其義, 以考其信. 著有過, 刑仁講讓, 示民有常. 如有不由此者, 在執者去衆, 以爲殃. 是謂小康.

40 이성규, 「제자의 학과 사상의 이해」, 『강좌 중국사1』(지식산업사, 2009), 168쪽.

41 이 때의 민은 왕을 포함한 모든 인간이 속하는 개념이다.

42 성리학은 이러한 예를 내면의 불변적 도덕성으로 파악했다. 이것이 논란의 소지가 있는 곳이다. 이러한 관념은 선천성의 폭력으로부터 자유롭지 못하기 때문이다. 성리학이 끝내 근대화에 장애가 되는 신분제를 고수할 수밖에 없는 닫힌 철학이 되는 이유를 여기서 찾을 수 있다.

43 박원재, 「대동의 이상과 군주전제주의-한(漢) 제국 통치이념의 형성배경」, 『중국철학』3-1(중국철학회, 1992), 160~162쪽.

44 박원재, 위의 논문, 173~175쪽.

45 『呂氏春秋』「孟春紀」〈貴公〉. 天下非一人之天下也, 天下之天下也.

46 『呂氏春秋』「孟春紀」〈貴公〉. 昔先聖王之治天下也, 必先公.

47 『呂氏春秋』「孟春紀」〈貴公〉. 凡主之立也, 生於公.

48 『新語』「無爲」. 乃擧措暴衆, 而用刑太極故也.

49 『荀子』「王制」. "인간은 무엇으로 사회를 조직할 수 있는가?" "등급이다." (人何以能群. 曰. 分.)

50 『呂氏春秋』「審分覽」〈愼勢〉. 治天下及國, 在乎定分而已矣.

51 『春秋繁露』「奉本」. 禮者, … 序尊卑貴賤大小之位, 而差外內遠近新故之級者也.

52 『孟子』「萬章」 9장 참고. 하나라 시조 우임금은 천하를 현신 익(益)에게 선양했으나, 하나라 백성들은 익을 버리고 천하를 우임금의 아들 계(啓)에게 주었다. 이로써 선양의 전통이 단절되고 세습의 예법이 시작되었다.

53 『禮記』「喪服四制」. 天無二日, 土無二王, 國無二君, 家無二尊, 以一治之也.

54 『春秋繁露』「王道通三」. 立於生殺之位, 與天共持變化之勢.

55 『史記』「孟子荀卿列傳」. 天下方務於合從連衡, 以攻伐爲賢. 而孟軻乃述唐虞三代之德, 是以所如者不合.

56 황갑연, 「맹자 왕도정치론의 허와 실」, 『유학연구』 27(충남대 유학연구소, 2012), 221쪽 참고.

57 『禮記』「郊特牲」. 天下無生而貴者也.

58 『論語』「衛靈公」 5장. 子曰. 無爲而治者, 其舜也與, 夫何爲哉, 恭己正南面而已矣.

59 『論語』「泰伯」 18장. 子曰. 巍巍乎, 舜禹之有天下也而不與焉.

60 『論語』「八佾」 25장. 子謂韶, 盡美矣, 又盡善也. 謂武, 盡美矣, 未盡善也.

61 『論語』「述而」 14장. 子在齊聞韶, 三月不知肉味.

62 황태연, 「공자의 분권적 제한군주정과 영국 내각제의 기원(1)」, 『정신문화연구』 37-2(한국학중앙연구원, 2014). 황태연, 「윌리엄 템플의 중국 내각제 분석과 영국 내각제의 기획·추진-공자의 분권적 제한군주정과 영국 내각제의 기원(2)」, 『정신문화연구』 38-2(한국학중앙연구원, 2015) 참고.

63 황태연, 「서구 자유시장론과 복지국가론에 대한 공맹과 사마천의 무위시장 이념과 양민철학의 영향」, 『정신문화연구』 35-2(한국학중앙연구원, 2012), 327~328쪽 참고.

64 황태연, 위의 논문, 335~336쪽 참고.

65 황갑연, 앞의 논문, 243~248쪽 참고.

66 『孟子』「告子下」 22장. 人皆可以爲堯舜.

67 『孟子』「離婁上」 1장. 惟仁者宜在高位, 不仁而在高位, 是播其惡於衆也.

68 『孟子』「萬章上」 5장. 萬章曰, 堯以天下與舜, 有諸. 孟子曰, 否. 天子不能以天下與人. 然則舜有天下也, 孰與之. 曰, 天與之. 天與之者, 諄諄然命之乎. 曰, 否. 天不言, 以行與事示之而已矣.

69 『孟子』「萬章上」 5장. 曰. 天子能薦人於天, 不能使天與之天下. 諸侯能薦人於天子, 不能使天子與之諸侯. 大夫能薦人於諸侯, 不能使諸侯與之大夫.

70 『孟子』「萬章上」 5장. 曰. 使之主祭而百神享之, 是天受之. 使之主事而事治, 百姓安
之, 是民受之也. 天與之, 人與之, 故曰, 天子不能以天下與人 … 太誓曰, 天視自我民
視. 天聽自我民聽, 此之謂也.

71 『孟子』「盡心下」 60장. 孟子曰. 民爲貴, 社稷次之, 君爲輕.

72 『禮記』「禮運」 19장. "백성들은 임금을 표준으로 스스로 다스리고[自治], 임금을 먹여
스스로 편안하고[自安], 임금을 섬겨 스스로 실현한다[自顯](百姓則君以自治也, 養君
以自安也, 事君以自顯也)."

73 『孟子』「盡心上」 17장. 孟子曰. 無爲其所不爲, 無欲其所不欲, 如此而已矣.

74 『孟子』「滕文公上」 4장. 曰. 百工之事, 固不可耕且爲也. 然則治天下獨可耕且爲與. 有
大人之事, 有小人之事. 且一人之身, 而百工之所爲備, 如必自爲而後用之, 是率天下而
路也. 故曰, 或勞心, 或勞力, 勞心者治人, 勞力者治於人, 治於人者食人, 治人者食於人,
天下之通義也.

75 황갑연, 앞의 논문, 247쪽 참고.

76 허행(許行)은 묵자(墨子) 계열에서 배웠으며 일종의 중농주의자인 농가(農家)에 속
한다. 진상(陳相)은 유학을 배웠는데, 허행을 만나보고 허행을 따라 배웠다. 사상적
변신을 한 셈이다. 치자들도 농사 등의 직접 노동을 하면서 양자를 병행해야 한다는
주장을 추종한 것이다.

77 『孟子』「告子上」 15장. "자기의 대체를 따르면 대인이고, 자기의 소체를 따르면 소인
이다. … 이목의 기관은 생각하지 않아 사물에 속한다. 사물은 사물과 교접하면 끌어
당겨질 따름이다. 마음의 기관은 생각한다. 생각하면 깨닫고, 생각하지 않으면 깨닫
지 못한다(孟子曰. 從其大體爲大人, 從其小體爲小人 … 耳目之官不思, 而蔽於物. 物
交物, 則引之而已矣. 心之官則思. 思則得之, 不思則不得也)."

78 황태연, 『대한민국 국호의 유래와 민국의 의미』(청계, 2016), 108쪽 참고.

79 朱熹, 『孟子集註』「滕文公上」 4장. 君子無小人則飢, 小人無君子則亂.

80 柳馨遠, 『磻溪隧錄』 卷10, 「敎選之制(下)」〈貢擧事目〉 9장. 夫所謂名分者, 本出於貴賤
之有等, 貴賤本出於賢愚之有分耳.

81 『論語』「憲問」 5장. 남궁괄이 공자에게 묻고 말하기를, " … 우와 후직은 몸소 농사를
지었지만 천하를 영유했습니다"라고 하자 선생님께서 대답하지 않으셨다. 남궁괄이
나가자 공자는 "군자답도다. 이 사람! 덕을 숭상하도다, 이 사람!"이라고 말했다(南宮
适問於孔子曰, … 禹稷躬稼, 而有天下. 夫子不答. 南宮适出, 子曰, 君子哉若人. 尙德
哉若人)."

82 『論語』「子罕」 6장. "나도 또한 소싯적에 미천했고 그래서 비루한 일에 다능했다(吾
少也賤, 故多能鄙事)."

83 주로 권리, 의무, 자격 등이 모든 사람에게 고르고 똑같다는 의미로 사용하는 평등의
개념은 본래 불교에 기원을 두고 있다. 불교용어에서 평등은 절대적인 깨달음을 얻은
진리의 눈으로 보면 만물은 모두 '고르고 똑같다'는 뜻이다. 『반야심경』에서 무상정등

정각(無上正等覺)을 가리키는 '아뇩다라삼먁삼보리(anuttarā-samyak-saṃbodhi)' 가운데 '삼먁'이 정등(正等)에 해당하며, 이는 보편을 가리키는 사마냐(samanya)와 관련이 깊은 말이다. 이를 중국불교에서는 평등(平等)으로 번역했다. 19세기 일본에서는 사농공상의 신분제 차별에 저항하는 역사적 맥락과 서구의 자유와 민권의 사상을 결합하면서, "equality"에 대응하는 번역어로 '평등'이라는 용어를 쓰기 시작했고, 이것이 현대어 평등의 기원이 되었다.

84　순우곤(淳于髡)이 대표적이다. 천한 신분이었으나, 변설에 능했다.

85　서학의 도입과 관련된 부분에서 따로 서술할 것이다.

86　니담(Needham), 이석호 외 역, 『중국의 과학과 문명(II)』(을유문화사, 1986), 45쪽.

87　니담, 위의 책, 46쪽.

88　니담, 위의 책, 46쪽.

89　반란의 대명사가 된 태평도(太平道)의 교주 장각(張角)이 주동한 황건적(黃巾賊)의 난이 대표적이다.

90　니담, 앞의 책, 50쪽.

91　정일동, 「전한 후기에 있어서 재이해석과 참위」, 『중국학총서』36(고려대 중국학연구소, 2012), 1쪽.

92　中村璋八, 「참위사상과 과학사상」, 『도교학연구』5권(한국도교학회, 1990), 51~52쪽.

93　『漢書』(卷75), 「眭兩夏侯京翼李傳第四十五」. 孝昭元鳳三年正月, 泰山萊蕪山南匈匈有數千人聲, 民視之, 有大石自立, 高丈五尺, 大四八圍, 入地深八尺, 三石爲足. 石立後有白鳥數千下集其旁. 是時昌邑有枯社木臥復生, 又上林苑中大柳樹斷枯臥地, 亦自立生, 有蟲食樹葉成文字, 曰公孫病已立.

94　『漢書』(卷75), 「眭兩夏侯京翼李傳第四十五」. 石柳皆陰類, 下民之象, 而泰山者岱宗之嶽, 王者易姓告代之處. 今大石自立, 僵柳復起, 非人力所爲, 此當有從匹夫爲天子者. 枯社木復生, 故廢之家公孫氏當復興者也 … 先師董仲舒有言, 雖有繼體守文之君, 不害聖人之受命. 漢家堯後, 有傳國之運. 漢帝宜誰差天下, 求索賢人, 禪以帝位, 而退自封百里, 如殷周二王後, 以承順天命. (*眭孟은 眭弘의 字이다).

95　고려 우왕(禑王) 때 '목자득국(木子得國, 이씨가 나라를 얻는다)'의 참위가 있었다.

96　기묘사화(己卯士禍)로 죽은 조광조를 모함하기 위한 참위가 '주초위왕(走肖爲王, 趙씨가 왕이 된다)'이다.

97　정여립은 전해 내려오는 참위인 '목자망 전읍흥(木子亡 奠邑興, 이씨가 망하고 정씨가 일어난다)'을 이용했고, 그것이 빌미가 되어 죽음에 이르렀다.

98　이몽일, 『한국풍수사상사』(명보문화사, 1991), 18쪽.

99　니담, 앞의 책, 16쪽.

100　『金囊經』「內篇」. 禍福不旋日, 是以君子, 奪神工改天命.

101　『訓要十條』. 其二曰. 諸寺院, 皆是道詵, 推古山水順逆, 而開創者也. 道詵云, 吾所占定外, 妄有昌造, 則損薄地德, 祚業不永, 朕念後世國王公侯后妃朝臣, 各稱願堂, 或增

創造, 則大可憂也. 新羅之末, 競造浮屠, 衰損地德, 以底於亡, 可不戒哉.

102　백승종,『정감록미스테리』(푸른역사, 2012), 20~21쪽.

103　고성훈,「조선후기 변란연구」, 박사학위논문(동국대, 1993), 27쪽 참고.

104　이하『정감록』의 특징에 대해서는 고성훈의 위 논문 32쪽 이하를 참고.

105　백승종, 앞의 책, 59쪽 참고.

106　1992년 14대 대선의 정주영(鄭周永) 후보, 1997년 제15대 대선의 이인제(李仁濟) 후보 등에 대한 속설이 있었다. 김탁,『정감록: 새 세상을 꿈꾸는 민중들의 예언』(살림, 2005), 32쪽. 그런데 이인제 후보는 이씨인데 정씨로 가탁을 했다. 실제 조선시대에서도 성씨에 구애받지 않고 정도령을 주장하는 자들이 있었다. 또 다른 속설로 17대 대선 정동영 후보가 정도령이라고 했다.

107　一然,『三國遺事』(卷1),「奇異」〈古朝鮮〉. 古記云, 昔有桓國(謂帝釋也), 庶子桓雄, 數意天下, 貪求人世. (한국사데이터베이스)

108　금장태,「한국고대의 신앙과 제의」,『동덕여대논총』8(동덕여대, 1978), 6~7쪽 참고.

109　서영대,「한국고대 신관념의 사회적 의미」, 박사학위논문(서울대, 1991).

110　『三國遺事』「奇異」〈古朝鮮〉. 雄率徒三千, 降於太伯山頂(卽太伯今妙香山)神壇樹下, 謂之神市 … 周虎王卽位己卯, 封箕子於朝鮮, 壇君乃移於藏唐京, 後還隱於阿斯達爲山神, 壽一千九百八歲.

111　金富軾,『三國史記』「雜志」. 제37대 선덕왕 때에 이르러 사직단을 세웠다. … 3산5악 이하 명산대천을 나누어 대사, 중사, 소사로 삼았다(至第三十七代宣德王, 立社稷壇 … 三山五岳已下名山大川, 分爲大中小祀).

112　김영수,「삼산오악과 명산대천 숭배의 연원 연구」,『인문과학』31(성균관대 인문과학연구소, 2001), 398쪽.

113　변진의,「龍形의 한국적 특성에 관한 연구」,『논문집』11(수원대, 1993), 4쪽.

114　고대 일본에서 생각한 용은 서양의 용과 다른데, 이를 통해 미르의 형상을 추적해 볼 수도 있을 것이다. 일본 오사카부(大阪府)의 지상유적(池上遺跡)에서 발견된 기원후 1세기 야요이(彌生) 후기에 발견된 토기에는 용의 형상이 있다. 그런데 박물관의 설명문에는 용이 중국에서 기원했다는 상식적인 이야기가 적혔다. 하정룡,「신라시대 용신앙의 성격과 신궁」,『용, 그 신화와 문화-한국편』(민속원, 2002), 180~181쪽.

115　서영대, 앞의 논문, 14~15쪽.

116　이기백,「삼국시대 불교 수용과 그 사회적 의미」,『신라사상사연구』(일조각, 1986), 11~12쪽.

117　『三國遺事』「奇異」〈景德王, 忠談師, 表訓大德〉. 王一日詔表訓大德曰, 朕無祜, 不獲其嗣, 願大德請於上帝而有之.

118　강영경, 앞의 논문. 170~171쪽.

119　『三國遺事』「感通」〈仙桃聖母隨喜佛事〉. 眞平王朝, 有比丘尼名智惠, 多賢行, 住安興寺. 擬新修佛殿而力未也, 夢一女仙風儀婥約, 珠翠飾鬟, 來慰曰, 我是仙桃山神母也.

喜汝欲修佛殿, 願施金十斤以助之. 宜取金於予座下, 粧點主尊三像, 壁上繪五十三佛六 類聖衆及諸天神五岳神君(羅時五岳, 謂東吐含山, 南智異山, 西雞龍, 北太伯, 中父岳亦 云公山也), 每春秋二季之十日, 叢會善男善女, 廣爲一切含靈, 設占察法會以爲恒規. 惠 乃驚覺, 率徒往神祠座下, 堀得黃金一百六十兩, 克就乃功, 皆依神母所諭.

120   『三國遺事』「塔像」〈皇龍寺丈六〉. 新羅第二十四眞興王卽位十四年癸酉二月, 將築 紫宮於龍宮南, 有黃龍現其地, 乃改置爲佛寺, 號黃龍寺.

121   홍윤식, 「한국역사상에 나타난 이상사회 건설운동」, 『한국종교』9(원광대 종교문제 연구소, 1984), 58쪽.

122   홍윤식, 위의 논문, 59~60쪽.

123   홍윤식, 위의 논문, 62쪽.

124   이기백, 앞의 논문, 274쪽.

125   조인성, 「신라말 농민반란의 배경에 대한 一試論-농민들의 세계관과 관련하여」, 『한국고대사연구』7(한국고대사학회, 1994), 32쪽.

126   『大順典經』 제13장. (대순진리홈페이지www.daesun.or.kr/kyoungjun/).

127   「이승훈의 첫째 서한」(1789년), 『敎會史硏究』8(韓國敎會史硏究所, 1992), 172쪽. 조 유진, 「朝鮮後期 民意識 成長과 天主敎 受容」, 석사학위논문(연세대, 2003).

128   『정조실록』26권, 정조 12년(1788) 8월 2일 신묘 3번째 기사.

129   천주교에 대한 조정의 인식은 이단으로 인식했으나 관용으로 접근하는 정책을 편 정조(正祖) 이후, 정치적 상황에 따라서 수차례의 박해로 이어진다.

130   『承政院日記』(卷87), 정조12년 8월 임진.

131   조유진, 앞의 논문, 51~58쪽 참고.

132   이에 대해서는 IV장 말미에서 다시 논의한다.

133   『고려사』「列傳41, 反逆」〈李義旼〉. "의민(義旼)은 일찍이 붉은 무지개가 양쪽 겨 드랑이 사이에서 일어나는 꿈을 꾸어 자못 이를 자부하였다. 또 예로부터 참설(讖說) 중에 '용손(龍孫)은 12대로 다하고 다시 18자(十八子)가 있다'라는 말이 있음을 듣고 '十八子'는 곧 이(李) 자(字)인 까닭에 옳지 않은 기대를 품고 점차 탐비(貪鄙)를 억제 하고 명사(名士)를 거두어 씀으로써 헛된 명예를 낚았으며, 스스로 관적(貫籍)이 경주 (慶州)에서 나옴으로써 몰래 신라(新羅)를 부흥할 뜻을 가지고 적(賊)인 사미(沙彌), 효심(孝心) 등과 더불어 내통하였다." 『고려사』(국사편찬위원회, http://db.history. go.kr/KOREA/)

134   『고려사』, 위의 기사. "정중부의 난 이후로 많은 고관이 천한 출신에서 나왔다. 왕후 장상이 처음부터 씨가 있을까 보냐. 때가 오면 누구나 할 수 있다. 왜 우리만 상전의 매질을 당해가며 뼈가 빠지게 일만 해야 하는가!"

135   신유학에 대한 개론은 다음을 참고. 이창일 외, 「3강 신유학의 체계」, 『새로운 유학 을 꿈꾸다-내일을 위한 신유학 강의』(살림, 2006).

136   다음 연구를 참고. 김석근, 「조선시대 군신관계의 에토스와 그 특성」, 『한국정치학

회보』29-1(한국정치학회, 1995). 최연식, 「여말 선초의 권력구상: 왕권론, 신권론, 군
신공치론을 중심으로」, 『한국정치학회보』32-3(한국정치학회, 1998).

137　『牧隱文集』, 「周官六翼序」. 國於天地間. 代天行事者曰天子. 代天子分理所封者曰
　　　諸侯. 位有上下, 勢有大小, 截然不可紊, 易之所以有履也. (한국고전종합DB, http://
　　　db.itkc.or.kr/index.jsp?bizName=MK, 이하 각종 문집은 특별한 표기가 없으면, 한국
　　　고전종합DB에서 인용한 것임).

138　『周易傳義大全』, 「履」. 天上澤下, 天而在上, 澤而處下, 上下之分, 尊卑之義, 理之當
　　　也, 禮之本也, 常履之道也, 故爲履.

139　『周易傳義大全』, 「履」. 兌以說順, 應乎乾剛而履藉之, 下順乎上, 陰承乎陽, 天下之
　　　至理也.

140　『三峰集』, 『朝鮮經國典』(上), 「治典」〈總序〉. 아래 번역문 참고.

141　『三峰集』, 『朝鮮經國典』(上), 「治典」〈官制〉. 人君, 代天工治天民, 不可以獨力爲之
　　　也. 於是, 設官分職, 布于中外, 博求賢能之士以共之, 官制之所由作也.

142　『三峰集』, 『朝鮮經國典』(上), 「治典」〈總序〉. 上以承君父, 下以統百官治萬民, 厥職
　　　大矣. 且人主之材, 有昏明強弱之不同, 順其美而匡其惡, 獻其可而替其否 … 故曰相也,
　　　輔相之義也. 百官異職, 萬民異業, 平之使不失其宜, 均之使各得其所. 故曰宰也, 宰制
　　　之義也.

143　『三峰集』, 『經濟文鑑』(上), 「相業」. 爲宰相者, 深考聖賢所傳之正, 非孔子子思, 孟程
　　　之書, 不列於前, 晨覽夜觀, 窮其旨趣而反諸身, 以求天理之所在, 旣以自正其心, 而推
　　　之以正君心, 又推而至於言語政事之間, 以正天下之心, 則宰相之功名德業, 且將與三代
　　　王佐比隆.

144　『陽村集』(卷34), 「東國史略論, 昔脫解卽位」. 自夏后氏以來, 有國家者必傳其子, 不唯
　　　憂後世爭之之亂也, 所以重宗祀也, 傳之異姓則謂之革命, 而宗廟不血食矣.

145　『陽村集』(卷31), 「壽昌宮災上書」. 壽昌宮災上書. 自古天心仁愛人君, 彰示譴告, 必欲
　　　保佑而全安之. 其有英明之資可以有爲之主, 循襲故常, 不肯振奮有爲, 則天尤必降以非
　　　常之孽, 以警告之, 使之恐懼修省以有爲也.

146　『陽村集』(卷32), 「論臺職任啓本」. 臣切伏惟念, 敢言不諱, 人臣之勁節, 優容弗咈, 人
　　　主之盛德.

147　최연식, 「여말 선초의 권력구상: 왕권론, 신권론, 군신공치론을 중심으로」, 『한국정
　　　치학회보』32-3(한국정치학회, 1998), 49쪽.

148　『陽村集』(卷32), 「議政府狀」. 人主與大臣, 元首股肱, 有同一體, 可否相濟 … 故君所
　　　曰可, 宰相有所不可.

149　이병태, 『법률용어사전』(법문북스, 2011), 관련항목 참고.

150　『대한민국 국호의 유래와 민국의 의미』, 131쪽 참고. 주권은 개념적으로 단일하여
　　　나눌 수 없는 것이고, 통치권은 나눌 수 있는 것으로 주장되지만, 스파르타 로마공화
　　　정, 근현대 영국군주정, 일본군주정 등의 정치적 역사와 법적 경험 속에서는 주권도

통치권의 분할에 따라 군왕, 원로원(의회), 민회(국민) 등 사이에 분할된 경우가 허다하다.

151   황태연, 위의 책, 130쪽.

152   『三峰集』,「朝鮮經國典」(上),「治典」〈官制〉. 人君代天工, 治天民.

153   『三峰集』,「朝鮮經國典」(上),「賦典」〈版籍〉. 故周禮獻民數於王, 王拜而受之, 所以重
       其天也.

154   『三峰集』,「朝鮮經國典」(上),「正寶位」. 人君之位, 尊則尊矣, 貴則貴矣. 然天下至廣
       也, 萬民至衆也. 一有不得其心, 則蓋有大可慮者存焉. 下民至弱也, 不可以力劫之也,
       至愚也, 不可以智欺之也. 得其心則服之, 不得其心則去之. 去就之間, 不容毫髮焉. 然
       所謂得其心者, 非以私意苟且而爲之也, 非以違道干譽而致之也. 亦曰仁而已矣 … 守位
       以仁, 不亦宜乎.

155   『三峰集』,「朝鮮經國典」(上),「定國本」. 儲副, 天下國家之本也. 古之先王, 立必以長
       者, 所以絶其爭也, 必以賢者, 所以尙其德也, 無非公天下國家之心也.

156   황태연, 앞의 책, 132쪽.

157   황태연, 위의 책, 158쪽.

158   이태진, 『새 韓國史』(까치, 2012), 433-440쪽. 황태연, 위의 책, 158쪽 재인용.

159   황태연, 위의 책, 163~164쪽.

160   황태연, 위의 책, 175쪽. 민국을 1919년 임시정부 대한민국이 한국사에서 최초로
       만들어진 민국이라거나, 중화민국(1912)의 민국으로 이해하는 것은 오류이다. 민국
       은 양난 이후 자연발생적으로 만들어진 민족고유의 술어이다.

161   박종성, 『왕조의 정치변동』(인간사랑, 1995), 54쪽.

162   『栗谷全書』(卷30),「經筵日記」(3)〈萬曆九年辛巳七月〉. 珥白上曰. 自古爲國若至中
       葉, 則必狃安而漸衰, 其時有賢士作焉, 振起興奮, 迓續天命, 然後歷年綿遠. 我國家傳
       至二百餘年, 今已中衰, 此正迓續天命之秋也. 『국역 율곡전서(5)』(한국학중앙연구원,
       2007), 387쪽. (이하 『국역 율곡전서』)

163   『栗谷全書』(卷7),「疏箚」〈陳時事疏〉(『국역 율곡전서(2)』, 87~88쪽). 臣之愚計, 前者
       旣發而復止, 到今尤無他策. 若用臣言, 募庶孽及公私賤有武才者, 使自備餱糧, 入防于
       南北道, 北道以一期爲限, 南道以二十朔爲限, 使應募者衆, 而兵曹試才而遣之. 庶孽則
       許通仕路, 賤隷則得免爲良, 私賤則必本主呈單子于兵曹, 然後乃許試才, 使無叛主之
       奴, 其代則從自願擇給. 如無武才者, 則使之納粟于南北道, 以遠近定其多寡之數, 而許
       通從良, 亦如武士焉, 則兵食稍可以備禦矣. 昔者李施愛之亂, 賤人輸運軍器者, 皆得從
       良, 庶孽從軍者, 得赴科擧. 此是世祖大王權時已行之規也.

164   『栗谷全書』(卷15),「雜著二」〈隱屛精舍學規〉. 入齋之規, 勿論士族庶類, 但有志於學
       問者, 皆可許入.

165   『栗谷全書拾遺』(卷6),「雜著」〈天道人事策〉. 天視自我民視, 天聽自我民聽, 人心之所
       歸, 天命之所在也.

166   『栗谷全書』(卷25),『聖學輯要』(7),「爲政」〈爲政功效〉.

167   陳正炎, 其鋑, 이성규(역),『中國大同思想研究』(지식산업사, 1990), 123~126쪽 참고.

168   『栗谷全書』(卷26),『聖學輯要』(8),「聖賢道統」. 臣按, 上古聖神, 繼天立極, 道統攸始.

169   「聖賢道統」. 臣竊謂厥初生民, 風氣肇開, 巢居血食, 生理未具. 被髮裸身, 人文未備, 羣居無主, 齒齧爪攫, 大朴旣散, 将生大亂.

170   『道德經』18장. 大道廢, 有仁義.

171   「聖賢道統」. 於是, 有聖人者首出庶物, 聰明睿智, 克全厥性, 億兆之衆, 自然歸向. 有爭則求決, 有疑則求教, 奉以爲主, 民心所向, 卽天命所眷也. 是聖人者, 自知爲億兆所歸, 不得不以君師之責爲己任. 故順天時, 因地理, 制爲生養之具. 於是, 宮室衣服, 飮食器用, 以次漸備, 民得所需, 樂生安業.

172   「聖賢道統」. 而又慮逸居無教, 近於禽獸, 故因人心, 本天理, 制爲教化之具. 於是, 父子君臣夫婦長幼朋友, 各得其道, 天敍天秩, 旣明且行. 而又慮時世不同, 制度有宜, 賢愚不一, 矯治有方, 故節人情度時務, 制爲損益之規. 於是, 文質政令, 爵賞刑罰, 各得其當, 抑其過, 引其不及, 善者興起, 惡者懲治, 終歸於大同.

173   「聖賢道統」. 기풍(氣風)이 옛날과 같지 않고 성인이 드물게 나서 성군(聖君)으로써 성군을 이을 수가 없었기 때문에 대통(大統)이 정해지지 않아 도리어 간웅(姦雄)이 이것을 엿보게 되었습니다. 그러므로 성인이 이것을 근심하여 아들에게 전하는 법을 세웠는데, 아들에게 전한 뒤에는 도통이 반드시 임금에게 있지는 않았습니다(時世漸降, 風氣不古, 聖人罕作, 不能以聖傳聖, 則大統未定, 反起姦雄之窺覦. 故聖人有憂之, 乃立傳子之法, 傳子之後, 道統不必在於大君).

174   「聖賢道統」. 而必得在下之賢聖, 贊裁成輔相之道, 以不失斯道之傳焉. 此三代以上所以人君不必盡聖, 而天下治平者也.

175   「聖賢道統」. 時世益下, 風氣渮漓, 民僞日滋, 教化難成, 而人君旣無自修之德, 又乏好賢之誠, 以天下自娛, 不以天下爲憂, 用人不以德, 治世不以道.

176   「聖賢道統」. 間有人君, 或以才智能致少康, 而類陷於功利之說, 不能尋道德之緒. 譬如長夜之暗, 爝火之明爾, 安能撑拄宇宙, 昭洗日月, 以任傳道之責乎.

177   강정인,「율곡 이이의 정치사상에 나타난 대동(大同)·소강(小康)·소강(少康): 시론적 개념 분석」,『한국정치학회보』44-1(한국정치학회, 2010), 13쪽. 필자는 이 글에서 소강(小康)과 소강(少康)의 용례를 분석하여 이에 대해 정치사상적 차이를 논하고 있다. 율곡은『예기』의 소강(小康)과 구분되는 개념을 고안하여 주로 패도의 결과 얻어진 정치적 상태를 지칭하는 의미로 사용한 것이다.

178   「聖賢道統」. 道統在於君相, 則道行於一時, 澤流於後世, 道統在於匹夫, 則道不能行於一世, 而只傳於後學.

179   『栗谷全書』(卷7),「疏箚」,〈辭大司諫兼陳洗滌東西疏〉. 自古國家之所恃而維持者, 士林也. 士林者, 有國之元氣也. 士林盛而和, 則其國治, 士林激而分則其國亂, 士林敗而

盡, 則其國亡.

180　〈辭大司諫兼陳洗滌東西疏〉. 人心之所同然者, 謂之公論, 公論之所在, 謂之國是. 國是者, 一國之人, 不謀而同是者也. 非誘以利, 非怵以威, 而三尺童子, 亦知其是者, 此乃國是也.

181　『栗谷全書』(卷30),「經筵日記」(3),〈萬曆八年辛庚辰六月〉. 士生斯世, 進則揚于王庭, 以食祿而行道, 退則耕于田野, 以糊口而守義, 不可素食而曠官, 亦不至束手而飢餓矣.

182　『栗谷全書拾遺』(卷6),「雜著」(3),「文策」. 士之上者, 有志於道德, 其次, 志乎事業, 其次, 志乎文章. 最下者, 志乎富貴而已, 科擧之徒, 則志乎富貴者也.

183　『栗谷全書』(卷15),「雜著」(2),「東湖問答」〈論東方道學不行〉. 夫所謂眞儒者, 進則行道於一時, 使斯民有熙皥之樂, 退則垂教於萬世, 使學者得大寐之醒. 進而無道可行, 退而無教可垂, 則雖謂之眞儒, 吾不信也.

184　대동에 주목한 조선의 학자들은 매우 적다. 권근의 『예기천견록(禮記淺見錄)』에서는 도통론의 관점에서 대동을 해석한다. 조선 말기 심대윤(沈大允, 1806~1872)은 대동을 위문(僞文)으로 보고 격렬히 비판했다. 이어 유형원(柳馨遠)과 홍대용(洪大容, 1731~1783)은 율곡의 대동론을 계승하고 있다[김성윤, 「조선시대 대동사회론의 수용과 전개」, 『조선시대사학보』30(조선시대사학회, 2004) 참고]. 조선 말기 최한기(崔漢綺, 1803~1877)의 대동사상은 이전 성리학의 패러다임을 벗어난 독창성이 있으며, 지배와 복종의 세계관이 아니라 평화와 대동의 세계관을 가지고 있었다. 민중의 지위를 격상했으나, 창조적 지식인과 위정자의 계도(啓導)적 지위를 인정하는 방안이었다. 민중 부문과 권력 부문을 구별하는 이유는 민중의 우매성에 근거를 둔 인식의 수준 차이를 반영한 것이었다[백민정, 「최한기 정치론에서 민(民)의 위상에 관한 문제」, 『大東文化硏究』67(성균관대 대동문화연구원, 2009) 참고].

185　『선조수정실록』, 16년(1583) 윤2월 1일 갑인 1번째 기사.

186　『栗谷全書』(卷30),「經筵日記」(3),〈萬曆七年己卯十二月〉. 世衰俗末, 爲士者旣少向學之誠, 而時君世主, 又從而惡學問之名, 故儒者沮喪, 而流俗得志, 此叔季之通患也. ... 而獨恨上心深合流俗, 終不可保存好善之萌矣, 可勝於悒耶.

187　기축년(己丑年)인 1589년(선조22) 정여립이 반란을 꾀하고 있다는 고변(告變)에서 시작해 그 뒤 1591년까지 그와 연루된 수많은 동인(東人)의 인물들이 희생된 사건이다. 우리는 사건의 전말에 대한 탐구보다는 정여립의 정치사상에 대해서 논의하기로 한다.

188　『선조실록』17권, 선조 16년 10월 22일 경오 1번째 기사. 『선조수정실록』(17권, 선조 16년 10월 1일 기유 3번째 기사)에는 더 축약되어 있다. "현재 인재가 적은데 문사(文士) 중에 쓸 만한 사람을 얻기가 더욱 어렵습니다. 정여립(鄭汝立)은 박학하고 재주가 있으나 다듬어지지 못한 병폐가 있습니다." 하니, 상이 이르기를, "그런 사람을 어찌 쓸 수 있겠는가. 사람을 쓸 때는 그 이름만 취할 것이 아니라 반드시 시험을 해봐야 알 수 있는 것이다." 둘의 차이는 율곡이 정여립을 천거할 때 보이는 열의에 있

는 것으로 보인다.

189 『隱峯全書』(卷5), 「記事」〈己丑記事〉. 且其書曰. 見道高明, 當世惟尊兄一人而已.
　　　『은봉전서』는 조선 중기의 유학자 안방준(安邦俊, 1573~1654)의 시문집이다.

190 『선조수정실록』 23권, 선조 22년(1589) 10월 1일 을해 7번째 기사.

191 위의 같은 기사.

192 『선조수정실록』 19권 18년(1585) 5월 1일 신미 3번째 기사.

193 위의 같은 기사.

194 대표적인 예를 하나 들어본다. 상이 이르기를 "이이가 살아 있을 때에는 네가 지극
　　　히 추존하다가 지금에는 어찌하여 이런 말을 하는가?" 하자, 여립이 아뢰기를 "신이
　　　애초에는 그의 심술(心術)을 몰랐다가 나중에야 알고서 죽기 전에 이미 절교하였습니
　　　다." 하였다. 상이 아무런 대답을 하지 않자, 여립은 두 손으로 땅을 짚고 우러러보며
　　　아뢰기를, "신이 지금부터 다시는 천안(天顔)을 뵐 수 없겠습니다." 하고 곧바로 나갔
　　　다. 『선조수정실록』 19권 18년(1585) 4월 1일 (임인) 4번째 기사.

195 위의 같은 기사.

196 『선조수정실록』 23권, 선조 22년(1589) 10월 1일 을해 7번째 기사.

197 위의 같은 기사.

198 『孟子』 「公孫丑上」 22장. 曰, 伯夷伊尹, 何如. 曰. 不同道. 非其君不事, 非其民不使,
　　　治則進, 亂則退, 伯夷也. 何事非君, 何使非民, 治亦進, 亂亦進, 伊尹也. 可以仕則仕, 可
　　　以止則止, 可以久則久, 可以速則速 孔子也, 皆古聖人也.

199 김석근, 「조선시대 군신관계의 에토스와 그 특성」, 『한국정치학회보』 29-1(한국정치
　　　학회, 1995), 109쪽 참고.

200 김석근, 위의 논문, 112쪽.

201 김석근, 위의 논문, 114쪽.

202 최영성은 정여립에 대한 해석이 부풀려져 있다고 본다. '하사비군론'는 혁명을 정당
　　　화하는 말이 아니라, 지나친 출세간적 태도에 대한 것을 비판한 것이라 본다. 최영성,
　　　「鄭汝立의 생애와 사상-반주자학적 성향을 중심으로」, 『동양고전연구』 37(동양고전학
　　　회, 2009), 328쪽 참고.

203 『선조수정실록』 23권, 선조 22년 10월 1일 을해 5번째 기사.

204 배동수, 「정여립 연구」, 박사학위논문(건국대, 1999).

205 『중종실록』 97권, 중종 37년(1542) 2월 1일 임자 3번째 기사. 검토관(檢討官) 윤희
　　　성(尹希聖)이 석강(夕講)에서 한 말이다.

206 『선조수정실록』 23권, 선조 22년 10월 1일 을해 5번째 기사.

207 『선조수정실록』 23권, 선조 22년 10월 1일 을해 5번째 기사.

208 『隱峯全書』(卷5), 「記事」〈己丑記事〉. 문자를 이해하는 편이고, 스스로 처사로 자처
　　　했다. … 누런 관을 쓰고 도복을 입고, 나귀를 타고 지나갔다(稍解文字 … 自以爲處
　　　士, … 黃冠道服, 乘短驢而過 …).

209 위의 같은 기사.

210 위의 같은 기사.

211 위의 같은 기사.

212 위의 같은 기사.

213 위의 같은 기사.

214 위의 같은 기사.

215 『선조실록』 69권, 선조 28년(1595) 11월 13일 신사 2번째 기사. "이성남의 본명은 언남으로 정여립(鄭汝立)의 난 때에 성남으로 고쳤는데, 능히 안개를 일으키고 둔갑 장신(遁甲藏身)하며 노루나 사슴이 되기도 하니 그 몸의 있고 없는 것을 어느 곳에서 찾을 수 있겠는가."

216 배동수, 앞의 논문, 109~111쪽 참고.

217 신복룡, 「정여립의 생애와 사상」, 『한국정치학회보』 33-1(한국정치학회, 1999), 91~92쪽. 동인이 당시의 사건을 쓴 『선조실록』은 정여립을 비호하는 입장을 취하고 있기 때문에 집권파가 바뀌자 실록을 다시 쓰는 사태로까지 발전한다. 이러한 곡절로 인하여 동인이 쓴 『선조실록』은 기축옥사가 무옥(誣獄)으로 되어 있고, 서인이 쓴 『선조수정실록』은 역모(逆謀)로 기록되는 기이한 결과를 낳았으며, 조선조에서 전무후무하게 실록을 고치는 선례를 남겼다.

218 박찬승, 「활빈당의 활동과 그 성격」, 『韓國學報』 10-2(일지사, 1984), 139쪽.

219 "오도(吾徒)는 국능부촉(國能不促)하고, 부군소막어야(府郡所莫禦也)." 당시 붙잡힌 도적들을 심문한 기록이다. 박찬승, 위의 논문, 140쪽 참고.

220 김영작, 『한말내셔날리즘 연구: 사상과 현실』(청계연구소, 1989), 363쪽.

221 박재혁, 「한말 활빈당의 활동과 성격의 변화」, 부산대 석사학위논문, 1994, 31쪽.

222 장양수, 「방각본 홍길동전이 한말 민중운동에 미친 영향」, 『국어국문학』 112(국어국문학회, 1994), 185쪽.

223 이종호, 「허균 문예사상의 좌파양명학 성향(I)」, 『韓國思想과 文化』 12(한국사상문화학회, 2001), 55쪽 참고.

224 『乙丙朝天錄』 「病中記懷追平生」의 일부분이다.

225 원문의 '적담고걸영(翟曇苦乞靈)'에서 '적담(翟曇)'은 고타마(Gautama)의 음역인 '구담(瞿曇)'을 가리키고, '걸령(乞靈)'은 복을 구하는 기도이다. '적담(翟曇)'을 묵자(墨子)의 본명인 '묵담(墨翟)'과 법기(法起)로 번역되는 '다르모드가타(dharmodgata)'의 음역인 '담무갈(曇無竭)'의 합성어로 번역하는데, 이는 오류이다.

226 학자들은 주자학과 양명학의 통합을 떠올리지만, 지나온 세월의 여러 철학들이 하나로 합쳐지는 계기를 말한 것이다. 다만 성리학이 그 통합적 구상의 종결이라는 것이 아쉽다.

227 이재룡, 「농민」, 『한국사(10권)』(국사편찬위원회, 1977), 629~630쪽.

228 이재룡, 위의 논문, 690쪽.

229 『惺所覆瓿藁』(11卷),「文部」,「論」〈遺才論〉. 爲國家者, 所與共理天職, 非才莫可也. 天之生才, 原爲一代之用. 而其生之也, 不以貴望而豐其賦, 不以側陋而嗇其稟. 故古先哲辟知其然也, 或求之於草野之中, 或拔之於行伍, 或擢於降虜敗亡之將. 或舉賊或用莞庫士. 用之者咸適其宜, 而見用者亦各展其才. 國以蒙福, 而治之日隆, 用此道也. … 入我朝, 用人之途尤狹, 非世胄華望, 不得通顯仕, 而巖穴草茆之士, 則雖有奇才, 抑鬱而不之用. 非科目進身, 不得躋高位, 而雖德業茂著者, 終不躋卿相. 天之賦才爾均也, 而以世胄科目限之, 宜乎常病其乏才. 古今之遠且久, 天下之廣, 未聞有孼出而棄其賢, 毋改適而不用其才者. 我國則不然, 毋賤與改適者之子孫, 俱不齒仕路. … 古之賢才, 多出於側微. … 天之生也而人棄之, 是逆天也. 逆天而能祈天永命者, 未之有也.

230 『惺所覆瓿藁』(11卷),「文部」,「論」〈政論〉. 自古帝王之爲政也, 非獨自爲政也. 必以輔相之臣以助之. 輔相者得其人, 則天下國家之事, 可得而理也. … 當時輔佐之臣, 不爲不多, 其眷而相信者, 李珥也. 其任專而責以事者, 柳成龍也. 二臣者, 亦可謂儒者而材臣也. 其委任責成之意, 非不至矣, 而卒莫之展者, 非其才不逮也, 物有以害之也.

231 허균의 삼민론(三民論, 항민, 원민, 호민)을 사회과학적 개념으로 재구성하여, 대표적인 근현대 한국의 민 개념인 국민, 민중, 시민 등을 분석한 글은 다음을 참고. 이나미,「근현대 한국의 민 개념: 허균의 "호민론"을 통해 본 국민, 민중, 시민」,『한국동양정치사상사연구』(한국동양정치사상사학회, 2014). 위 논문에서 국민 개념은 최초 항민적 의미에서 출발하여, 주체적 존재(근대국가건설 시기)→정권의 반공주의에 대한저항(항민)→세계화 다문화 가치와 충돌(현재) 등으로 분화되었다. 민중은 항민적 성격→원민(60년대)→저항의 주체(70년대, 항민)→노동자가 기본이 되는 변혁의 주체(80년대, 호민) 등의 성격으로 진화되었으며, 프롤레타리아 혁명의 주체라는 과도한 의미 부여로 인해, 사회주의권의 붕괴와 탈근대적 경향에 따라 점차 시민에게 주도권을 넘기고 있는 추세이다. 시민은 항민적이고 소시민적 함의에도 불구하고, 87년 항쟁을 계기로 호민적 성격이 부각되었으며, 현재는 세계시민(탈국가, 탈계급적 경향 및 세계화의 흐름)의 개념까지 포괄하게 되었다. 그러나 현재는 근현대 대표적인 민 개념인 국민, 민중, 시민보다도, 계급이 아닌 단순 임금 노동자를 뜻하는 '노동자'와 원초적인 '사람'이라는 개념이 가장 많이 등장한다. 이는 역설적으로 인간의 기본적 생존권이 위협받고 있는 현실을 반영하고 있으며, 민중부문에 대한 억압과 질곡으로 인해 원민의 재출현을 알리는 것이라 분석한다. 우리는 민중의 개념을 계속 사용하는데, 이는 사회과학적 개념이라기보다는 민중=국민=시민이 모두 민(民)이라는 단음절어로 구성되어 있고, 민중의 중(衆)은 민의 집합적 특성을 나타내고 있다는 의미만을 취한 것이다. 요컨대 '다수의 보통사람'이라는 전통적 언어 용법에 입각한 것으로서, 민중의 함의에서 사회과학적 의미를 강조하지 않은 것이다.

232 『惺所覆瓿藁』(11卷),「文部」,「論」〈豪民論〉. 天下之所可畏者, 唯民而已. 民之可畏, 有甚於水火虎豹, 在上者方且狎馴而虐使之, 抑獨何哉. 夫可與樂成而拘於所常見者, 循循然奉法役於上者, 恒民也. 恒民不足畏也. 厲取之而剝膚椎髓, 竭其廬入地出, 以供无

窮之求, 愁嘆咄嗟, 咎其上者, 怨民也. 怨民不必畏也. 潛踪屠販之中, 陰蓄異心, 僻倪天地間, 幸時之有故, 欲售其願者, 豪民也. 夫豪民者, 大可畏也. 豪民, 伺國之釁, 覘事機之可乘, 奮臂一呼於壟畝之上, 則彼怨民者聞聲而集, 不謀而同唱. 彼恒民者, 亦求其所以生, 不得不鋤耰棘矜往從也, 以誅无道也. 秦之亡也, 以勝廣, 而漢氏之亂, 亦因黃巾. 唐之衰而王仙芝黃巢乘之, 卒以此亡人國而後已. 是皆厲民自養之咎, 而豪民得以乘其隙也.

233 허균의 민중 구분론을 현대 한국의 민 개념에 적용하면, 국민은 순응적인 항민, 민중은 원망하는 원민, 시민은 주도적인 호민적 요소가 강한 것으로 분석된다. 시기적으로 해방 후 여러 민 개념이 사용되다가 '국민'이 주로 현재까지도 사용되고 있으나, 민주화를 주도하는 정치 주체란 측면에서 70-80년대는 '민중'이, 90년대 이후는 '시민'이 중요한 개념으로 등장했다. 1945년 8월 해방 당시에는 인민, 국민, 백성, 민족, 겨레, 동포, 민중, 대중 등 다양한 개념이 섞여서 쓰였다. 건국준비위원회는 그중 민족, 민중, 동포 등의 용어를 주로 사용했다. 좌우 분열과 갈등이 심화되면서 우파는 국민, 좌파는 인민을 선호하는 경향을 보이다가, 한국전쟁 전후로 인민은 남한에서 극적으로 사라지게 되었다. 이후 국민은 남한에서, 인민은 북한에서 쓰는 용어로 되었다. 이나미, 앞의 논문.

234 『中國大同思想硏究』, 179~192쪽 참고.

235 위의 책, 245~250쪽 참고.

236 위의 책, 夫天之立司牧, 爲養民也, 非欲使一人恣睢於上, 以逞溪壑之慾矣. 彼秦漢以下之禍. 宜矣, 非不幸也.

237 위의 책, 今我國不然. 地陝阨而人少, 民且呰窳齷齪, 无奇節俠氣. 故平居雖无鉅人雋才出爲世用, 而臨亂亦无有豪民悍卒, 倡亂首爲國患者, 其亦幸也. … 故民之愁怨, 有甚王氏之季. 上之人恬不知畏, 以我國無豪民也. 不幸而如甄萱弓裔者出, 奮其白挺, 則愁怨之民, 安保其不往從而祈梁六合之變, 可跂足須也. 爲民牧者, 灼知可畏之形, 與更其弦轍, 則猶可及已.

238 『三峯集』(卷13), 「朝鮮經國典」(上), 「賦典」〈版籍〉. 蓋君依於國, 國依於民. 民者, 國之本而君之天.

239 朱熹, 『孟子或問』14-14장. 或問. 民貴君輕之說, 得不啓後世簒奪之端乎. 曰. 以理言之, 則民貴, 以分言之, 則君貴. 此固兼行而不悖也. 各於其時, 視其輕重之所在而已.

240 『태종실록』 27권, 태종 14년 6월 16일 정사 1번째 기사.

241 『태종실록』 27권, 태종 14년 6월 6일 정미 2번째 기사.

242 『태종실록』 27권, 태종 14년 6월 9일 경술 1번째 기사.

243 『孟子』 「盡心上」 19장. 대인은 자기를 바르게 하여 천하의 사물을 바르게 하는 자이다(有大人者, 正己而物正者也).

244 『중종실록』 33권, 중종 13년 6월 2일 경오 2번째 기사.

245 이석규, 「16세기 조선의 민본이념과 民의 성장」, 『韓國思想史學』 39(한국사상사학

회, 2011), 119~121쪽.

246　『중종실록』 27권, 중종 12년 1월 20일 병신 2번째 기사.

247　『중종실록』 46권, 중종 17년 11월 9일 신해 2번째 기사.

248　이석규, 앞의 논문, 130쪽 참고.

249　『孟子』「滕文公上」 4장.

250　『論語』「子路」 4장. 제자 번지가 농사일 배우기를 청하자 공자가 말씀하시었다. "농사일이라면 나는 늙은 농사꾼만 못하다." 번지가 채소밭 가꾸는 일을 배우길 청하자 공자가 말씀하시었다. "채소밭 가꾸는 법에 관한 한 늙은 채소 농사꾼보다 못하다."(樊遲請學稼, 子曰. 吾不如老農. 請學爲圃. 曰. 吾不如老圃).

251　『論語』「里仁」 16장. 공자가 말씀하시었다. "군자는 의에 밝고, 소인은 이익에 밝다." (子曰. 君子喩於義, 小人喩於利)

252　『숙종실록』 11권, 숙종 7년(1681) 4월 3일 병술 2번째 기사.

253　『磻溪隧錄』(卷1), 「田制上」, 〈分田定稅節目〉. 夫國之養士, 莫非爲民, 故勞心勞力, 貴賤之職攸分.

254　『磻溪隧錄』(卷19), 「祿制」, 〈京官祿磨錬〉. 故立之君師, 承以卿士, 使冀民居, 以遂其生, 耕者, 出米, 仕者, 受祿.

255　『磻溪隧錄』(卷10), 「教選之制下」, 〈貢擧事目〉. 夫所謂名分者, 本出於貴賤之有等, 貴賤本出於賢愚之有分耳.

256　『磻溪隧錄』(卷10), 「教選之制下」, 〈貢擧事目〉. 선비가 되는 자들은 다 세족 자제이고 평민에서 일어나는 자는 어쩌다 한두 명일 것이다. 왜인가? 인품의 청탁은 대개 타고난 기품과 관계되어 있고, 또 더구나 거주와 양육의 변화가 세가와 평민을 단절하듯 달라지게 하기 때문이다(爲士類者皆是世族子弟, 起自凡民者, 幸有一二. 何者. 人稟淸濁, 大抵係於氣類, 又況居養所移, 世家與凡民絶異).

257　『磻溪隧錄』(卷10), 「教選之制下」, 〈貢擧事目〉. 工商市井之子, 巫覡雜類之子及公私賤口, 不許入.

258　『星湖僿說』(卷12), 「人事門」, 〈六蠱〉. 奴婢傳世, 亘古今通四海, 無有者也.

259　신분차별이 극심한 일본을 제외하고 중국, 조선, 유구, 월남, 만주(여진), 몽고 등에는 신분차별이 없었다. 『대한민국 국호의 유래와 민국의 의미』, 119쪽 참고.

260　『星湖僿說』(卷8), 「人事門」, 〈學校不尙閥〉. 惟我邦尙閥之俗, 已成痼疾, 雖無爵, 必計其祖先官資之崇卑銖累校量, 不與寒門同列. 此專貴貴而關尊賢, 民風安得不替乎.

261　『中庸』 20장. 中庸章句 20장. 천하국가를 다스리는 9가지 원칙이 있으니, 통치자의 수신, 나라 원로들에 대한 공경, 가까운 혈연과 화목, 대신들에 대한 존중, 여러 신하들에 대한 사랑, 서민들을 자식처럼 여김, 다양한 기술자들을 불러 모음, 멀리 떨어진 다른 나라 사람들과 교류, 제후들에 대한 포용 등이다(凡爲天下國家有九經. 曰. 修身也, 尊賢也, 親親也, 敬大臣也, 體群臣也, 子庶民也, 來百工也, 柔遠人也, 懷諸侯也).

262　『星湖僿說』(卷13), 「人事門」, 〈民得什九〉. 賤之無貴, 猶或自活, 貴之無賤, 非復生意,

疑若其柄在下. 然勞心者治下, 治不可以無位. 有位則身尊, 身尊則威重, 卑所伏焉.

263   李瀷, 『藿憂錄』. "나는 천한 사람이다(余, 賤人也)." 이익은 서문에서 스스로를 천인
       (賤人)이라고 하고, 사(士)가 곤궁함을 당하였을 때는 농사에 종사하여야 한다고 한
       자신의 지론에 따라 자신을 천인으로 자처했다. 이원택, 「星湖의 政治思想과 '儒敎主
       義'」, 『태동고전연구』26(한림대 태동고전연구소, 2010), 5쪽.

264   『대한민국 국호의 유래와 민국의 의미』, 120쪽 참고.

265   『孟子要義』「滕文公第三」. 天之於人, 予之以自主之權, 使其欲善則爲善, 欲惡則爲
       惡 … 故爲善則實爲己功, 爲惡則實爲己罪.

266   김인규, 「조선후기 실학파의 民에 대한 인식과 정치권력론의 새로운 지평 -민본주
       의(民本主義)에서 민권주의(民權主義)로의 새로운 패러다임의 전환-」, 『溫知論叢』
       31(온지학회, 2012), 305~306쪽.

267   『與猶堂全書』第1集 第11卷.「湯論」. 天子者, 衆推之而成者也.

268   「蕩論」. 天子者 … 夫衆推之而成, 亦衆不推之而不成. 故五家不協, 五家議之, 改鄰
       長, 五鄰不協, 二十五家議之, 改里長, 九侯八伯不協, 九侯八伯議之, 改天子 … 誰肯曰
       臣伐君哉.

269   김인규, 앞의 논문, 307쪽.

270   『仁政』(卷17),「言事之選卽選人」. 國家大政, 當上順運化, 下協民願, 乃可治平.

271   『氣測體義』「神氣通」(卷2),「口通」〈饑飽與人同〉. "사람은 누구나 먹고 마시는 일을
       하며, 또 누구나 먹고 마실 욕망을 갖고 있다."

272   『仁政』(卷16),「運化選擧」. 逆民心, 卽逆運化也 … 國家之命脉在民, 事力在民, 動靜
       施爲, 所依賴惟民. 則朝廷之報於民者, 選擧賢俊, 俾順運化之天. 則其實, 乃得於民而
       治其民, 非駕虛翼僞, 而行其事也.

273   『대한민국 국호의 유래와 민국의 의미』, 123쪽.

274   黃玹, 『梧下記聞』「首筆」〈茂長縣布告〉. 吾徒雖草野遺民 … 今擧義旗, 以保國安民
       爲死生之誓. 황현(김종익 역), 『梧下記聞』(역사비평사, 1994), 73쪽.

275   민란은 '민중의 폭력투쟁'으로 이해되어 왔다. 민란은 민중의 저항을 가리키며, 실
       력행사를 한다는 점에서 '벌이 떼를 지어 세차게 일어난다'는 봉기(蜂起)에 비유되곤
       한다. 민란은 생존을 위한 경제투쟁으로서의 농민항쟁이라는 성격을 가지고 있다. 이
       에 비해 변란(變亂)은 민중들의 정치투쟁이며, 궁극적으로 국가권력을 장악하는 것
       이다. 이때는 혁명(革命)이라는 말과 유사하며, 더 나가 개벽(開闢)과 연결될 수도 있
       다. 변란과 관련해서 거사(擧事)를 준비하는 과정에서 무산된 작변(作變), 실제 거사
       를 일으킨 병란(兵亂) 등의 말이 있고, 거사 직전에 밀고(密告)로 인해 좌절된 고변(告
       變) 등의 용어가 주로 쓰인다. 고성훈, 「조선시대의 민중운동, 어떻게 일어났나?」, 『민
       란의 시대』(가람기획, 2006), 14~24쪽 참고.

276   이하 사화에 관해서는 다음을 참고. 이병도, 『한국유학사』(아세아문화사, 1989),
       156~165쪽.

277   박종성, 앞의 책, 172쪽.

278   김종성, 위의 책, 184쪽 참고.

279   『세종실록』 34권, 세종 8년(1426) 12월 8일 정묘 3번째 기사.

280   『세종실록』 31권, 세종 8년(1426) 2월 15일 기묘 3번째 기사.

281   『세종실록』 124권, 세종 31년(1449) 4월 12일 신유 2번째 기사.

282   『세종실록』 114권, 세종 28년(1446) 10월 17일 신해 1번째 기사; 『세종실록』 115권,
      세종 29년(1447) 3월 19일 신사 1번째 기사 등 참고.

283   『세종실록』 18권, 세종 4년(1422) 11월 24일 정축 4번째 기사.

284   『예종실록』 8권, 예종 1년(1469) 10월 23일 계유 1번째 기사.

285   위의 같은 기사.

286   위의 같은 기사.

287   『예종실록』 8권, 예종 1년(1469) 11월 10일 경인 4번째 기사.

288   『성종실록』 성종 20년(1489) 11월 기사(을해, 무오) 참고. 한희숙, 「15세기 도적활
      동의 사회적 조명」, 『역사와 현실』 5(한국역사연구회, 1991), 149쪽 참고.

289   『성종실록』 234권, 성종 20년(1489) 11월 24일 무인 4번째 기사. 영안도 관찰사(永
      安道觀察使) 허종(許琮)에게 유시(諭示)하기를, " … 대저 나라는 백성에 의해 보존되
      고 백성은 신의(信義)에 의해 보존되는 것인데, 우리나라의 백성들로서 우리나라를
      믿지 않는 마음이 있어서야 되겠는가? 이번에 하윤(河潤)을 보내는 것은 민간의 병폐
      와 고통을 묻게 하려는 것인데, 또한 혹시 그런 뜻을 알지 못하고서 망령되이 의아하
      고 우려하는 수가 있게 될까 싶으니, 경(卿)이 곡진하게 타일러 어리석은 백성들의 의
      혹이 얼음이 확 풀리듯 하게 하라."

290   『성종실록』 235권, 성종 20년(1489) 12월 9일 임진 2번째 기사.

291   『세조실록』 43권, 세조 13년(1467) 8월 6일 기해 5번째 기사. 김준은 고려조의 무신
      이다. 아비 김윤성(金允成)은 최충헌(崔忠獻)의 가노(家奴)였다. 고종 45년(1258) 최
      씨 무단정권을 타도하고 왕권을 회복시켜서 1등 공신으로 올랐다가 후에 임연과 최
      은에게 살해되었다.

292   『연산군일기』 39권, 연산 6년(1500) 12월 29일 기유 1번째 기사. "의금부의 위관(委
      官) 한치형(韓致亨)이 아뢰기를, "강도 홍길동(洪吉同)이 옥정자(玉頂子)와 홍대(紅
      帶) 차림으로 첨지(僉知)라 자칭하며 대낮에 떼를 지어 무기를 가지고 관부(官府)에
      드나들면서 기탄없는 행동을 자행하였는데, 그 권농(勸農)이나 이정(里正)들과 유향
      소(留鄕所)의 품관(品官)들이 어찌 이를 몰랐겠습니까. 그런데 체포하여 고발하지 아
      니하였으니 징계하지 않을 수 없습니다. 이들을 모두 변방으로 옮기는 것이 어떠하리
      까." 홍길동이 잡힌 것은 이 보고보다 빠른 시기였다. 『연산군일기』 39권, 연산 6년 10
      월 22일 계묘 기사 참고.

293   『중종실록』 70권, 중종 25년(1530) 12월 1일 정사 3번째 기사.

294   위의 같은 기사.

295 『명종실록』 22권, 명종 12년(1557년) 4월 1일 갑신 3번째 기사.

296 『명종실록』 27권, 명종 16년(1561년) 10월 6일 임술 1번째 기사.

297 임꺽정에 대한 기록은 다음을 참고. 한희숙, 「16세기 임꺽정 난의 성격」, 『한국사연구』 89(한국사연구회, 1995), 60쪽 이하.

298 『南判尹遺事』. 한희숙, 앞의 논문, 76쪽. 『남판윤유사』는 조선 중기의 학자 남학명(南鶴鳴, 1654-?)이 편저한 책이다.

299 『奇齋雜記』. 『기재잡기』는 조선 인조 때의 박동량(朴東亮, 1569~1635)이 야사류와 일기를 함께 편저한 책이다.

300 『奇齋雜記』의 기사를 요약해서 옮긴 것이다. 박종성, 앞의 책, 247쪽.

301 박종성, 위의 책, 252쪽 참고.

302 박종성, 위의 책, 253쪽.

303 『선조실록』 23권, 선조 22년(1589) 10월 2일 병자 1번째 기사.

304 고승제, 『한국경제사회사론』(일지사, 1988), 175~180쪽 참고.

305 申炅, 『再造藩邦志』(卷1). 김만호, 「임진왜란기 민인의 반왕조 활동」(전남대 박사학위논문, 2015), 11~12쪽 재인용. *신경(申炅, 1613~1653)은 할아버지가 신흠(申欽)이고, 아버지가 신익성(申翊聖)이었으며, 과거에 급제했으나 벼슬에 나가지 않고 학문에 전념했다. 『재조번방지』는 임진왜란 전후 조선과 명나라의 관계 등을 정리한 책이다. 『민족문화대백과사전』 관련 항목 참고.

306 『선조수정실록』 26권, 선조 25년(1592) 4월 14일(계묘), 선조 22년(1589) 12월 6일(기묘), 동년 12월 7일(경진) 기사 참고. 김만호, 위의 논문, 13쪽 참고.

307 아래는 경기 지역에 이름을 날린 도적의 괴수를 체포한 기사이다. 『선조실록』 56권, 선조 27년(1594) 10월 9일 계축 9번째 기사. 〈승정원이 아뢰기를, "어제 저녁에 경기 감사 유근(柳根)이 복명(復命)하기 위하여 승정원에 도착하여 신들을 보고 은밀히 말하기를, '이천(利川)의 적(賊)은 현몽(玄夢)이란 자가 괴수(魁首)인데, 용인(龍仁)에 사는 백성 설세창(薛世昌)이라고 하는 자는 백정(白丁)과 산척(山尺, 사냥 또는 약초를 캐며 사는 천민) 40여 명을 거느리고 현몽의 지휘를 받아 작적(作賊)한 자이다. 이달 7일 설세창과 조돌손(趙乭孫)을 붙잡아 추문(推問)하니, 서울 동대문 안에 사는 재인(才人) 김의산(金義山)이라고 하는 자가 또 이들의 우두머리로서 거느린 자가 역시 많다고 하였는데, 만일 범연히 치계(馳啓)하면 누설될까 염려되어 수원에서 달려왔다."

308 『선조실록』 189권, 선조 38년(1605) 7월 2일 갑술 2번째 기사. 헌부가 아뢰기를, "임금을 배반하고 적에게 항복하는 것은 신하로서 더할 수 없이 큰 죄악입니다. 그런데 성세령(成世寧)·성세강(成世康) 형제는 왜적(倭賊)이 입성(入城)하던 날 무릎을 꿇고 맞아들여 신하의 절개를 완전히 상실하였으므로 백성들의 분노가 날이 갈수록 더욱 심해지고 있습니다. 한 조정에서 그 자손과 더불어 어깨를 나란히 하는 것은 참으로 예의를 존중하는 선비로서 수치스런 일인데, 이번에 세령의 외손 한언(韓琂)이 문

과(文科)에 합격했고 세강의 외손 전 평사(評事) 박대겸(朴大謙)도 사적(仕籍)에 끼어 있으므로 물정(物情)이 더욱 분개하고 있습니다. 한언은 삭과(削科)하고 대겸은 사판(仕版)에서 삭제하소서. 그리고 이번에 응시를 허락한 녹명관(錄名官)도 파직하소서."

309 『선조실록』50권 선조 27년(1594) 4월 7일 을묘 2번째 기사. "황해도 전반에 걸친 백성들로 전후 수금(囚禁)된 자가 이미 3백여 명을 넘고 있어 인정의 소요(騷擾)는 묻지 않아도 알 만한 일입니다. 이러한 큰 옥사를 당하여 신들이 감히 가벼이 논할 수는 없는 일이지만 대체로 변해복의 정상을 살펴보면, 그는 바로 목수(牧竪), 걸아(乞兒) 가운데서도 간악하고 교활한 자로서 본도에서는 곤장 한 대 맞지 않고서도 많은 사람을 현고(現告)하여 끌어들였으며, 여기 와서는 또 본도에서의 공초(供招)는 자기 본의에 의한 것이 아니었다면서 굳게 숨기고 말을 않습니다. 뿐만 아니라 이른바 현고했다는 것도 공모한 일을 말한 것이 아니고 다만 아무가 무슨 물건을 주었다느니 아무가 술과 밥을 제공했다느니 하는 정도여서 그의 속셈을 측량하기가 매우 어렵습니다. 신들의 생각으로는 마땅히 앞뒤 말을 바꾸었다는 이유를 들어 하복에게 엄형을 가하여 내용을 철저히 캐묻고 연루된 죄수들에게는 빨리 판결을 내려주어야 황해도의 민심이 크게 흔들리지 않을 것입니다."

310 『선조실록』50권, 선조 27년(1594) 4월 3일 신해 3번째 기사.

311 송유진의 난에 대한 정보는 김만호의 연구를 참고했다. 김만호, 앞의 논문, 135쪽 참고.

312 『선조수정실록』28권, 선조 27년(1594) 1월 1일 경진 3번째 기사.

313 趙慶男,『亂中雜錄』(卷3), 1594年 1月 2日. 년(인조 19). 조경남은 의병장이다. 선조에서 광해군까지 사적을 일기체로 기술한 것이『난중잡록』이며, 이 저술은『선조수정실록』을 편찬하면서 사료(史料)가 되었다.

314 박용숙,「이몽학난에 대한 고찰」,『조선후가 향촌사회사 연구』(혜안, 2007), 238~239쪽 참고.

315 박종성, 앞의 책, 262쪽 참고.

316 『선조수정실록』30권, 선조 29년(1596) 7월 1일 병인 1번째 기사.

317 위의 같은 기사. 夢鶴愚狂無賴, 而絢則狡獪練事.

318 『한국민족문화대백과사전』, 관련 항목 참고.

319 『선조수정실록』30권, 선조 29년(1596) 7월 1일 병인 1번째 기사.

320 『선조수정실록』30권, 선조 29년(1596) 7월 1일 병인 3번째 기사.

321 이 반란의 전말은 다음 두 기록을 기준으로 재구성하고 인용했다.『선조실록』139권, 선조 34년(1601) 7월 18일 계축 2번째 기사. 오항녕 역주,『추안급국안(推案及鞫案)-01』(흐름, 2014) 참고.

322 위의 같은 기사.

323 위의 같은 기사.

324 소덕유와 길운절에 대한 내용은 다음을 참고. 오항녕 역주,「신축년, 길운절 반역사
     건(1~2)」,『추안급국안(推案及鞫案)-01』(흐름, 2014), 190~303쪽.

325 고성훈,「1601년 제주도 역모사건의 추이와 성격」,『사학연구』96호(한국사학회,
     2009), 178쪽 참고.

326 「신축년, 길운절 반역사건(1~2)」, 190~303쪽 참고.

327 고성훈, 앞의 논문, 186쪽.

328 소빙기(little ice age)는 1500년경부터 1750년경까지 250년간에 집중되어 나타난 기
     온저하 현상인데, 이 기간은 전 세계적으로 농업생산에 대한 기후 변동의 위력이 극
     명하게 드러난 시기였다. 이 때문에 이 기간 지구의 전 지역이 장기적인 자연재난에
     지속적으로 노출되었다. 페르낭 부로델(주경철 역),『물질문명과 자본주의 1-1 일상
     생활의 구조(상)』(까지, 1995). 조선은 영조조 초까지 200년 정도에 해당한다. 이태진,
     「소빙기(1500~1750)의 천체 현상적 원인 조선왕조실록의 관련 기록 분석」,『국사관논
     총』72(국사편찬위원회, 1996), 89~126쪽 참고.

329 한희숙,「17세기 후반 도적활동과 국가의 대책」,『조선시대사학보』21(조선시대사
     학회, 2002), 67~68쪽 참고.

330 『숙종실록』31권, 숙종 23년(1697) 2월 10일 신묘 1번째 기사.

331 『숙종실록』31권, 숙종 23년(1697) 5월 18일 정유 3번째 기사.

332 『승정원일기』인조 23년 을유(1645) 8월 1일.

333 『승정원일기』인조 6년 무진(1628) 9월 19일.

334 『승정원일기』인조 10년 임신(1632) 9월 21일.

335 여환의 역모사건은 다음 두 기록을 기준으로 재구성하고 인용했다.『숙종실록』19
     권, 숙종 14년(1688) 8월 1일 신축 1번째 기사. 김우철 역주,「역적 여환 등 추안」,『추
     안급국안(推案及鞫案)-28』(흐름, 2014), 173~458쪽 참고.

336 위의 같은 기사.

337 삼존불은 본존불(本尊佛)과 좌우에서 시립하는 보처불보살(補處佛菩薩)을 합한 명
     칭인데 이러한 삼존불의 관계는 본존불의 권능을 협시(挾侍) 보살이 대변하는 것으로
     표현된다. 중존(中尊)은 미륵불(彌勒佛), 왼쪽이 법화림 보살(法花林菩薩), 오른쪽이
     대묘상 보살(大妙相菩薩)을 합해 부른다.『한국고전용어사전』(세종대왕기념사업회,
     2001), 관련 항목 참고.

338 『三國遺事』卷3,「興法」〈法王禁殺〉참고.

339 위의 같은 기사.

340 성인(聖人)은 성인(聲人)의 뜻으로 쓴 것이다.『史記』「孔子世家」에서, "공자는 성
     인의 후예이다. 그 집안은 송나라에서 망한 가문이다(孔丘, 聖人之後, 滅於宋)."라고
     하는데, 사마천이 말하는 성인(聖人)은 성인(聲人)으로써, '청각이 예민한 사람들' 즉
     '신(神)의 소리를 잘 듣는 사람'이다. 이는 공자의 가계가 사제(司祭)에 속하는 것을 보
     여주기 위한 것이다.

341 위의 같은 기사.

342 위의 같은 기사.

343 『숙종실록』 18권, 숙종 13년(1687) 4월 30일 정축 1번째 기사.

344 『숙종실록』 5권, 숙종 2년(1676) 11월 1일 기묘 1번째 기사. 최종성, 「생불과 무당」, 『종교연구』 68(한국종교학회, 2012), 200~203쪽 참고.

345 『숙종실록』 23권, 숙종 17년(1691) 11월 25일 을해 2번째 기사. 이하 사건의 재구성에 인용한 내용도 같은 기사임.

346 『受敎定例』「邪惑衆二條」.『수교정례』는 현종(顯宗), 숙종(肅宗) 이후 주로 영조(英祖), 정조(正祖), 순조(純祖)대의 형옥 문제에 대한 제반 수교를 모은 책이다. 기사 내용은 앞의 「생불과 무당」(209쪽) 참고.

347 『영조실록』 91권, 영조 34년(1758) 5월 18일 계묘 2번째 기사.

348 「생불과 무당」, 212쪽.

349 이익은 홍길동, 임격정, 장길산 등을 3대 도적으로 꼽았다.『星湖僿說』(卷14),「人事門」〈林巨正〉.

350 위의 책, 같은 곳.

351 정석종, 「숙종연간 승려세력의 거변 계획과 장길산」,『동방학지』 31(연세대 국학연구원, 1982), 142쪽.

352 제갈공명(181~234)과 유기(劉基, 1311~1375)는 모두 천문, 인사, 지리의 술수에 밝고, 지략이 뛰어난 사람을 대표하고 있음. 특히 유기는 명대(明代) 사람으로 명리(命理)의 보서(寶書)인『적천수(滴天髓)』를 지은 인물이다.

353 김우철 역주,『추안급국안(推案及鞠案)-33』(흐름, 2014), 197쪽.

354 한희숙, 「17세기 후반 장길산의 군도 활동」,『조선시대 사회의 모습』(집문당, 2003), 285~286쪽.

355 정석종(앞의 논문)은 이러한 방향에서 논의하고 있으며, 한희숙(위의 논문)은 이 논의를 비판하고 있다.

356 『추안급국안(推案及鞠案)-33』, 213~214쪽.

357 『추안급국안(推案及鞠案)-33』, 216쪽.

358 『추안급국안(推案及鞠案)-33』, 216쪽.

359 『숙종실록』 31권, 숙종 23년(1697) 1월 10일 임술 3번째 기사.

360 위의 같은 기사.

361 위의 같은 기사.

362 한희숙, 앞의 논문, 300쪽. 홍순민은 장길산을 전설에서 사실로 제자리잡기를 권유한다. 홍순민, 「장길산의 전설과 사실에 대한 변증」,『역사비평』 17(역사문제연구소, 1992), 342쪽.

363 『추안급국안(推案及鞠案)-33』, 411~418쪽.

364 이영창은 풍수나 관상을 봐주면서 양반층에 기생하며 살다가 양반들 사이에서 염

탐을 하고 돈을 챙긴 자였다. 역모 사건에 등장하는 중인이나 서얼 세력이 양반층인 노론(老論)과 극적(劇賊) 및 승려 세력에 가탁하여 자신들의 사회적 처우를 기도하다가, 오히려 양반층인 노론(老論) 쪽으로 기울게 되어 고변(告變)한 것이다. 이들 세력의 기회주의적 측면이 잘 드러난 고변이다. 이영창은 이 와중에 죽게 되었다. 우리는 이러한 정치적 역학 관계에 대한 분석보다, 민중사상의 구체적 전개라는 측면에 주목했다. 정석종, 앞의 논문 결론 부분 참고.

365 현재의 국호 '대한민국'에서 '민국'은 1912년 중화민국 선포로 비로소 생겨났다는 인식은 잘못된 것이다. 민국은 중화민국이 선포되기 200여 년 전 영정조 시기에 자연발생적으로 생겨난 민족고유의 술어이다. 민국 개념은 막연히 양반국가를 뛰어넘는 백성의 나라로 이해되었다. 즉 신분의 질곡을 벗어나서 직접 공무를 담임하고 참정하면서 자치하는 다소 모호한 '맹아적 국민국가' 또는 '국민화 국가(nationalizing state)'의 개념으로 시작되었던 것이다. 이로부터 대한제국에서 신분제가 폐지되고 평민(서얼, 중안, 양민, 천민)들이 공무를 담당하는 주류로 떠오르면서 실을 얻는다. 이후 민국의 실현은 대한제국기에 법제상으로는 대한제국으로 불렸지만, '대한'과 '민국'이 자연스럽게 조합된 비공식 국호인 '대한민국'으로 불리면서 실질이 가시화되었다. 이를 위해 민중은 민란과 개벽운동의 민회(民會)적 확산을 통한 지속적인 민압을 행사했다. 『대한민국 국호의 유래와 민국의 의미』, 75~76쪽, 126쪽, 175쪽 등 참고.

366 1727년(영조 3) 7월 정미환국(丁未換局)으로 소론 완소 세력이 집권하면서부터, 노론 주도의 정국을 타파하려는 소론의 반란 명분이 약화되었다. 여기에 한양 주도세력의 연이은 지방 좌천으로 반란본부가 와해 지경에 이르게 되었다. 하지만 한양의 무신란 주모자들과 달리 지방의 남인계열 반란군들은 계속 반란을 준비한다. 조윤선, 「영조 6년(경술년) 모반 사건의 내용과 그 성격」, 『조선시대사학보』 42(조선시대사학회, 2007), 194쪽 참고.

367 무신란 실패의 원인 분석은 다음을 참고하였다. 정석종, 「무신란과 영조연간의 정치적 성격」, 『동양학학술회의강연』 18(단국대 동양학연구소, 1988). 고수연, 「조선 영조대 무신란의 실패 원인」, 『한국사연구』 170(한국사연구회, 2015).

368 녹림당은 후한(後漢) 말기 왕망(王莽)이 집권할 때 왕광(王匡)과 왕봉(王鳳) 등이 주축이 되어 녹림산(綠林山)을 근거로 관군에 대항한 군도(群盜)를 가리킨다. 『한국고전용어사전』(세종대왕기념사업회, 2001) 관련항목 참고. 녹림호걸(綠林豪傑)이라는 말이 있듯이, 이들은 호민(豪民)이 주축이 된 민중반란군이었다. 황건적처럼 반란집단의 대명사로 쓰인다.

369 『추안급국안』 「무신역옥추안」, 2, 3월 26일 이인좌 공초; 『무신역옥추안』 권2, 3월 27일 이배 진술.

370 『영조실록』 16권, 영조 4년(1728) 3월 26일 병자 5번째 기사.

371 『영조실록』 16권, 영조 4년(1728) 3월 28일 무인 11번째 기사.

372 정석종, 앞의 논문, 48쪽.

373 정석종, 위의 논문, 50~51쪽.

374 『영조실록』, 영조47(1771)년 11월 23일. "금후에는 국초의 고례에 따라 신문고를 설치한다."

375 1748년(영조 24)에는 생불 출현, 1758년에도 비슷한 일, 1760년에는 왜와 내통한다는 등의 말, 1763에는 요술사건, 1768에는 잡술사건, 1787년에는 미륵불에 가탁한 요언 등이 있다. 고성훈, 「조선후기 변란연구」(68쪽)에 『추국』과 『실록』 등을 참고로 해서 작성한 표에 의거.

376 고성훈, 위의 논문, 95쪽.

377 다음의 내용을 정리한 것이다. 『영조실록』 35권, 영조 9년(1733) 8월 18일 병인 4번째 기사.

378 『영조실록』 35권, 영조 9년(1733) 8월 26일 갑술 2번째 기사.

379 『영조실록』 67권, 영조 24년(1748) 5월 23일 병오 3번째 기사.

380 삼대역모사건은 정조 즉위 후 대대적인 숙정 과정에서 명맥을 유지하고 있던 그들의 잔여세력 중에서, 홍계희(洪啓禧, 1703~1771) 일가를 중심으로 하여 일어난 정치변란들이다. 첫째는 홍상범(洪相範) 등이 중심이 되어 국왕을 살해하려 한 자객사건이데, 발각되어 무위로 돌아갔다. 둘째는 홍술해(洪述海)의 처인 효임(孝任)이 주모한 것으로 궁궐내의 액속(掖屬, 궁중의 잡일을 맡아 하던 사람들)과 무녀들을 이용해 저주행위를 한 것이다. 셋째는 국왕 살해 후 다른 왕손을 추대하려던 사건이다. 고성훈, 앞의 논문, 35~47쪽 참고.

381 박종성, 앞의 책, 300쪽 참고.

382 박종성, 위의 책, 317쪽 참고.

383 『정조실록』 23권, 정조 11년(1787) 6월 14일 경술 2번째 기사.

384 위의 같은 기사.

385 고성훈, 앞의 논문, 138쪽 참고.

386 『정조실록』 14권, 정조 6년(1782) 12월 26일 무자 1번째 기사. 이 반란의 전말은 『실록』 외로 『추안급국안』을 재구성하고 인용했다. 변주승 역주, 「역적 문인방 이경래 등 추안」, 『추안급국안(推案及鞫案)-70』(서울: 흐름, 2014), 211~382쪽 참고.

387 『정조실록』 정조 6년(1782) 11월 20일 계축 1번째 기사.

388 『추안급국안(推案及鞫案)-70』, 244쪽.

389 앞의 같은 기사(『실록』).

390 『추안급국안(推案及鞫案)-70』, 281쪽.

391 『弘齋全書』卷10, 「序引」 〈萬川明月主人翁自序〉. "그래서 내가 머무는 처소에 '만천명월주인옹'이라고 써서 자호(自號)로 삼았다(遂書諸燕居之所曰萬川明月主人翁, 以自號)."

392 고성훈, 앞의 논문, 156쪽.

393 『정조실록』 19권, 정조 9년(1785) 3월 23일 임신 2번째 기사.

394 『정조실록』19권, 정조 9년(1785) 2월 29일 기유 5번째 기사

395 『정조실록』19권, 정조 9년(1785) 3월 1일 경술 2번째 기사

396 위의 같은 기사.

397 위의 같은 기사.

398 위의 같은 기사.

399 『정조실록』19권, 정조 9년(1785) 3월 1일 경술 2번째 기사.

400 앞의 기사(3월 23일).

401 『정조실록』18권, 정조 9년(1785) 3월 8일 정사 1번째 기사.

402 앞의 기사(3월 1일).

403 위의 같은 기사.

404 위의 같은 기사.

405 위의 같은 기사.

406 위의 같은 기사.

407 『정조실록』33권, 정조 15년(1791) 11월 7일 무인 2번째 기사.

408 천주교 박해는 신해박해 이후 신유(辛酉)박해(1801, 순조 1), 기해(己亥)박해(1839, 헌종 5) 등으로 이어진다.

409 『정조실록』43권, 정조 19년(1795) 7월 24일 계유 1번째 기사.

410 정약용의 『中庸講義補』에 이벽의 학문을 높이 평가하는 내용이 전한다. 정약용은 서학과 유학을 통합하려했던 사상가이다.

411 이민수 역, 『정감록』(홍신문화사, 2004), 11쪽.

412 정약종, 『주교요지』(성 황석두 루가서원, 1986), 81~82쪽.

413 백승종, 「조선후기 천주교와 정감록」, 『교회사연구』30(한국교회사연구소, 2008), 25쪽.

414 황사영 백서에 대해서는 다음의 연구를 참고. 조광, 「황사영백서의 사회사상적 배경」, 『사총』21(고려대 사학회, 1977).

415 서술의 목적에 비추어 대체적인 흐름을 지적한 것이다. 신종교도 친일이나 체제타협적인 행보를 보인다. 반면 기독교 계열의 항일독립운동도 존재했다.

416 『東經大全』「夢中老少問答歌」.

417 『稗林』(卷10), 「純祖記事」, 〈辛未 12月 21日〉. 『패림』은 편자 미상의 야사(野史) 총서이며 『대동패림(大東稗林)』이라고도 한다.

418 오수창, 『조선후기 평안도 사회발전연구』(일조각, 2001), 257~264쪽 참고.

419 오수창, 위의 책, 308~309쪽 참고.

420 정석종, 「홍경래난의 성격」, 『한국사연구』7(한국사연구회, 1972), 163쪽

421 『순조실록』15권, 순조 12년(1812) 4월 27일 기사 1번째 기사.

422 『순조실록』20권, 순조 17년(1817) 3월 16일 기미 2번째 기사.

423 『순조실록』28권, 순조 26년(1826) 5월 3일 갑신 2번째 기사.

424 『순조실록』 28권, 순조 26년(1826) 5월 3일 갑신 2번째 기사.

425 차남희, 「후기 조선사회에 있어서의 자본주의의 농촌침투와 농민운동」, 『한국정치학회보』 25-1(한국정치학회, 1991, 85~86쪽.

426 송찬섭, 「농민항쟁과 민회」, 『역사비평』 39(역사문제연구소, 1997), 385쪽.

427 『철종실록』 14권, 철종 13년(1862) 4월 4일 병진 1번째 기사.

428 『철종실록』 14권, 철종 13년(1862) 5월 23일 갑진 1번째 기사.

429 김용곤, 「전국을 휩쓴 민란의 열풍-임술민란」, 『민란의 시대』(가람기획, 2006), 192쪽.

430 김용곤, 위의 책, 195~196쪽 참고.

431 윤대식, 「근대 한국 농민운동에서 자치의 맨 얼굴-임술민란과 동학농민운동을 중심으로」, 『글로벌정치연구』 7-2(외대 글로벌정치연구소, 2014), 16쪽.

432 배항섭, 「19세기 지배질서의 변화와 정치문화의 변용」, 『한국사학보』 39(고려사학회, 2010), 121쪽.

433 『고종실록』 6권, 고종 6년(1869) 3월 29일 신축 2번째 기사.

434 위의 같은 기사.

435 『고종실록』 6권, 고종 6년(1869) 6월 6일 병오 1번째 기사

436 고성훈, 「1869년 광양난 연구」, 『사학연구』 85(한국사학회, 2007), 141쪽 참고.

437 『光陽縣賊變査啓跋辭』, 5쪽 참고. 고성훈, 앞의 논문, 143쪽에서 재인용.

438 연갑수, 「이필제 연구」, 『동학학보』 6(동학학회, 2003), 188~189쪽 참고.

439 『慶尙監營啓錄』, 庚辰 5월 19일 鄭晩植 供招. 김탁, 「조선후기의 예언사상-이필제 사건을 중심으로」, 『한국종교』 34(원광대 종교문제연구소, 2010), 17쪽 참고.

440 『左捕廳謄錄』, 己巳 4월18일, 朴會震 供招. 임형진, 「혁명가 이필제의 생애와 영해」, 『동학학보』 30(동학학회, 2014), 116쪽 참고.

441 『崔先生文集道源記書』(동학농민혁명사료총서 27권). 약칭 『도원기서』라 부르며, 수운과 해월의 행적과 사건을 서술체로 기록한 천도교의 중요 문헌이다. 임형진, 위의 논문, 128쪽 참고.

442 임형진, 위의 논문, 124쪽 참고.

443 『崔先生文集道源記書』(동학농민혁명사료총서 27권). 위의 논문, 128쪽 참고.

444 박맹수, 「최시형의 종교사적 위치」, 『韓國宗敎史硏究』 5(한국종교사학회, 1996), 107쪽.

445 『慶尙監營啓錄』, 庚午 6월 14일 楊永烈 供招. 임형진, 앞의 논문, 139쪽 참고.

446 임형진, 위의 논문, 143쪽.

447 『論語集註』 「衛靈公」 10장의 주석. 하나라는 북두성의 자루가 날이 처음 어두웠을 때에 인방을 가리키는 달을 세수로 삼았다. 하늘은 자에서 열리고 땅은 축에서 열리며 인은 인에서 생겨난다. 그러므로 북두성 자루가 이 세 방위를 가리키는 달을 모두 세수로 삼을 수 있어서 삼대가 차례로 쓴 것이다(以斗柄初昏建寅之月爲歲首也. 天開

於子, 地闢於丑, 人生於寅. 故斗柄建此三辰之月, 皆可以爲歲首, 而三代迭用之).

448 소강절의 원회운세설은 다음의 연구를 참고. 이창일, 『소강절의 철학』(심산, 2007), 239쪽 이하.

449 『三國遺事』 卷一, 「紀異」〈古朝鮮, 王儉朝鮮〉. 위서(魏書)에 이르기를, 지금으로부터 2천여 년 전에 단군왕검이 있어 아사달에 도읍을 정하였다. 나라를 개창하여 조선이라 했으니, 요임금과 같은 시대이다(魏書云, 乃往二千載, 有壇檀君王儉, 都阿斯達. 開國號朝鮮, 與高(堯)同時).

450 『고종실록』 1권, 고종 1년(1864) 3월 2일 임인 1번째 기사.

451 『용담유사』 「몽중노소문답가」.

452 「몽중노소문답가」.

453 「몽중노소문답가」.

454 「몽중노소문답가」.

455 삼원갑자설의 천문학적 근거는 다음과 같다. 태양과 지구와 오행성이 일직선상에 놓인 상태를 갑자년(甲子年)이라 한다. 일직선상의 형상은 180년 만에 한 번씩 일어나게 되는데, 이것을 상원(上元), 중원(中元), 하원(下元) 갑자 등으로 분류하고 있다. 신영대 편저, 『풍수지리학원리』(경덕출판사, 2004), 460쪽 이하 참고.

456 원회운세설에 입각한 연대 표기는 다음을 참고 했다. 邵雍(윤상철 역), 「황극경세운행괘도」, 『皇極經世』(대유학당, 2002).

457 역원(曆元)과 관련하여, 1) 황제의 즉위년인 B.C. 2697년 갑자(甲子)년을 역원으로 보기도 한다. 황제 헌원은 B.C. 2704년경에 태어나 B.C. 2697년 제왕이 되었다고 한다. 2) 또한 복희(伏羲)가 새로운 수도를 건설하고 제국의 영토를 자신이 통치하던 61번째 해, 즉 B.C. 2637년 갑자년에 60갑자를 도입하여 역법을 규정했다(앤서니 애브니 지음, 최광열 옮김, 『시간의 문화사』. 북로드, 2007, 496쪽). 역원에 대한 논의를 신화적인 기술로 간주하는 견해가 현대적인 이해방식이다. 김만태, 「간지기년(干支紀年)의 형성과정과 세수(歲首)·역원(曆元) 문제」, 『정신문화연구』 38-3(한국학중앙연구원, 2015), 69~70참고.

458 『용담유사』 「용담가」.

459 수운이 득도한 때는 원회원세로 68,877년이 되므로 여기에서 개벽의 시간인 21,600년을 빼면 47,277년이 된다. 그러나 더욱 정확한 수리는 다음과 같다. 개물(開物)은 천지인이 시작하는 시점인데, 이는 자(子)와 축(丑)의 2회(會) 즉 21,600년(10,800년×2)과 인간이 생겨난 인중(寅中)의 시간을 포함한다. 인중은 인회(寅會)의 반(半)을 가리키며 이는 5,400년(10,800년÷2)이다. 자회, 축회, 인회의 반 등을 합하면 27,000년이 된다. 이 기간은 하늘과 땅만 존재하고, 인간과 문명은 아직 존재하지 않았던 자연사의 시기였다. 상세한 수리는 이창일, 앞의 책, 342~355쪽 참고.

460 AD 2017년을 기준으로 해서 AD 3183년(원회운세 기준 70,200년)에 선천 세계가 종결된다. 그런데 후천세계를 선경(仙境)이고 극락(極樂)이라고 생각한다면 이 시기

가 현재에 빨리 도래하기를 바랄 것이다. 이 같은 이론에 입각한 종교들의 근심이 여기에 있다. 후천세계의 선포를 위해 천년의 시간을 앞당기는 새로운 역법(曆法)을 고안해서, 현세에 이상세계의 실현을 예언하는 것이 관건이 될 수밖에 없다.

461 근대세계로 향하는 조선의 민중은 역성혁명의 정치철학적 기반이 된『정감록』의 사상을 가지고 있다가, 서세동점(西勢東漸)의 시대적 상황을 맞이하여 '신(新)존왕주의'로 사상을 전환하게 된다. '신존왕주의'는 이씨 조선의 지배에 순응하는 것이 아니라, '내 나라'라는 민중의 정치의식이 심화되면서, 우리임금을 중심으로 외세를 물리치고 민생을 안정시킨다는 정치철학을 가리킨다. 황태연,『한국근대화의 정치사상』(청계, 2017)의「서문」참고.

462 『동경대전』「논학문」.

463 『동경대전』「논학문」.

464 『동경대전』「논학문」.

465 『용담유사』「권학가」.

466 『동경대전』「논학문」.

467 황태연,「서문」,『한국근대화의 정치사상』(청계, 2017) 참고.

468 '술싼일'은 '숟가락 쓰는 일'을 가리킨다. 임진왜란을 일으킨 왜놈들은 그 벌로 하느님이 조선(한국)인들이 잘 사용하는 숟가락 쓰는 법을 왜놈들에게는 전해 주지 않았다는 뜻. 지금은 세계화로 이러한 식문화가 없었으나, 젓가락으로 먹는 모양을 욕하는 것이다. 이는 문화적 우월이라고 할 수 있다. 한국 근대화의 4대 정치사상(조선중화론, 신존왕주의, 민국사상, 구본신참론) 가운데 '조선중화론'에 해당한다. 황태연, 위의 책, 참고.

469 『용담유사』「안심가」.

470 『용담유사』「안심가」.

471 『宣諭榜文竝東徒上書所志謄書』,「告示京軍與營兵以敎示民」,『동학농민혁명사료총서(10)』, 국사편찬위원회 한국사데이터베이스.

472 『고종실록』30권, 고종 30년(1893) 3월 21일 계묘 1번째 기사.

473 「통유문(通諭文)」. 신복룡,「동학의 창도와 전개과정」,『한국정치학회보』18-4(한국정치학회, 1984), 318쪽에서 재인용.

474 김경순,「한국근대 지방자치연구-1894년 농민집강소를 중심으로」,『한국지방자치학회보』13-2(한국지방자치학회, 2001), 18쪽.

475 대한제국의 정치철학적 의미는 황태연,『대한민국 국호의 유래와 민국의 의미』, 175~207쪽 참고.

476 『고종실록』36권, 고종 34년(1897) 10월 13일 양력 2번째 기사.

477 선후천이 교체하는 시기는 삼재팔난의 심판이 따르며, 이때 남학이 열어준 무극대도인 정도를 수련해야 한다. 일부계 오음영가와 무도 수련을 하고, 광화계는 오음영가와 무도 이외에도 불교와 민간신앙이 결합한 실천체계를 가지고 있다. 그래서 염불

과 칠성주문 등 각종 주문과 기도를 하는 것이 특징이다. 일부계는 충청도 지역을 거
점으로 하고, 광화계는 전라도 지역을 중심으로 했는데, 오방불교로 포교를 확장했
다. 오방불교는 오행과 미륵신앙을 결합한 것이다. 중앙의 주불이 미륵불이다. 『한국
민족문화대백과사전』 관련 항목 참고.

478   조성륜, 「南學黨의 活動과 房星七亂」, 『제주도연구』3(제주도연구회, 1986),
344~345쪽 참고.

479   金允植, 『續陰晴史』. 方日 濟州房星分野, 吾姓房, 與之相符. 且祕記有房社之將, 亦
與五姓相符, 此非天耶. 今國運已衰, 眞人當出於海島, 此機, 不可失也. 且濟州謫客之
多, 未有如今日, 文武俱修, 此天贊吾事也. 今日俄相爭, 朝庭多事, 未暇派兵, 雖來, 不
足畏也.

480   박찬식, 「방성칠란(房星七亂)과 이재수란(李在守亂)의 주도세력에 관한 새로운 자
료」, 『탐라문화』16(탐라문화연구소, 1996), 307쪽.

481   조경달, 『민중과 유토피아』(역사비평사, 2009), 149쪽 참고.

〈경전〉

『左傳』『書經』『禮記』『荀子』

『道德經』『春秋繁露』『漢書』

朱熹,『論語集註』『孟子集註』『中庸章句』『大學章句』『孟子或問』『詩集傳』

胡廣(撰),『周易傳義大全』

中國哲學書電子化計劃(http://ctext.org/zh)

〈고서 및 고문서 자료〉

『奇齋雜記』(朴東亮)	『亂中雜錄』(趙慶男)	『南判尹遺事』(南鶴鳴)
『東經大全』(崔濟愚)	『牧隱文集』(李穡)	『磻溪隆錄』(柳馨遠)
『三峰集』(鄭道傳)	『惺所覆藁』(許筠)	『續陰晴史』(金允植)
『續陰晴史』(金允植)	『栗谷全書』(李珥)	『隱峯全書』(安邦俊)
『乙丙朝天錄』(許筠)	『仁政』(崔漢綺)	『再造藩邦志』(申炅)
『稗林』	『弘齋全書』(正祖)	

한국고전종합DB(http://db.itkc.or.kr/)

〈단행본〉

고승제,『한국경제사회사론』, 서울: 일지사, 1988.

김영작,『한말내셔날리즘 연구: 사상과 현실』, 서울: 청계연구소, 1989.

김우철 역주,『추안급국안(推案及鞫案)-28』, 서울: 흐름, 2014.

김우철 역주,『추안급국안(推案及鞫案)-33』, 서울: 흐름, 2014.

김탁,『정감록: 새 세상을 꿈꾸는 민중들의 예언』, 파주: 살림, 2005.

니담(Needham),『중국의 과학과 문명(II)』, 서울: 을유문화사, 1986.

박종성,『왕조의 정치변동』, 서울: 인간사랑, 1995.

변주승 역주,『추안급국안(推案及鞫案)-70』, 서울: 흐름, 2014.

백승종,『정감록미스테리』, 서울: 푸른역사, 2012.

서정기,『민중유교사상』, 서울: 살림터, 1997.

신영대 편저,『풍수지리학원리』, 서울: 경덕출판사, 2004.

오수창,『조선후기 평안도 사회발전연구』, 서울: 일조각, 2001.

오항녕 역주,『추안급국안(推案及鞫案)-01』, 서울: 흐름, 2014.

이기백,「삼국시대 불교 수용과 그 사회적 의미」,『신라사상사연구』, 서울: 일조각, 1986.

이몽일,『한국풍수사상사』, 서울: 명보문화사, 1991.

이민수 역, 『정감록』, 서울: 홍신문화사, 2004.

이병도, 『한국유학사』, 서울: 아세아문화사, 1989.

이병태, 『법률용어사전』, 서울: 법문북스, 2011.

이성규, 『강좌 중국사1』, 서울: 지식산업사, 2009.

이영재, 『민의 나라, 조선』, 파주: 태학사, 2015.

이태진, 『새 韓國史』, 서울: 까치, 2012.

이창일, 『소강절의 철학』, 서울: 심산, 2007.

정약종, 『주교요지』, 서울: 성 황석두 루가서원, 1986.

조경달, 『민중과 유토피아』, 서울: 역사비평사, 2009.

하정룡, 『용, 그 신화와 문화-한국편』, 서울: 민속원, 2002.

허경진, 『허균평전』, 파주: 돌베개, 2008.

陳正炎 외(이성규 역), 『中國大同思想研究』, 서울: 지식산업사, 1990.

황태연, 『대한민국 국호의 유래와 민국의 의미』, 파주: 청계, 2016.

황태연, 『한국근대화의 정치사상』, 파주: 청계, 2017.

황태연, 『대한민국 국호의 유래와 민국의 의미』, 파주: 청계, 2016.

황현(김종익 역), 『梧下記聞』, 서울: 역사비평사, 1994.

〈논문〉

강정인, 「율곡 이이의 정치사상에 나타난 대동(大同)·소강(小康)·소강(少康) : 시론적
　　　개념 분석」, 『한국정치학회보』, 44-1, 한국정치학회, 2010.

권용기, 「이재수의 亂 아님 難」, 『한국역사연구회회보』36, 한국역사연구회, 1999.

고성훈, 「조선후기 변란연구」, 동국대 박사학위논문, 1993.

고성훈, 「1601년 제주도 역모사건의 추이와 성격」, 『사학연구』96, 한국사학회, 2009.

고성훈, 「1869년 광양난 연구」, 『사학연구』85, 한국사학회, 2007.

고성훈, 「조선시대의 민중운동, 어떻게 일어났나?」, 『민란의 시대』, 가람기획, 2006.

고수연, 「조선 영조대 무신란의 실패 원인」, 『한국사연구』170, 한국사연구회, 2015.

김용곤, 「전국을 휩쓴 민란의 열풍-임술민란」, 『민란의 시대』, 가람기획, 2006.

금장태, 「한국고대의 신앙과 제의」, 『동덕여대논총』8, 동덕여대, 1978.

김경순, 「한국근대 지방자치연구-1894년 농민집강소를 중심으로」, 『한국지방자치학회보』
　　　13-2, 한국지방자치학회, 2001.

김만태, 「간지기년(干支紀年)의 형성과정과 세수(歲首)·역원(曆元) 문제」, 『정신문화연
　　　구』38-3, 한국학중앙연구원, 2015.

김만호, 「임진왜란기 민인의 반왕조 활동」, 전남대 박사학위논문, 2015.

김백철, 「조선 후기 영조대 백성관의 변화와 民國」, 『한국사연구』138, 한국사연구회,
　　　2007.

김석근, 「조선시대 군신관계의 에토스와 그 특성」, 『한국정치학회보』 29-1, 한국정치학회, 1995.

김영수, 「삼산오악과 명산대천 숭배의 연원 연구」, 『인문과학』 31, 성균관대 인문과학연구소, 2001.

김용흠, 「17세기 공론과 당쟁, 그리고 탕평론」, 『조선시대사학보』 71, 조선시대사학회, 2014.

김인규, 「조선후기 실학파의 民에 대한 인식과 정치권력론의 새로운 지평 -민본주의(民本主義)에서 민권주의(民權主義)로의 새로운 패러다임의 전환-」, 『온지논총』 31, 온지학회, 2012.

김탁, 「조선후기의 예언사상-이필제 사건을 중심으로」, 『한국종교』 34, 원광대 종교문제연구소, 2010.

박맹수, 「최시형의 종교사적 위치」, 『한국종교사연구』 5, 한국종교사학회, 1996.

박병석, 「중국 고대 유가의 '민' 관념」, 『동양정치사상사』 13-2, 한국동양정치사상사학회, 2014.

박용숙, 「이몽학난에 대한 고찰」, 『조선후가 향촌사회사 연구』, 서울: 혜안, 2007.

박재영, 「전통사회와 왜래종교의 문화충돌」, 『경주사학』 36, 경주사학회, 2012.

박재혁, 「한말 활빈당의 활동과 성격의 변화」, 부산대 석사학위논문, 1994.

박찬승, 「활빈당의 활동과 그 성격」, 『韓國學報』 10-2, 일지사, 1984.

박찬식, 「방성칠란(房星七亂)과 이재수란(李在守亂)의 주도세력에 관한 새로운 자료」, 『탐라문화』 16, 탐라문화연구소, 1996.

변진의, 「龍形의 한국적 특성에 관한 연구」, 『논문집』 11, 수원대, 1993.

배동수, 「정여립 연구」, 건국대 박사학위논문, 1999.

배항섭, 「19세기 지배질서의 변화와 정치문화의 변용」, 『한국사학보』 39, 고려사학회, 2010.

백민정, 「최한기 정치론에서 민(民)의 위상에 관한 문제」, 『대동문화연구』 67, 성균관대 대동문화연구원, 2009.

백승종, 「조선후기 천주교와 정감록」, 『교회사연구』 30, 한국교회사연구소, 2008.

서영대, 「한국고대 신관념의 사회적 의미」, 서울대 박사학위논문, 1991.

송찬섭, 「농민항쟁과 민회」, 『역사비평』 39, 역사문제연구소, 1997.

신복룡, 「정여립의 생애와 사상」, 『한국정치학회보』 33-1, 한국정치학회, 1999.

신복룡, 「동학의 창도와 전개과정」, 『한국정치학회보』 18-4, 한국정치학회, 1984.

안병욱, 「조선후기 대동론의 수용과 형성」, 『역사와 현실』 47(한국역사연구회, 2003).

연갑수, 「이필제 연구」, 『동학학보』 6, 동학학회, 2003.

윤대식, 「근대 한국 농민운동에서 자치의 맨 얼굴-임술민란과 동학농민운동을 중심으로」, 『글로벌정치연구』 7-2, 한국외대 글로벌정치연구소, 2014.

윤천근, 「유학의 민(民)」, 『퇴계학』5-1, 안동대, 1993.

이나미, 「근현대 한국의 민 개념: 허균의 "호민론"을 통해 본 국민, 민중, 시민」, 『한국동양
    정치사상사연구』, 한국동양정치사상사학회, 2014.

이석규, 「16세기 조선의 민본이념과 民의 성장」, 『한국사상사학』39, 한국사상사학회,
    2011.

이원택, 「星湖의 政治思想과 '儒敎主義'」, 『태동고전연구』26, 한림대 태동고전연구소,
    2010.

이재룡, 「농민」, 『한국사』(10권), 국사편찬위원회, 1977.

이종호, 「허균 문예사상의 좌파양명학 성향(I)」, 『한국사상과 문화』12, 한국사상문화학회,
    2001.

이태진, 「소빙기(1500~1750)의 천체 현상적 원인 조선왕조실록의 관련 기록 분석」, 『국사
    관논총』72, 서울: 국사편찬위원회, 1996.

임형진, 「혁명가 이필제의 생애와 영해」, 『동학학보』30, 동학학회, 2014.

장양수, 「방각본 홍길동전이 한말 민중운동에 미친 영향」, 『국어국문학』112, 국어국문학
    회, 1994.

장현근, 「민(民)의 어원과 의미에 대한 고찰」, 『정치사상연구』15-1, 한국정치사상학회,
    2009.

정석종, 「무신란과 영조연간의 정치적 성격」, 『동양학학술회의강연』18, 단국대 동양학연
    구소, 1988.

정석종, 「숙종연간 승려세력의 거변 계획과 장길산」, 『동방학지』31, 1982.

정석종, 「홍경래난의 성격」, 『한국사연구』7, 한국사연구회, 1972.

정일동, 「전한 후기에 있어서 재이해석과 참위」, 『중국학총서』36, 고려대학교 중국학연구
    소, 2012.

조 광, 「황사영백서의 사회사상적 배경」, 『사총』21, 고려대 사학회, 1977.

조성륜, 「南學黨의 活動과 房星七亂」, 『제주도연구』3, 제주도연구회, 1986.

조윤선, 「영조 6년(경술년) 모반 사건의 내용과 그 성격」, 『조선시대사학보』42, 2007.

조유진, 「朝鮮後期 民意識 成長과 天主敎 受容」, 연세대 석사논문, 2003.

조인성, 「신라말 농민반란의 배경에 대한 시론-농민들의 세계관과 관련하여」, 『한국고대
    사연구』7, 1994.

차남희, 「후기 조선사회에 있어서의 자본주의의 농촌침투와 농민운동」, 『한국정치학회
    보』25-1, 한국정치학회, 1991.

최종성, 「생불과 무당」, 『종교연구』68, 한국종교학회, 2012.

최연식, 「여말 선초의 권력구상: 왕권론, 신권론, 군신공치론을 중심으로」, 『한국정치학회
    보』32-3, 한국정치학회, 1998.

최영성, 「鄭汝立의 생애와 사상 - 반주자학적 성향을 중심으로」, 『동양고전연구』37, 동양

고전학회, 2009.

한희숙, 「15세기 도적활동의 사회적 조명」, 『역사와 현실』 5, 한국역사연구회, 1991.

한희숙, 「17세기 후반 도적활동과 국가의 대책」, 『조선시대사학보』 21, 조선시대사학회, 2002.

한희숙, 「17세기 후반 장길산의 군도 활동」, 『조선시대 사회의 모습』, 서울: 집문당, 2003.

한희숙, 「16세기 임꺽정 난의 성격」, 『한국사연구』 89, 한국사연구회, 1995.

홍순민, 「장길산의 전설과 사실에 대한 변증」, 『역사비평』 17, 1992.

홍윤식, 「한국역사상에 나타난 이상사회 건설운동」, 『한국종교』 9, 원광대 종교문제연구소, 1984.

황갑연, 「맹자 왕도정치론의 허와 실」, 『유학연구』 27, 충남대 유학연구소, 2012.

황태연, 「서구 자유시장론과 복지국가론에 대한 공맹과 사마천의 무위시장 이념과 양민 철학의 영향」, 『정신문화연구』 35-2, 한국학중앙연구원, 2012

황태연, 「조선시대 국가 공공성의 구조변동과 근대화」, 『조선시대 공공성의 구조변동』(국제학술심포지움 자료), 2012.

〈외국문헌〉

駱全察·李霞, 「詩經·衛風·氓」中'氓'字釋義」, 『河北經貿大學學報(綜合版)』, 第11卷 第3期, 2011.

石塚正英·柴田隆行, 『哲學思想翻訳語事典』, 東京: 論創社, 2004.

中村璋八, 「참위사상과 과학사상」, 『도교학연구』 5권, 한국도교학회, 1990.

〈문헌 사이트〉

『大順典經』(대순진리홈페이지, www.daesun.or.kr/kyoungjun/)

『한국고전용어사전』(세종대왕기념사업회, 2001. http://terms.naver.com/list.nhn?cid=41826&categoryId=41826)

『한국민족문화대백과사전』(한국학중앙연구원, https://encykorea.aks.ac.kr/)

『조선왕조실록』(국사편찬위원회, http://sillok.history.go.kr/main/main.do)

『高麗史』(국사편찬위원회, http://db.history.go.kr/KOREA/)

『동학농민혁명사료총서』(국사편찬위원회, http://db.history.go.kr/item/level.do?itemId=prd)

『동학경전』(천도교홈페이지, http://www.chondogyo.or.kr/)

찾아보기